scripto

Maureen Johnson

Suite Scarlett

Traduit de l'anglais (États-Unis)
par Cécile Dutheil de la Rochère

Gallimard

Ce livre est dédié à quiconque a joué
le rôle d'un corps mort, sur scène ou à l'écran.
Il faut être très bon acteur pour demeurer
allongé au sol en silence.
Lâchez-vous, amis sans vie.

Titre original : *Suite Scarlett*
Édition originale publiée aux États-Unis par Point,
un éditeur de Scholastic Inc.,
557 Broadway, New York, NY 10012.

Loi n° 49-956 du 16 juillet 1949
sur les publications destinées à la jeunesse
Maquette couverture : Clément Chassagnard
PAO : Françoise Pham
Imprimé en Italie par L.E.G.O. Spa - Lavis (TN)
Dépôt légal : janvier 2010
N° d'édition : 161823
ISBN : 978-2-07-062242-9

L'hôtel Hopewell est une institution du quartier nord-est de Manhattan tenue par la même famille depuis plus de soixante-quinze ans. C'est un petit bijou de cinq étages à peine, situé à la hauteur de la Soixantième Avenue, non loin de Central Park, et décoré en 1929, en pleine vogue art déco, par un des architectes phares de la période, J. Allen Raumenberg. Aujourd'hui l'hôtel demeure un prestigieux témoignage des années jazz à New York, et il est difficile de ne pas imaginer les jeunes garçonnes de cette époque fouler le magnifique parquet à chevrons qui revêt la réception.

Chacune des chambres possède un nom, et chacune a conservé son mobilier d'origine, qui, même si le temps y a laissé quelques empreintes, est un pur bonheur. Signalons en particulier la suite Empire, la dernière et la plus belle création de Raumenberg. Elle bénéficie d'un papier peint parisien d'avant-guerre, bleu-argent, parfaitement mis en valeur par les luminaires de cristal viennois couleur prune, légers et raffinés, et les appliques roses en forme de cônes spectaculaires. Le mobilier en bois de rose est une exclusivité fabriquée en

Virginie, de même que toutes les soieries faites à la main, aux nuances rosées.

Le joyau de la suite Empire demeure l'immense miroir rond de la coiffeuse – dont un léger morceau du haut a été masqué de façon à ressembler à la lune juste avant qu'elle ne soit pleine. La chambre dégage une ambiance romanesque, magique, l'impression que tout est possible, un atout que n'obtiendra jamais un hôtel appartenant à une chaîne.

Nous vous recommandons de commencer la journée par les spécialités de l'hôtel : le pain grillé aux cerises, le chocolat chaud aux épices, à se damner, et les délicieux biscuits aux amandes réalisés par l'excellent chef pâtissier de la maison.

Dernière caractéristique insolite de l'hôtel : il appartient à la famille Martin, qui en assure l'entière gestion. Le service a beau laisser à désirer çà et là, cette touche personnelle fait toute la différence…

Extrait du guide Que faire et où crécher à New York ?, *huitième édition.*

Une fête qu'il eût mieux valu éviter

Ce matin du 10 juin, Scarlett Martin fut réveillée par un long rap sourd et impromptu qui traversait la fine cloison de sa chambre du côté de la salle de bains. Elle essayait d'ignorer ce bruit depuis près de quinze minutes, comme s'il appartenait à son rêve, mais elle avait du mal à relier le refrain entêtant, « *I got a butt-butt, I got a mud hut*[*] », au songe dans lequel elle essayait de cacher une portée de lapins dans son tiroir à T-shirts.

Elle cligna des yeux, grogna, grognon, et ouvrit un œil.

Il faisait chaud. Très chaud. La petite lucarne qui servait à ventiler la climatisation de la suite de l'Orchidée, la chambre qu'elle partageait avec sa sœur aînée, Lola, ne fonctionnait plus depuis de nombreuses années. Tantôt on tremblait de froid, tantôt, comme ce matin, la ventilation se résumait à déplacer des vagues d'air chaud et à renforcer l'humidité ambiante.

---

[*] « J'ai un cul-cul, j'ai une hutte en boue » (traduction littérale).

Dès qu'il faisait chaud, les cheveux blonds et bouclés de Scarlett se métamorphosaient en une gigantesque et épouvantable perruque. Les jolies anglaises qui lui arrivaient au menton en hiver se transformaient en une crinière de folles créatures qui ressemblaient à des vers, dès le début du mois de juin. À peine ouvrit-elle un œil qu'une de ses boucles bondit et lui rentra dans l'orbite. Elle se redressa, sauta de son lit et ouvrit le fin rideau mauve près de son lit.

L'hôtel Hopewell était un lieu réputé, car il offrait plus ou moins la vue sur le Chrysler Building – à supposer que l'on efface les bâtiments construits au milieu. Cependant, Scarlett pouvait voir les immeubles d'appartements privés qui étaient adossés à l'hôtel, et le spectacle valait son pesant de cacahuètes. Dans une ville comme New York, où la population est extrêmement variée et où la concurrence est rude, le matin est un terrain de jeux qui met tout le monde à égalité, car personne n'est au mieux de sa forme et ne sait où se trouve quoi que ce soit. Citons ainsi la femme qui changeait quatre fois d'ensemble et essayait plusieurs poses devant son miroir avant de se décider. Ou, deux fenêtres plus loin, le type obsessionnel compulsif qui récurait les brûleurs de sa cuisinière. Ou encore, à l'étage inférieur, le jeune TPMPD (Tout-Pour-Mon-Petit-Déjeuner) qui, comme son nom l'indique, dévorait tout ce qui lui tombait sous la main. Ce matin-là, il versa de la glace fondue sur ses céréales.

Une autre voisine, une femme d'environ soixante-dix ans, était assise, entièrement nue, sur la terrasse du toit de l'immeuble adjacent. Elle lisait le *New York Times* en maintenant en équilibre un gobelet de café serré entre ses cuisses, formant un tableau un peu dur à avaler si tôt dans la journée (plus tard aussi, du reste).

De fait, Scarlett ne put s'empêcher d'avoir un mouvement de recul avant de s'écrouler sur son lit. Le volume du rap du voisin augmenta au moment où sa douche cessa. Les paroles avaient évolué : « *Got shoe and socko, get me a taco*...* »

– Merci de me prévenir quand tu auras fini ! hurlat-elle en direction du mur. Tu ne pourrais pas la boucler ?

La réponse arriva sous forme d'un battement enlevé et enjoué contre la cloison. Le martèlement continua, mais le volume diminua.

Scarlett était sur le point de se rendormir quand la porte de sa chambre s'ouvrit et Spencer, son frère aîné, bondit dans la pièce les bras levés, comme s'il venait de remporter le marathon. Il sortait tout droit de sa douche, les cheveux mouillés et en pétard, ses yeux bruns brillant d'une lueur folle.

– J'ai... fini ! annonça-t-il.

Spencer dormait rarement après cinq heures du matin car il travaillait au Waldorf-Astoria, l'hôtel où il était préposé au petit-déjeuner. Scarlett, elle, se réveillait à l'heure de tout le monde, et ne le voyait jamais en tenue de travail. Ce matin était donc une exception. Il portait un pantalon noir et une chemise blanche amidonnée qui allongeaient et amincissaient sa silhouette déjà élancée. Debout au-dessus de son lit, les cheveux trempés, il avait l'air de mesurer au moins trois mètres

---

* « J'ai des pompes et j'ai la frite, va me chercher un taco... »

et semblait dangereusement alerte. Pour Spencer, plus de quatre heures de sommeil, c'était déjà trop.

– Réveille-toi, s'écria-t-il en tapotant la tête de sa sœur en rythme. Réveille-toi, réveille-toi, réveille-toi, réveille-toi... Je t'embête, peut-être ?

– Je viens de voir la femme nue sur le toit, se défendit Scarlett en frappant la main de son frère et en remontant le drap pour se protéger. Ça me tue. Arrête de me harceler.

Spencer arrêta de titiller sa sœur et alla à la fenêtre en attachant ses boutons de manchette d'un air pensif.

– Je ne sais pas si tu as vu comment elle tient son gobelet, dit-il, mais j'ai un peu peur qu'elle se brûle la...

Scarlett roula sur le côté et enfouit son visage dans son oreiller en gloussant. Quand elle leva les yeux, Spencer était appuyé contre son bureau et nouait négligemment son nœud de cravate.

– J'ai échangé mon tour au Waldorf pour te voir ce matin, reprit-il. Je travaillerai à l'heure du déjeuner, ce qui n'est pas franchement marrant. Tu as vu jusqu'où je suis capable d'aller pour toi ? Alors, ne suis-je pas ton frère chéri ?

– Préféré adoré.

– Tes paroles me vont droit au cœur. Allez, viens. (Il attrapa les pieds de Scarlett sous sa couverture et tira dessus avant de s'éloigner.) Ils ne serviront pas les gaufres tant que tu ne seras pas là. Alors lève-toi ! Vite, lève-toi !

Scarlett se glissa hors de son lit, prit ses affaires de toilette et sortit. Le revers des longues jambes de son pyjama rayé bleu et blanc se prenait dans ses pieds et se

coinçait sous ses talons, et elle avait du mal à ne pas trébucher. En outre, le couloir du sixième étage était une
étuve, car il n'y avait pas la moindre climatisation,
même défaillante, pour apporter un brin de fraîcheur.

Elle fit alors une seconde rencontre familiale : sa
petite sœur, Marlène, elle aussi appâtée par les gaufres.
Aveuglée par la lumière et plissant ses yeux noisette
clair qui prenaient une nuance dorée troublante, elle
darda un unique œil sur Scarlett. La salle de bains ne
pouvait contenir plus d'une personne.

Scarlett était sur le point d'entamer la négociation
quand, soudain, sa petite sœur se précipita dans la salle
de bains et lui claqua la porte au nez. Elle entendit le
léger frottement du verrou, suivi d'un rire gras et triomphal, qui n'était pas sans rappeler le cri d'une oie cana-
dienne en colère.

Il était huit heures et trois minutes. C'était le jour de
l'anniversaire de Scarlett.

À huit heures et quinze minutes, une boucle toujours fourrée dans l'œil, Scarlett entrait dans le vieil
ascenseur art déco. Elle tira la porte intérieure, la grille
se referma, et l'ascenseur commença son interminable
descente. Elle s'appuya contre l'immense soleil en
argent fixé à la paroi du fond – un des objets préférés
d'Allen Raumenberg (et de Scarlett). L'ascenceur ne
s'arrêta qu'une fois en route, pour prendre l'un des
quatre clients du moment, Mr Hamoto, qui ne parlait
pas un mot d'anglais. Les trois autres clients étaient
aussi japonais, et de la même entreprise.

Mr Hamoto hocha brièvement la tête. Il semblait un
peu soucieux et regardait fixement devant lui d'un air

impatient tandis que l'ascenseur continuait sa descente en grinçant. Puis il faillit se déchiqueter le doigt en cherchant à forcer la grille extérieure en arrivant dans le hall. Scarlett dut passer devant lui poliment pour relâcher le loquet. C'était tout un art et, si on ne le maîtrisait pas, on risquait de se faire coincer à l'intérieur un bon moment.

Scarlett traversa la réception jusqu'à la salle à manger et ouvrit les deux battants de la porte. La salle à manger était la pièce la plus vaste de l'hôtel Hopewell. C'était une petite aile du bâtiment à part entière, avec un plafond très haut et une douzaine de fenêtres à la verticale qui donnaient à la fois sur la rue et sur l'immeuble voisin. Cinquante ans plus tôt, la salle à manger était toujours pleine à craquer, surtout pour le petit-déjeuner revigorant servi dans des assiettes de porcelaine chinoise, avec des couverts en argent et des cafetières marquées du blason et des initiales HH. Hélas, la porcelaine chinoise, ébréchée, avait disparu depuis longtemps. Quant à l'argenterie, un serveur accro et escroc l'avait volée dans les années soixante-dix. Le sol de la pièce commençait à flancher, les chaises étaient dépareillées et le lustre n'était plus tout à fait intact.

Néanmoins, c'était une pièce gaie, conçue pour mettre en valeur les avantages de chaque moment de la journée. L'après-midi, elle laissait passer l'air. Le soir, les panneaux vitrés en forme de diamant permettaient d'admirer le coucher du soleil qui se réfléchissait en une myriade de nuances. Et le matin, quand le soleil brillait comme aujourd'hui, elle était inondée de lumière.

Quatre tables avaient étaient rassemblées dans le

coin le plus ensoleillé pour former une seule longue table familiale. Des ballons étaient accrochés au dos des chaises, et des serpentins bleus et jaunes tombaient du plafond, formant un dais de toutes les couleurs. À peine Scarlett entra-t-elle qu'elle reconnut les ballons et les serpentins qui venaient de la fête qu'ils avaient organisée pour le bac de Lola quatre jours plus tôt. Quelqu'un s'était manifestement donné du mal.

Spencer était assis à table, fourchette en main.

– C'est moi qui les ai mises, dit-il en montrant les serviettes en lin.

Elles étaient joliment pliées, en forme de cônes, et chacune avait une tulipe jaune fichée au centre.

– Ce n'est pas vrai, répondit Marlène avec un sourire amer en arrivant sur les talons de Scarlett. C'est Lola.

En effet, Scarlett reconnaissait là les doigts de fée de sa sœur. Spencer plaisantait, mais l'humour n'était pas le fort de Marlène.

– Assieds-toi, lança Spencer en tapotant la chaise à côté de lui. Que mademoiselle prenne place à mes côtés afin que je puisse choisir la meilleure gaufre... après mademoiselle, bien entendu.

Les petits déjeuners d'anniversaire de la famille Martin suivaient une tradition stricte. Le premier plat était les gaufres belges, préparées par Belinda, la cuisinière bien-aimée de l'hôtel Hopewell, et servies avec une large gamme d'assortiments : chocolat fondu, crème fouettée au citron, soupe de fraise et sucre vanillé. Mais ce matin, loin d'embaumer les gaufres chaudes, la salle à manger fleurait une odeur âcre et désagréable, ainsi qu'une légère odeur de fumée.

Scarlett jeta un regard sur Spencer qui leva les yeux, et un sourcil. Lui aussi avait senti.

– Il y a quelque chose qui cloche, dit-il.

Soudain, la porte de la cuisine s'ouvrit et Lola apparut. Elle était impeccable, arborant sa tenue « soin beauté » : long pantalon noir, T-shirt noir étroit et talons hauts. Elle avait noué ses longs cheveux souples et lisses, blond-blanc, en une simple queue-de-cheval.

Lola avait toujours superbe allure. C'était comme ça, et c'était une des lois de l'univers de Scarlett. Comme Spencer, elle était plus grande et plus mince que la moyenne. Elle avait de petits yeux étroits et une bouche fine, dont l'ensemble dégageait une impression de plénitude. Tous, à l'unanimité, louaient sa beauté, un type de beauté fragile, cassable, que des peintres auraient pu chercher à saisir sur une toile, ou à qui les médecins auraient pu proposer une perfusion sanguine. Telle était sa force de séduction.

– Joyeux anniversaire ! s'exclama-t-elle en souriant. Attention, c'est très chaud. Ne touche pas.

Elle posa sur la table une petite chocolatière enveloppée dans une serviette. Le chocolat fondu, qui d'habitude dégoulinait à ravir, telle la perfection faite cacao, ressemblait à une substance que l'on aurait obtenue en faisant fondre un pneu et une livre de beurre. Heureusement, Scarlett n'eut pas le temps de demander pour quelle raison ils avaient droit à un râgout de pneu fondu, car son père débarqua au même instant avec un grand plat de gaufres.

Le père de Scarlett était souvent le moins bien habillé de la famille. Comme il avait un faible pour une friperie du quartier de Greenwich Village, tenue par des étudiants de l'université de New York, sa garde-robe contenait une quantité de T-shirts et de hauts à capuche de seconde main, de jeans archi-usés et de chaussures toutes plus bizarres les unes que les autres. (Ce matin, il portait sa vieille chemise usée jusqu'à la corde, sur laquelle était écrit « Je m'appelle Mr Ananas ».) Certains clients pensaient que c'était le frère aîné de la famille, plus blond, ou un cousin un peu plus âgé. Les gens imaginaient très rarement qu'il pût être le responsable de l'hôtel, encore moins son propriétaire.

– Belinda est absente aujourd'hui, annonça-t-il en posant un plat de gaufres raplapla et à peine cuites, celles qui étaient plus ou moins brûlées et noires posées au sommet de la pile. Nous avons fait au mieux.

Honnêtement, la déception fut générale. Les petits déjeuners d'anniversaire étaient des moments sacrés dans la famille Martin.

Scarlett préféra se taire. Marlène, en revanche, fit immédiatement valoir ses droits.

– On ne va quand même pas manger *ça*.

– Goûte, elles ne sont pas si mauvaises, mentit leur père en piquant sur le tas avec sa fourchette. Celle-là par exemple...

Il était tombé sur une gaufre qui, par miracle, semblait avoir été saisie à point. Il la piqua sur sa fourchette et la brandit vers l'assiette de Marlène. Comme d'habitude, celle-ci était le centre de l'attention, même le jour de l'anniversaire de Scarlett.

Lola, la personne la plus zen que Scarlett connût, tripotait nerveusement la chocolatière. Spencer coula un long regard vers Scarlett. Oui, il y avait un truc qui clochait.

Peu après arriva leur mère avec un plateau contenant le reste du petit-déjeuner.

Mrs Martin avait quelque chose de vaguement français dans son allure : cela tenait-il à sa peau claire, ses yeux et ses cheveux sombres, son élégance, sa façon de se tenir avec grâce (toutes choses qui avaient été directement transmises à Lola au moment du partage)? Comme Scarlett, elle avait une couronne de boucles épaisses mais, contrairement à elle, sa coiffure ne donnait jamais l'impression d'avoir été élaborée dans l'espace, où la gravité était nulle.

Ses talents de cuisinière, eux, n'avaient rien de particulièrement français. De toute évidence, la crème fouettée sortait directement d'un pot conservé au réfrigérateur (elle avait encore la forme du pot renversé et elle était couverte de petits cristaux de glace). Les fraises étaient crues et coupées n'importe comment, loin de la version coulis chaud et épais dont raffolait Scarlett. Le sucre était un simple sucrier de sucre en poudre, ni glace, ni vanillé.

– J'imagine que tu as compris, ma chérie, s'excusa-t-elle en embrassant sa fille. Nous avons fait de notre mieux. J'espère que tu ne nous en veux pas. Mais attends, tu vas voir les cadeaux !

Comme elle n'avait d'autre choix que d'accepter la situation avec grâce, Scarlett remercia ses deux parents de son plus beau sourire. Et puisqu'il lui fallait choisir entre les gaufres brûlées et celles qui n'étaient pas assez cuites, elle s'en tint à ces dernières et se vit servir un truc mou et plus ou moins gaufré. Spencer, lui, préféra celles qui ressemblaient à du charbon. Lola se contenta d'une poignée de fraises. Son père se sacrifia en se servant parmi ce qui restait, et sa mère se contenta de remuer son café d'une main nerveuse. Le petit-déjeuner lui-même (en général la partie la plus longue et la plus festive) fut expédié à une vitesse inouïe et une bonne partie de la nourriture demeura intouchée.

– C'est le moment d'ouvrir les cadeaux ! annonça son père.

La distribution des cadeaux d'anniversaire de la famille Martin suivait toujours le même rituel : on commençait par ceux des frères et sœurs, du plus âgé au plus jeune, puis venaient ceux des parents. Cette année, cependant, était un peu différente, car Scarlett savait exactement ce qu'on allait lui offrir.

Spencer sortit une petite enveloppe légèrement incurvée de derrière son dos.

– Je savais ce que tu voulais, dit-il. Joyeux anniversaire !

L'enveloppe contenait un bon rédigé à la main qui donnait droit à un tour dans Central Park à dos d'un quelconque animal. Comme Spencer était très fauché, il ne pouvait guère offrir plus. Sans compter que lui-même avait quelque chose d'assez proche du poney.

Vint ensuite le tour de Lola, qui tendit une boîte Henri Bendel rayée brun et blanc. Henri Bendel étant le nom de la boutique prestigieuse où elle travaillait, il était fort probable que le cadeau vienne de là, et ce n'était sûrement pas une simple et jolie boîte remplie de bricoles. Le geste de Lola fut accompagné par une série enthousiaste de « Oh! » et de « Ah! » de la part des parents.

La boîte contenait trois tout petits paquets, enveloppés chacun dans un papier épais, difficile à déchirer. Le premier était un petit flacon d'une espèce de liquide bleu, dont Lola lui promit qu'il serait utile pour « équilibrer » son teint, ce qui était sûrement une bonne chose, même si Scarlett n'avait pas idée de ce que cela signifiait. Le deuxième était un mystérieux tube blanc, sans doute une nouvelle promesse d'équilibre. Le troisième avait une forme immanquable, rectangulaire : un tube de rouge à lèvres.

– Chanel, précisa Lola, bien que Scarlett eût ses deux yeux pour lire la marque inscrite sur le côté.

Le rouge à lèvres avait une nuance rouge épouvantable. L'extrémité du tube était légèrement, très légèrement, aplatie. Il avait dû être utilisé une fois au moins. Il faut dire que Lola bénéficiait parfois d'échantillons… Quand même, c'était un super cadeau. Lola choisissait toujours avec soin ce qu'elle offrait et Scarlett avait beau ne pas comprendre à quoi tous ces produits servaient, ils étaient sûrement top.

– À mon avis, c'est la nuance qu'il te faut, dit Lola. Tu supportes très bien les couleurs soutenues.

Le cadeau suivant venait de la part de Marlène, occupée pour le moment à picorer sa gaufre d'un air affligé. C'était un bon pour une coupe de crème glacée gratuite au magasin du coin. Scarlett ne put cacher sa surprise. Marlène collectionnait volontiers ce style de bons, mais elle les partageait rarement. Quand, soudain, Scarlett vit que le bon était expiré. D'où sa générosité!

Enfin, ce fut le moment d'ouvrir le cadeau que tous attendaient. C'était une boîte posée au centre la table, que chacun se passa jusqu'à ce qu'elle parvienne à Scarlett. Elle savait ce qu'elle contenait, mais elle était extrêmement excitée. Elle ouvrit le paquet : il contenait de nombreuses couches de carton et de plastique qu'il lui fallut retirer, jusqu'au moment où elle l'aperçut... minuscule et argenté.

– J'espère que c'est celui que tu voulais, dit son père.

Ça l'était ! Car Scarlett était la dernière de son collège à ne pas avoir de portable. Elle hocha la tête, tout sourire. Comme c'était bon de se savoir reliée à la planète entière !

– Et là, tu trouveras un complément à notre cadeau, intervint sa mère. Suivant la tradition...

Elle lui remit alors une boîte à bijoux depuis l'autre bout de la table. À voir la boîte, on aurait dit qu'elle contenait un collier ou un bracelet, mais Scarlett ne s'y trompa point, elle savait ce qu'elle lui réservait.

Elle l'ouvrit, avec un léger déclic, et en sortit un porte-clés avec un S suspendu au bout d'une chaînette et une toute petite clé. Au fond de la boîte était caché un bout de papier, comme ceux que l'on trouve dans les papillotes chinoises. Scarlett lut : « SUITE EMPIRE ».

– Désormais, elle est à toi, annonça son père. Prends-en bien soin.

Le jour de ses quinze ans, chaque enfant de la famille Martin se voyait offrir une chambre de l'hôtel dont il lui fallait s'occuper. La tradition n'était pas très ancienne, elle avait commencé quatre ans auparavant, le jour de l'anniversaire de Spencer qui, lui, s'était vu offrir la bonne vieille suite Sterling. Lola avait hérité de la suite Métro, petite mais sympathique.

Quant à la suite Empire, c'était autre chose : la chambre modèle, et la plus chère de l'hôtel, qui en contenait vingt et une en tout. Elle était rarement occupée, sinon par des couples en voyage de noces, ou des hommes d'affaires perdus qui n'avaient pas réussi à réserver au Waldorf. C'était donc soit un honneur, soit une façon de dire « nous aimerions autant que tu ne t'occupes pas des clients ».

Scarlett n'eut pas le temps de réagir, sa mère était déjà levée et commençait à balayer les tristes miettes du petit-déjeuner. Spencer engouffrait les dernières braises de ses gaufres quand son assiette lui fila sous le nez.

– Maintenant, voyons qui fait quoi pour la nouvelle organisation du ménage, annonça son père. Marlène, si tu pouvais…

Difficile d'imaginer disparition plus rapide que celle de Marlène, à moins d'être équipé d'un moteur… Scarlett comprit alors que ce qui devait arriver n'avait rien à voir avec le ménage. C'était ce qui avait fait fuir sa petite sœur.

– Il faut que nous parlions, reprit son père en fermant soigneusement les portes de la salle à manger.

Couler, coulé, coulait

Être né et avoir vécu dans un petit hôtel de New York paraît sans doute extraordinaire. Comme souvent, la situation est drôle tant que l'on n'y a pas vraiment réfléchi. Imaginez que vous viviez sur un bateau de croisière, par exemple, il faudrait vous coltiner la *Macarena* tous les soirs! Vous y aviez pensé?

Par ailleurs, il existe plusieurs types de touristes à New York. Certains déboulent en troupeaux, à l'automne et en hiver, et sillonnent la ville dans d'énormes cars. Entre Thanksgiving et le Nouvel An, la population de New York semble doubler. On ne trouve plus ni tables dans les restaurants, ni sièges dans le métro, ni place sur les trottoirs, ni lits dans les hôtels. En été, au contraire, les touristes disparaissent. La ville est bouillante. Le métro étouffant. Des orages terribles éclatent. Les boutiques bradent pour se débarrasser de leurs marchandises. Les théâtres ferment. De nombreux New-Yorkais quittent la ville.

C'était le cas de la plupart des amis de Scarlett. Dakota avait été envoyée en France pour suivre un stage de français intensif avec immersion. Tabitha s'était engagée comme bénévole dans un programme de protection de l'environnement au Brésil. Chloé était professeur de tennis dans un camp d'été, dans le Vermont. Hunter avait rejoint son père pour l'aider à s'occuper d'un festival de film à San Diego. Mira était partie en Inde avec ses grands-parents pour faire la tournée des temples. Josh suivait une mystérieuse « session d'été » en Angleterre.

Tous, sans exception, participaient à une activité destinée à étoffer leur dossier d'inscription à l'université et à se métamorphoser en de parfaits candidats. Même Rachel, la seule de ses amies qui ait vraiment besoin de travailler, s'était débrouillée pour trouver un petit boulot chez un traiteur livrant à domicile au bord de la mer, dans les Hamptons, à Long Island.

Seule Scarlett était restée à New York qui, hélas, n'avait rien à lui offrir pour améliorer son curriculum vitæ. Non pas qu'elle fût paresseuse ou inapte. Au contraire, elle était très compétente et pleine de bonne volonté. Son problème était exclusivement lié à l'argent. Un hôtel peut rapporter beaucoup, mais il peut aussi être un gouffre financier, surtout si la décoration raffinée et la plomberie datent de 1929, et s'il est vide la majeure partie de l'année.

C'est pourquoi Scarlett se doutait que le « il faut que nous parlions » de son père n'annonçait ni un projet de séjour à Paris, ni une expédition pour rapporter un koala vivant qui pourrait embrasser les clients à leur arrivée.

– Scarlett, l'interpella son père en se calant sur sa chaise, tu es désormais assez grande pour prendre part à ces conversations. Avant toute chose, crois-moi, je suis désolé que nous ayons à entamer celle-ci aujourd'hui, mais nous ne pouvions pas la reporter.

Scarlett jeta un œil inquiet à son frère, qui répondit par de petits coups de pied rassurants. Son visage affichait une expression qui, elle, était beaucoup moins détendue. Sa mâchoire s'agitait d'avant en arrière et il n'arrêtait pas d'inspirer et d'expirer en gonflant et dégonflant ses joues.

– Comme vous l'avez sans doute deviné, poursuivit leur mère en s'adressant à Scarlett, depuis quelque temps nous tirons le diable par la queue. Belinda ne répondra pas à l'appel aujourd'hui. Nous avons été contraints de la laisser partir.

Scarlett fut trop choquée pour intervenir. Spencer, lui, poussa un grognement sonore. Belinda était la dernière de leurs employés. Les autres avaient tous disparu au cours des deux années précédentes : Marco, l'homme à tout faire. Debbie et Monique, les deux femmes de ménage. Angelica, réceptionniste à temps partiel. Et maintenant, Belinda… la dernière attraction de l'hôtel, dont le chocolat chaud aux épices et le pain aux cerises étaient célèbres dans tout New York.

– Nous nous en sortirons, les rassura leur père, comme nous nous en sommes toujours sortis. Cela dit, il faut que nous prenions un certain nombre de mesures. Il va nous falloir compter sur chacun de vous. Lola, vous le savez sans doute déjà, prend une année pour travailler chez Bendel et nous donner un coup de main ici, surtout pour Marlène. Nous lui en sommes vraiment reconnaissants.

Lola baissa les yeux avec modestie.

– Scarlett, poursuivit-il, légèrement nerveux, nous avons un grand service à te demander. Je sais que tu avais l'intention de chercher un petit boulot pour l'été...

C'était plus qu'une intention, c'était un besoin urgent. Car un job, ça voulait dire de quoi s'acheter des vêtements, des places de cinéma... tout ce qui n'était pas déjeuners et cartes de métro. L'équivalent de ce que tous ses amis de classe recevaient automatiquement sous forme de carte de crédit.

–... malheureusement, nous allons avoir besoin de ton temps, d'une grande partie de ton temps même... pour t'occuper de la réception, répondre au téléphone, faire un peu de ménage, ce genre de services. Nous tâcherons d'augmenter un peu ton argent de poche à la rentrée de façon à compenser.

Les choses étaient présentées de telle façon qu'il était difficile d'argumenter. Décidément, la vie sans Belinda, sans le moindre personnel, était trop triste.

– Si j'ai bien compris, je n'ai pas le choix, répondit Scarlett.

Spencer et Lola lui jetèrent un regard de profonde compassion. Mais la réunion était loin d'être achevée, et tout le monde se tourna vers Spencer. Il ramassa ses joues, son visage comme aspiré de l'intérieur, et afficha son air le plus innocent.

– Spencer, reprit leur mère, l'année dernière, après avoir passé ton bac, nous t'avons donné une année

24

pour réfléchir, en accord avec toi, une année, pour trouver un job de figurant à la télévision, au cinéma, pour une publicité ou à Broadway. Quelque chose qui te rapporte de l'argent.

– J'ai battu le rappel comme ce n'est pas permis, maman. Mais ce n'est pas facile.

– Nous sommes fiers de toi, Spencer. Nous savons que tu es excellent, mais l'année s'achève dans trois jours. Tu nous avais promis que, si tu ne trouvais rien, tu accepterais notre proposition d'école hôtelière, avec option cuisine. Tu as encore un an pour te décider mais, si tu veux obtenir une bourse de l'école, tu dois donner ton accord dès maintenant.

– Trois jours, répéta Spencer.

Un silence pesant suivit, au cours duquel la fumée dégagée par les gaufres se fit légèrement plus intense.

– Maintenant que nous vous avons tout dit, ajouta leur mère, qui se sentait manifestement coupable, nous allons ranger la cuisine et vous pouvez aller en parler entre vous. Nous tenions à vous informer de la situation et c'était le seul moment possible. Scarlett, si ça ne te dérange pas, nous verrons les détails demain. En attendant, profitez bien de la journée.

– Profiter de la journée ? répéta Scarlett à peine ses parents eurent-ils tourné les talons.

– Ouais, lâcha Spencer en secouant la tête. Ce n'est pas réjouissant. Aucune classe. Ils ont été nuls, nuls de chez nul. On n'a jamais vu autant de nullité concentrée en dix minutes. Pas possible d'être plus lamentable.

Soudain, Scarlett aperçut une voiture noire qui se garait devant l'hôtel. Elle ne voyait pas très bien à cause de la distance mais elle savait qui c'était. De même que son frère.

– Je reconnais que je me suis trompé... avoua-t-il en lorgnant la voiture.

– Il faut que j'y aille, s'excusa Lola. Je n'avais pas idée de... tout ça... jusqu'au moment où je suis descendue ce matin pour décorer la salle à manger. Mais il faut que j'y aille, j'ai rendez-vous pour petit-déjeuner avec Chip avant le boulot.

Spencer observait le chocolat fondu métamorphosé en un sirop froid et visqueux ; il trempa un doigt dans la chocolatière et en sortit une sorte de peau épaisse. Il hésita à la fourrer dans sa bouche, puis se ravisa et se mit à gratouiller la substance goudronneuse avec un couteau à beurre.

– Petit-déjeuner ? reprit-il doucement. Mais tu ne viens pas de le prendre ?

– C'est pour l'anniversaire de l'associé de son père. Ils offrent un petit-déjeuner rapide à leur club avant d'aller passer la journée en bateau. Je ne mangerai rien, je voudrais juste me montrer avant d'aller travailler.

Spencer n'avait jamais vraiment pardonné à sa sœur de sortir avec Chip, délégué de classe senior du lycée Durban, numéro 98 sur le site Gothamfrat.com du classement des « cent élèves les plus branchés des lycées privés de New York ». Il se réjouissait de savoir que Chip n'était qu'au quatre-vingt-dix-huitième rang, d'autant que c'était sûrement quelqu'un de Durban qui avait établi le classement. Le surnom de Numéro 98 lui collait à la peau depuis.

– Si c'est juste pour te montrer, il vaut mieux que tu

ne sois pas en retard, dit-il. Et il vaut mieux ne pas commencer à discuter non plus. Tu transmettras mes amitiés à Numéro 98.

Élégante, Lola ignora la petite pique de son frère et ramassa les couverts en argent sur son assiette.

– Aujourd'hui, on offre un relookage gratuit au magasin, continua-t-elle. L'horreur. Tous les touristes vont se précipiter. Je tâcherai de rentrer le plus tôt possible et on pourra discuter. Hé! Scarlett… joyeux anniversaire! Tout va bien, ne t'inquiète pas.

Et elle fila, effleurant le parquet à chevrons avec ses hauts talons. Puis elle referma délicatement les battants de la porte et abandonna Spencer et Scarlett face aux restes de la fête.

Spencer alla à la fenêtre pour observer Chip qui accueillait sa sœur devant sa Mercedes.

– Je ne comprends pas, dit-il. Je ne la vois jamais sourire quand elle est avec lui. À l'époque où j'avais des amoureuses, j'avais quand même l'air plus heureux, non?

Spencer n'avait jamais manqué de compagnie féminine quand il était au lycée. Il était même assez joli cœur. Mais le filon s'était asséché depuis un an, à partir du moment où il avait décidé de trouver un job.

– Même en embrassant un feu rouge bidon, j'avais l'air plus enthousiaste, sans blague.

– Parce que tu jouais dans *Chantons sous la pluie*, remarqua Scarlett.

– D'accord, mais je l'embrassais vraiment. Le pire, c'est que la fille qui faisait le feu ne m'a pas rappelé!

Scarlett eut du mal à sourire. Elle prit un ballon et pressa son visage contre, comme pour s'abîmer dans ce joli monde en plastique jaune et chatoyant. Elle fit rebondir son menton contre le ballon puis le laissa tomber; aussitôt il fusa, droit sur une écharde qui pointait de l'une des poutres. *Boum!* Ce fut à l'image de l'été qui s'annonçait...

– Il fallait que je me trouve un job, dit-elle. Tous mes copains reçoivent de l'argent de poche. Je suis la seule à me retrouver coincée ici tous les jours, à faire la lessive pendant que Marlène me fusille du regard.

Spencer arrêta d'épier Lola et se retourna. Il avait trop de respect pour Scarlett pour ne pas reconnaître qu'elle venait de mettre le doigt là où ça faisait mal.

– Je suis désolé que ça tombe le jour de ton anniversaire. De toute façon, travailler c'est la galère. Alors autant avoir un boulot qui ne t'oblige pas à te lever aux aurores. Autre avantage, ils ne peuvent pas te virer.

– C'est vrai. Et toi? Il ne nous reste que trois jours.

– Je me... je me débrouillerai. Je vais appeler tous les gens que je connais, un par un, sur toute la planète. Peut-être que quelque chose quelque part... peut-être qu'une occasion se présentera.

Scarlett s'affala un peu plus sur sa chaise en fixant le lustre. Vu sous cet angle, elle distinguait l'épaisse couche de toiles d'araignée qui semblait maintenir l'ensemble.

– Écoute, reprit Spencer en reculant, c'est juste...

Soudain son pied se coinça, il trébucha violemment, fut projeté en avant et atterrit à plat ventre avec un épouvantable bruit. C'était un de ses numéros préférés, mais Scarlett se faisait toujours avoir. L'atterrissage bruyant était dû à sa main dont il frappait le sol au bon moment. Scarlett éclata de rire malgré elle.

– Je voulais juste vérifier, lança-t-il en levant les yeux. J'avais peur de ne plus arriver à te dérider.

Il s'accrocha à un guéridon pour se relever et s'écroula à nouveau. Scarlett crut que c'était un autre gag, mais elle vit que non, le pied du guéridon venait de lâcher. Spencer retint la table avant qu'elle ne tombe, remit le pied en place en poussant un cri et cala le tout.

– En tout cas, promets-moi une chose, dit-il. Quoi qu'il arrive ici, quel que soit le degré de rouge des parents, promets-moi que tu ne feras jamais ça.

Il indiqua l'endroit où était garée la Mercedes qui avait disparu depuis longtemps.

– Monter dans la voiture de Chip ?

– Sortir avec un compte un banque ou avec un type que je ne pourrais pas blairer.

Il jeta un œil sur sa montre rafistolée avec du ruban électrique.

– Il faut que j'y aille moi aussi, dit-il en ramassant son sac à dos sous sa chaise. On en reparle plus tard. Ne t'inquiète pas. On s'en sortira.

Il passa une main dans les cheveux de sa sœur, ébouriffant ses boucles au passage. Il était le seul autorisé à le faire.

Scarlett prit la clé de la suite Empire sur la table. C'était son anniversaire, elle venait d'avoir quinze ans, mais elle n'avait rien : ni boulot, ni projets, ni plan excitant pour changer de vie. Rien, sinon une chambre d'hôtel vide, deux ou trois ballons de récupération et un tas de gens qui cherchaient à la rassurer, et qui mentaient en lui disant que tout irait bien.

– Il faut que je prenne les choses en main, dit-elle à

la clé. Ça ne peut pas durer. Mais je suis folle, qu'est-ce que je fiche?

La clé demeura muette – sachant que les clés parlent rarement. C'était préférable car, si la clé avait parlé, les problèmes de Scarlett auraient franchi un degré supplémentaire question complexité.

Elle avait besoin de tout sauf de ça.

Le paquebot réalité vient d'accoster

De façon générale, New York est la ville idéale pour fêter son anniversaire. On peut aller au spectacle, faire du shopping, déguster toutes sortes de plats et jouer au touriste. À bien réfléchir, tout ou presque est possible à New York.

Néanmoins, le bât peut blesser pour deux raisons : si vous êtes seul et si vous êtes dans la dèche. Imaginez par exemple qu'il reste environ seize dollars sur votre compte et que vous n'ayez aucune perspective pour le renflouer... Que vos amis soient éparpillés autour du monde, que votre sœur aînée travaille dix heures par jour, que votre petite sœur préfère vous voir brûler vive plutôt que de vous venir en aide, que votre grand frère, qui normalement aurait dû passer la journée avec vous, se concentre sur son propre parcours professionnel... Et encore, ça n'est pas tout. Vous vivez sur place, à New York, par conséquent vous connaissez par cœur tous les endroits à voir, et ces endroits à voir sont au pied de chez vous.

Ajoutez à ça l'angoisse de savoir que vos parents sont au bord du gouffre financier : vous avez tout pour que votre anniversaire soit inoubliable, hélas pour les pires raisons qui soient. Il ne vous reste plus qu'à retourner vous coucher.

Et pourtant... Scarlett décida de tirer le meilleur parti de la journée. Elle sortit faire la tournée des boutiques et alla se promener à Central Park. Elle réussit même à se débarrasser du bon pour une crème glacée expiré, ce qui représentait une petite victoire. Quand il commença à faire trop chaud et qu'elle en eut assez de marcher, elle rentra et s'assit sur son lit face à son ordinateur.

Cet ordinateur comptait parmi les éléments qui enjolivaient réellement sa vie, même s'il était vieux et lent. Elle l'avait récupéré auprès de Chloé qui, elle, changeait régulièrement d'ordinateur et de portable. Mis à part Marlène, elle était la seule de la famille Martin à en avoir un ; les autres partageaient celui de la réception.

Il lui était particulièrement utile car elle aimait écrire – et, pour écrire, personne n'a jamais eu besoin d'argent. Qui sait même ? Elle serait peut-être un jour un de ces écrivains miracles qui publient leur premier livre à quinze ans, obtiennent un succès mondial et gagnent des sommes démentielles, sans avoir à écumer les marchands de glace avec un coupon dépassé.

La perspective étant plus que grisante, elle passa plusieurs heures à essayer de ficeler quelques phrases qui tiennent debout. Elle commença par décrire ce qu'elle connaissait, sauf que ce qu'elle connaissait n'avait pas grand intérêt. Qui aurait envie de lire les propos d'une ado qui se faisait coincer dans un ascenseur, ratait le métro ou se retrouvait les quatre fers en l'air parce que les meubles chez elle étaient tous bringuebalants?

Il était un peu plus de huit heures quand elle entendit Lola rentrer. Sa sœur se dirigea tout de suite vers la salle de bains pour se faire couler un grand bain moussant post-journée-gratuite-relookage. Les carreaux du sol, l'énorme baignoire aux pieds recourbés, les hauts plafonds en soupente et le vasistas de la salle de bains de la suite de l'Orchidée formant une chambre d'écho idéale, Scarlett ne ratait jamais une once de ce qu'il s'y passait. C'était un de ces petits bonus inattendus dont la vie l'avait gratifiée.

C'est ainsi que son travail d'écriture fut interrompu par une conversation téléphonique entre Lola et Chip. Ce soir, le sujet portait exclusivement sur un problème de chemises. Qui fabriquait les robes chemisiers en pur coton de meilleure qualité? Rose mordoré, était-ce vraiment rose? Était-il sûr de vouloir du rose, et si oui, était-ce ce rose-là? Ne valait-il pas mieux se faire tailler des chemises sur mesure? Et si oui, chez qui? Spencer avait raison, leurs discussions n'avaient pas grand-chose de romantique. En tout cas pas celle-là.

Quel ennui! Mais quel ennui!

Scarlett écouta d'une oreille distraite la suite de la conversation, le regard rivé sur l'écran de son ordinateur. Elle était à sec, aucune inspiration, si ce n'était ces histoires de chemise. Elle mit ses écouteurs pour s'isoler.

Peu après, Lola revint dans leur chambre, enroulée dans son peignoir rose et soyeux qui lui arrivait aux genoux. Elle s'assit sur son lit, délicatement, les genoux bien serrés, et observa son armoire. Elle bascula la tête de côté, légèrement, en suivant le contour de l'armoire. Un des pieds avait lâché quelques années plus tôt, qu'on avait remplacé par un autre à qui il manquait un ou deux centimètres.

Elle laissa échapper un petit soupir aérien. Souvent, après une conversation avec Chip, elle soupirait de la sorte. Pas vraiment triste, mais pas franchement portée par un réel enthousiasme. Ce soir, elle semblait même un peu plus pensive que d'habitude. Elle ramassa sa brosse et, lentement, se coiffa les cheveux.

– Ça ne va pas? demanda Scarlett.

– Je suis encore prise demain. Chip veut que je passe la journée avec lui. Sauf que je suis censée accompagner Marlène à une sortie dans la matinée.

– Ah! fit Scarlett, compatissante.

Marlène était la responsabilité exclusive de Lola, car leur petite sœur n'acceptait d'être chaperonnée que par sa sœur aînée.

– Je me demandais si tu ne pourrais pas me remplacer, vu que tu ne… disons, tu ne travailles pas. Ça ne sera pas très long.

– Moi? rétorqua Scarlett, interloquée.

– Euh…

– Mais tu ne… euh, travailles pas?

– J'ai pris ma journée. Enfin, je la prendrai, au moins la matinée. Je dirai que je suis souffrante. Marlène adore être accompagnée par toi, en fait. Sauf qu'elle ne sait pas comment l'exprimer.

Scarlett leva sur sa sœur un regard qui aurait suffi à percer une barricade en béton.

– Allez, ce n'est pas grand-chose, reprit Lola. Franche-ment. Je te devrai ça et tu sais que je suis plutôt recon-naissante.

C'était vrai, de ce point de vue-là, Lola était irrépro-chable. Elle croyait beaucoup à ce style d'échange de bons et loyaux services. On pouvait lui faire confiance. Ce n'était pas le problème. Le problème, c'était Marlène, au tempérament explosif. Scarlett l'imaginait déjà hurlant, braillant... tout pour la décourager.

Elle n'eut pas le temps de le rappeler à sa sœur, quel-qu'un frappa à la porte. C'était Spencer qui entra sans autre préambule. Il fonça sur ses sœurs et s'écroula sur le lit de Scarlett, dont le fragile ordinateur sursauta.

– J'ai un truc à vous annoncer, commença-t-il. Vous vous souvenez, je vous ai dit que j'allais appeler toutes les personnes que je connaissais, une par une ? Il se trouve qu'un de mes copains connaît une troupe qui monte *Hamlet*. Un des comédiens vient d'être pris pour une tour-née de *Mamma Mia*, genre... hier. Il les quitte, et les types m'ont téléphoné pour que je passe une petite audition.

– Spence, c'est génial ! s'exclama Scarlett. *Hamlet* !

– Oui, enfin, je ne joue pas Hamlet. Ce serait pour jouer le rôle de Guildenstern, un des deux acolytes de Hamlet, et pour un de ceux que la script appelle les deux clowns, qui sont les deux fossoyeurs, pas franchement drôles. Cela dit, c'est là que ça devient intéressant. Ce n'est pas une version classique de *Hamlet*, c'est un truc genre carnaval. *Hamlet*, version heureuse. En tout cas jus-qu'à ce que tous les personnages meurent, y compris le mien. Mais avant, en gros, on s'agite comme des idiots pendant toute la pièce.

– Si je comprends bien, ça te va comme un gant, rétorqua Lola.

– Tu ne crois pas si bien dire. Tout ce qu'ils attendent de moi correspond à la partie « divers » de mon CV : combats à mains nues, cascades en veux tu en voilà.

– Le rôle est parfait pour toi, enchaîna Scarlett.

Spencer se gratta le menton d'un air songeur.

– C'est super, non ? reprit Scarlett.

– Il y a un hic.

– Un hic ?

– C'est une troupe qui s'appelle First National Bang Theater Company. Ça sera leur Shakespeare de l'année, produit par Parking Garage. Techniquement…

Il fit une pause, un doigt en l'air.

– … techniquement, c'est sur Broadway, mais au bout du bout de Broadway, si vous voyez ce que je veux dire.

Lola soupira.

– Sur l'avenue qui s'appelle Broadway, mais pas à Broadway, c'est ça ? répondit Scarlett.

– Exactement. Remarque, personne ne précise jamais, je peux toujours prétendre que c'est à Broadway. Comme ça on ne pourra pas me reprocher d'affabuler.

– Arrête, Spence, ce n'est pas Broadway, rectifia Lola. Ça paye, au moins ?

– Tu comptes le prix du déplacement en métro ?

Lola tripota la ceinture de son peignoir en silence.

– J'ai besoin de ce boulot, renchérit Spencer. Il y aura des agents, des directeurs de casting.

– Tu préfères jouer *Hamlet* dans un parking souterrain plutôt que de suivre une vraie formation ? demanda Lola. L'offre de bourse expire bientôt, tu as compris ? Tu ne pourrrais pas te débrouiller pour mener les deux de front ? C'est une bourse complète, et on a besoin d'un cuisinier.

– Je te remercie, rétorqua son frère. Sauf qu'en échange, ils m'envoient me former sur le tas, dans des restaurants, quarante heures par semaine. En plus des cours à plein temps. Tu peux m'expliquer quand je pourrai jouer si je travaille quatre-vingts heures par semaine ? Et pendant deux ans. Sans compter que je n'ai aucune envie de bosser ici toute ma vie, je connais.

« Tu as pigé mon problème ? » sembla-t-il ajouter en levant les mains.

– Je vois, répondit Lola, peu convaincue. Quand même, ça ne te ferait pas de mal. Tu serais un vrai chef, avec une super expérience, et ça te serait utile.

– Tout le monde ne sort pas avec un milliardaire. Ça aussi, c'est pas mal comme appui. Un bon petit tas d'or doux et confortable.

Il bondit du lit de Scarlett.

– Allez, il faut que je me prépare, lança-t-il en tapotant la tête de Lola avant de disparaître.

Lola demeura immobile, retirant soigneusement les longs cheveux blonds pris dans sa brosse avant de les enrouler autour d'un doigt.

– Je sais que je suis un peu dure avec lui, dit-elle calmement. Mais à un moment, il faut savoir être pratique.

– Pratique ? C'est-à-dire ? À t'écouter il faudrait qu'il abandonne. Spence est un bon comédien.

– Je n'en doute pas, et je sais qu'il galère. C'est pour ça qu'il n'arrête pas de se payer la tête de Chip, parce que Chip a les moyens.

– Carrément riche, oui.

Lola pencha la tête de côté en signe de neutralité. Jamais elle ne disait de Chip qu'il était riche. Le mot était trop vulgaire. Il était « à l'aise », il avait « les moyens ». La vérité c'est qu'il était friqué. Les petits diamants roses qui brillaient discrètement quand elle glissait une mèche derrière son oreille, les innombrables talons de billet pour un ballet, un opéra... autant de signes qui ne trompaient pas : elle avait beau être une Martin, une partie de sa vie se déroulait dans un autre monde.

– Je ne vois pas en quoi Chip pose problème. Ce n'est pas parce qu'il a de l'argent qu'il n'est pas bien. Quant à Spencer, il s'accroche à l'idée de devenir comédien sans le sou.

– Son but n'est pas d'être sans le sou. Il a vraiment envie de travailler.

– Personne ne cherche à être fauché. Mais il faut avoir un minimum de bon sens si tu veux éviter de finir comme nous. Regarde où on vit.

– Tu parles comme si on vivait dans une carcasse de bagnole sous un pont. Je te rappelle qu'on habite dans un hôtel au cœur de Manhattan.

– En effet, dans un immeuble qui vaut des millions. Nous aussi, on devrait être riches. Sauf qu'on ne l'est pas. Je mets ma main au feu que l'hôtel ne nous appartient quasiment plus à l'heure qu'il est. On y vit, certes, mais si demain on devait le quitter, on serait criblés de dettes. C'est nous qui appartenons à l'hôtel et pas le contraire, si tu veux mon avis.

Une certaine nervosité perçait dans sa voix, qui déstabilisa Scarlett.

– La situation n'est pas si catastrophique.

– Pas si catastrophique? Rappelle-moi où sont tous tes amis cet été, alors que toi, tu es scotchée ici?

Ce fut une gifle.

– Tout ce que je veux dire, reprit Lola, c'est qu'on n'a pas le choix, on vit ici et il faut faire avec. Papa et maman font ce qu'ils peuvent pour s'en sortir, mais ils assument tout eux-mêmes. Spencer a eu un an pour tenter sa chance. S'il peut avoir une bourse, il doit l'accepter.

Le regard de Scarlett fut attiré par le chapeau de fin d'études qui trônait au sommet de la commode de Lola.

– Et toi? demanda Scarlett.

– Ne t'inquiète pas pour moi, répondit sa sœur en allant ouvrir son armoire. À mon tour d'avoir une année devant moi pour réfléchir. En attendant, j'ai un boulot que j'adore. Et un rendez-vous qui m'attend demain. Au fait, c'est bon? Si tu acceptes ma proposition, j'ai un truc à te prêter.

Délicatement, elle prit une housse en plastique sur un cintre épais molletonné et l'accrocha au sommet de la porte de l'armoire. Elle ouvrit la fermeture Éclair et révéla une petite robe d'été noire, parfaitement coupée, à la fois légère pour la journée et habillée pour le soir. La robe idéale. De chez Dior. C'était un cadeau de Chip, offert deux mois plus tôt pour une soirée qui nécessitait une tenue griffée. Et l'arme la plus redoutable de Lola, son bien le plus précieux, mis à part ses diamants roses.

– Ça doit être important, dit Scarlett.

– Tu me rendrais un sacré service.

– Et où exactement faut-il que je l'accompagne?

– Dans un endroit très sympa.

– Sérieusement, Lola. Je l'emmène où?

– Sur le plateau de *Good Morning, New York*! Tu n'as strictement rien à faire. Il suffit que tu t'assoies dans le public pendant qu'ils préparent une de leurs séquences consacrées à la cuisine saine. Je te promets. Tu en as pour deux heures. Pas plus.

Elle agita la robe avec son plus doux sourire.

– Je ne rentrerai jamais dedans, répondit Scarlett, sceptique.

Lola était plus grande, et Scarlett beaucoup plus ronde.

– Bien sûr qu'elle t'ira. On a plus ou moins la même taille. À mon avis, elle sera même mieux sur toi. Tu la rempliras juste là où il faut.

Lola était déterminée. Son plan devait fonctionner.

– Pourquoi pas? répondit Scarlett en se tournant face à son ordinateur qui affichait la trace de ses vains efforts pour survivre. Autant commencer l'été par une touche d'élégance.

La bonne brûlure

Lola était déjà sortie de leur chambre quand Scarlett se réveilla le lendemain. Ses cheveux semblaient avoir poussé pendant la nuit et ses boucles s'emmêlaient à ses cils de façon anarchique. Elle attrapa ses affaires de toilette et se traîna jusqu'à la salle de bains, à moitié aveuglée.

La porte de la salle de bains s'entrouvrit et une odeur de cheveux brûlés s'échappa. Spencer était sorti depuis longtemps, et la chevelure blonde de Lola était si fragile qu'elle ne la coiffait jamais avec le moindre appareil chauffant. Qui était-ce?

– Marlène? Tu as pris feu?

Soudain, la porte claqua, *schlack*, avec un bruit assourdissant mais, comme elle était légèrement gondolée, elle ne fermait pas complètement.

– Rassure-moi, tu n'as quand même pas de vraies flammes qui te sortent du crâne, reprit Scarlett en attendant patiemment contre le mur.

– Ta gueule.

Marlène ne pouvait pas à la fois être en feu et lui répondre aussi sèchement. Elle était donc… en tout cas, elle n'était pas métamorphosée en boule de feu.

– Je vais avoir besoin de la douche, si je puis me permettre.

– Je suis occupée.

Marlène n'était manifestement pas au courant de l'échange avec Lola, sinon elle n'aurait pas daigné adresser la parole à Scarlett.

– Pourrais-je simplement…

Schlack! Cette fois la porte ferma. Elle avait dû claquer nettement plus fort.

Eh oui! Avoir une petite sœur qui avait survécu à un cancer, c'était difficile.

À une époque – ô combien lointaine! – Scarlett avait l'impression de jouer son rôle de grande sœur. Elle emmenait Marlène au manège de Central Park. Elle l'accompagnait au coin de la rue pour lui offrir une glace (à condition que Spencer et Lola les aident à traverser la Seconde Avenue). Jusqu'au moment où Marlène devint particulièrement revêche : Scarlett avait onze ans, Marlène sept. Quelques jours plus tard, on découvrait une petite boule bleuâtre sur son cou. Plusieurs semaines après, la boule était toujours là, et une seconde était apparue sous son bras. Un après-midi, on l'envoya chez le médecin. Ce soir-là, elle ne revint pas.

C'est ainsi que tout commença. La maladie s'infiltra peu à peu dans leur vie quotidienne.

Marlène fit des allers et retours entre l'hôpital et l'hôtel pendant sept mois. Quelle était la définition exacte de la leucémie, ce que cela signifiait, Scarlett ne

comprit jamais. En revanche, elle remarqua immédiatement que ses parents commençaient à négliger
l'hôtel. Ils faisaient le minimum, réservant l'essentiel de
leur énergie pour l'hôpital. Ils fermaient les portes
quand ils parlaient entre eux, ils se prenaient plus souvent dans les bras.

Lola avait treize ans et elle était déjà très responsable,
très aimée, très parfaite. Elle aurait pu être élue reine de
sa promotion haut la main, mais elle modéra ses ambitions de façon à passer le plus de temps possible avec
Marlène. Elle commença même à donner des coups de
main à l'hôtel sans qu'on ne lui demande rien.

Spencer, lui, avait quinze ans et ne fichait pas grand-
chose, mais il fit des efforts. Il allait régulièrement à
l'hôpital pour distraire Marlène, cachait soigneusement
ses excès (et il y en avait beaucoup), et prenait tout sur
lui dès qu'il s'agissait de Scarlett. Comme tout le monde
était très occupé, cela ne fit que renforcer le lien qui les
unissait, déjà très fort.

C'est ainsi que deux paires se formèrent : Lola et
Marlène ; Scarlett et Spencer. Et rien n'avait changé
depuis.

En guise d'école, Marlène avait l'équipe des Powerkids, un groupe de bénévoles qui s'occupaient des
enfants à l'hôpital. Depuis deux ans, elle était en rémis-
sion, mais les Powerkids avaient encore beaucoup de
place dans sa vie. Le fait est qu'ils lui fournissaient un
carnet de sorties qui rivalisait facilement avec celui de
Lola. Marlène était invitée à suivre des matches de
basket au Madison Square Garden et des matches de
baseball au Yankee Stadium. À Noël, elle était allée

écouter les Rockettes. Elle avait droit à des virées spéciales au zoo du Bronx, où les enfants étaient autorisés à nourrir les singes. Elle avait rencontré le maire de New York, une douzaine de champions de ligue, et un tas de stars de la télé. Un soir elle était même allée allumer les lumières au sommet de l'Empire State Building.

Honnêtement, Scarlett était parfois tentée de penser qu'un cancer était un excellent moyen de donner un coup de fouet à sa vie sociale.

Elle retourna dans la suite de l'Orchidée et s'assit sur son lit. Un gros pigeon atterrit lourdement derrière la lucarne de l'air conditionné et fixa son regard sur Scarlett. Il agita quelques plumes et demeura là à l'observer, apparement fasciné par sa pomme.

Tout à coup, Lola entra, avec un sourire radieux et un gobelet de café fumant qu'elle passa à sa sœur. Elle était vêtue d'une jolie robe d'été blanche, avec un subtil imprimé à pois ton sur ton. Ses longs cheveux blonds étaient librement noués sur la nuque et ses diamants roses brillaient d'un doux éclat.

– Elle m'empêche de prendre ma douche, dit Scarlett.

Lola jeta un œil inquiet sur la robe accrochée à la porte de l'armoire, puis fonça sur le « tiroir aux mystères ». C'était le tiroir plus ou moins déglingué du sommet de la commode dans lequel elle rangeait ses précieux échantillons de produits de luxe, et toutes sortes d'attaches magiques destinées à fixer les vêtements. Elle sortit un petit paquet bleu layette de ce qui devait être des sortes de lingettes.

– Elles sont géniales, s'exclama-t-elle en en prenant une délicatement. Elles sont imbibées de verveine, de sels de mer de Turquie, de vitamine A, de sauge et de gingembre.

– Ça se mange? demanda Scarlett en prenant la lingette du bout des doigts. Ça m'a l'air trop bon pour la santé.

– C'est dix fois meilleur pour la peau que le savon. Cent cinquante dollars le paquet et super, super efficace. Le représentant de la boîte qui les fabrique a un petit faible pour moi.

Elle referma le paquet en le scellant aussi soigneusement qu'un médecin enveloppant des organes destinés à être transportés d'urgence. Puis elle quitta la pièce, le temps que sa sœur essaie ses lingettes pleines d'épices-herbes-sels et autres ingrédients miracles. Scarlett frotta et eut une impression de froid glacial ; puis sa peau se mit à picoter, le tout procurant une impression de chaud-froid très étrange. C'était clair, les lingettes avaient un certain effet. Elle noua le haut de son pyjama autour de sa taille et demeura là, frissonnant en pleine chaleur.

– Tu te sens propre ? demanda Lola en rentrant peu après.

– Propre, oui, mais la peau un peu irritée.

– C'est le gingembre. Il stimule les pores de la peau.

– Et c'est bon ?

Le sourire de Lola suffit pour qu'elle comprenne que la stimulation des pores était ce qu'il y avait de mieux.

– Allez, dit-elle, maintenant, il faut que je te trouve deux ou trois accessoires. Bois ton café.

Scarlett s'assit et commença à boire pendant que sa sœur fouillait dans le deuxième tiroir, celui qui était plein de petites culottes parfaitement pliées, de soutiens-gorge bien rangés, les bonnets emboîtés les uns dans les autres, de sachets parfumés et de dosettes de poudre à laver pour les textiles les plus fragiles.

– Voilà, annonça-t-elle en brandissant un soutien-gorge réglable qui semblait d'une extrême complexité.

On aurait dit une pièce fabriquée à partir d'un morceau de parachute, bourrée de crochets, d'agrafes et autres attaches de sécurité impossibles.

Lola aida Scarlett à fixer la chose, puis décrocha la robe du cintre moletonné et la lui tendit.

– C'est quoi le rendez-vous où tu vas, toi ? interrogea Scarlett.

– Un barbecue de fruits de mer.

– Tu laisses tomber Marlène pour un barbecue ? demanda Scarlett, la robe au milieu de la figure.

Lola aida sa sœur à l'ajuster. Ça serrait sur les hanches mais, finalement, ça tombait plutôt bien.

– Elle te va tip top. Elle est un peu longue, mais je vais arranger ça en resserrant un peu ce machin.

La robe se nouait dans le bas de la nuque et Lola fixa soigneusement les liens. Quand tout fut en place, parfaitement amarré, Scarlett fut invitée à se mettre un peu de déodorant.

– Un barbecue de fruits de mer, murmura Scarlett. *Le Barbecue marin de Chip.* On dirait le titre d'une mauvaise comédie policière.

– Tu vois ? Tu n'as pas perdu ton sens de l'humour.

– Oui, parce que je ne suis pas encore sortie.

– Viens, ajouta Lola en tirant sa sœur vers le miroir. Je vais te coiffer.

Lola, qui avait pourtant les cheveux plutôt raides, arriva à dompter la crinière anarchique de sa sœur avec une habileté étonnante. Elle lissait une boucle ici, en enfouissait une autre là. Puis elle vaporisa deux types de fine laque et appliqua une noisette d'une substance cireuse particulièrement légère sur les pointes.

– Parfait, se félicita Lola. Pourquoi est-ce que tu n'essaierais pas les produits de maquillage que je t'ai donnés hier ? Le rouge à lèvres serait sublime avec la robe. Je vais prévenir Marlène de la métamorphose en cours.

Scarlett ouvrit délicatement le tube de rouge à lèvres pendant que sa sœur sortait. Elle entendit toute la conversation à travers le mur.

– Tu sais quoi ? annonça Lola. C'est Scarlett qui t'accompagne ce matin.

L'effet produit fut celui qu'elle attendait.

– Pourquoi ?

– Parce que je suis prise avec Chip.

– Où ?

Marlène avait un talent de journaliste inné pour poser les bonnes questions.

– Quelque part.

– Je veux que ce soit toi qui m'accompagnes. On va sur un plateau de télé.

Scarlett eut du mal à gober le sous-entendu : elle était moins bien que Lola pour s'asseoir au milieu du public (soi-disant photogénique) d'un plateau de télé. Cela dit, de la part de Marlène, ça n'était pas très surprenant. Elle continua à tourner sur le rouge à lèvres, qui enfin apparut, et le tapota délicatement sur sa lèvre inférieure. La couleur était forte.

– Allez, poursuivit Lola d'une voix caressante. Il n'y a aucune différence.

– Ce n'est pas vrai.

– Marlène m'adore, murmura Scarlett face au miroir. Je suis sa grande sœur préférée.

Suivirent alors une série de grognements, puis un long gémissement, le tout accompagné par les paroles rassurantes de Lola qui essayait d'amadouer Marlène. Scarlett leva les yeux au ciel. Seule Marlène pouvait se permettre un tel caprice pour savoir qui devait l'accompagner à une de ses innombrables sorties.

– Je te demande de me rendre ce service, s'il te plaît, insistait Lola. Pour moi. Et je te promets une chose. Si tu acceptes, je t'emmène chez Henri Bendel dans la semaine et je t'offre une séance de relookage. C'est d'accord ?

Il y eut une pause, puis un épouvantable fracas, sans doute le fer à friser que Marlène frappait contre le mur. Du moment qu'elle n'essayait pas de brûler la paroi pour se jeter sur Scarlett, au point où on en était...

– D'accord, lâcha enfin Marlène. Laisse-moi finir mes cheveux.

Et peu après, Lola rentra dans la chambre, affichant son air le plus innocent.

– Elle s'acharne sur ses cheveux pour te ressembler, dit-elle, tu devrais te sentir flattée.

– Euh... je ne pense pas, non.

– Le rouge à lèvres te va à merveille, ajouta Lola, changeant habilement de sujet. Je te l'avais dit. Tu devrais porter des couleurs plus franches. Tu as la peau et les cheveux pour. J'en connais qui dépensent des milliers de dollars par an pour se faire boucler et cramer les cheveux, et essayer d'obtenir cette nuance de blond.

Lola était directe. D'où la difficulté de lui opposer quoi que ce soit.

– À propos de cheveux cramés, tu ferais bien de la surveiller, répondit Scarlett en repassant du rouge à lèvres sur sa lèvre inférieure. Deux minutes et je suis prête.

Elle fouillait dans son armoire pour trouver les bonnes chaussures quand son portable vibra sur la commode. C'était la réception.

– Descends tout de suite, murmura sa mère d'une voix pressante. Vite. Peu importe ce que tu fiches, descends.

À son intonation, elle comprit que ça ne rigolait pas. Elle enfila une paire de claquettes et se précipita dans le couloir.

Une nouvelle cliente

Scarlett trouva la réception vide. Personne n'avait accroché le panneau « BIENTÔT DE RETOUR. MERCI DE SONNER POUR TOUTE RÉCLAMATION ».

– Maman ? demanda-t-elle en se dressant sur la pointe des pieds pour regarder derrière le bureau.

Sa mère n'était pas là.

Elle jeta un œil déconcerté alentour et s'installa derrière le bureau.

Soudain, une femme très grande apparut du côté de la salle à manger. Elle avait les cheveux courts, d'un beau brun, mis en valeur par une raie plus foncée encore, tel le pelage d'un écureuil tamia. Elle portait un jean moulant et un chemisier rose, dont la coupe rappelait celle d'un kimono. Scarlett avait vu de nombreux hauts de ce style dans Chinatown, mais quelque chose dans la façon dont le tissu épousait ses formes et tombait avec élégance, dans la nuance rose, douce et retenue, et non pas trop brillant... quelque chose lui dit que c'était bon signe. C'était de la soie. De la soie épaisse. Il avait fallu un sacré nombre de vers à soie pour obtenir une telle qualité.

La femme se tenait les poings sur les hanches, prête à brandir les bras et à fuser à travers le plafond et les étages, telle une héroïne de BD.

Elle et Scarlett se dévisagèrent un instant, aussi perplexes l'une que l'autre.

– C'est toi qui viens de m'appeler maman ?

– Oui, mais ce n'était pas à vous que je m'adressais. Ma mère est... ici.

– Ta mère est là ?

– Pas juste là.

– Tu veux dire qu'elle loge ici ?

– Non.

– Est-ce vraiment à toi de tenir la réception ?

– En quoi puis-je vous aider ?

– Tu travailles ici ?

– Je vis ici, oui. En quoi puis-je vous être utile ?

– Ah ! si je comprends bien, ta mère est...

Scarlett observait la femme qui, peu à peu, mettait bout à bout les différents éléments de réponse, deux plus deux égale quatre...

– Je croyais que le travail des enfants avait disparu. Je te remercie, mais on s'occupe déjà de moi. Quelqu'un, sans doute ta mère, doit m'apporter un espresso pendant que je te parle, un bon petit café qui devrait m'empêcher de m'écrouler. Je débarque de Thaïlande. Vingt-neuf heures de voyage. Tu as déjà pris un vol de vingt-neuf heures, toi ? Pas moi. Jamais je ne suis restée assise aussi longtemps, si ce n'est pour un marathon de méditation de deux jours auquel j'ai participé à l'époque où je fréquentais un ashram. À l'époque, mon cul le supportait. Mais que personne ne me demande plus de m'asseoir pendant une semaine au moins. Je refuse. Et le décalage horaire, je ne te raconte pas!

Elle avait débité sa tirade pratiquement d'un trait. Elle fit pivoter son torse et fit craquer les os de son dos, puis s'approcha du bureau et observa les photos encadrées au mur, qui représentaient les diverses générations de la famille Martin posant devant la façade de l'hôtel. La photo la plus récente avait été prise quatre ans plus tôt. Scarlett adorait la façon dont les bagues de son appareil dentaire attrapaient la lumière du soleil. C'était l'année de ses onze ans, une année particulièrement dure.

– Mon Dieu! reprit la femme. Combien êtes-vous en tout?

– Combien de frères et sœurs? Quatre.

– Quatre! s'exclama la femme en éclatant d'un rire étrangement animé, comme si son menton était accroché à un fil que quelqu'un tirait en le tordant.

«C'est rare à New York, des familles aussi nombreuses. Tes parents ne doivent pas trop pratiquer la contraception.

La réflexion avait traversé l'esprit de Scarlett plus d'une fois, mais elle n'appréciait guère de l'entendre dans la bouche d'autrui. Pas plus qu'elle n'appréciait qu'on se penche au-dessus d'elle en louchant sur son décolleté. Cela dit, ce n'était pas son décolleté, ni son absence de décolleté, qui semblait intéresser la femme en question.

– Elle vient de chez Dior? demanda-t-elle en pinçant une bretelle et en tâtant l'étoffe de sa robe.

Elle était si proche que Scarlett perçut... un léger parfum d'encens et une pointe subtile qui fleurait un je-ne-sais-quoi de pas vraiment bon marché.

– Oui, avoua Scarlett.

La femme se pencha encore et scruta à nouveau les photos.

– Une famille impressionnante ! Trois filles blondes, comme ton père. Et un garçon châtain, comme ta mère. Beau gosse, ton frère. Quel âge a-t-il ?

– Sur la photo ou aujourd'hui ?

– Aujourd'hui, bien sûr, répondit la femme en souriant.

– Dix-neuf ans.

– Tu as aussi une sœur aînée. Canon. Quelle âge a-t-elle ?

– Dix-huit.

Sa curiosité sembla s'arrêter à Spencer et Lola. Elle tapota un ongle contre une de ses dents de devant.

– Ça n'est pas tout à fait ce que j'imaginais, ajouta-t-elle en observant la réception.

Scarlett ne dit rien. « L'hôtel est comme il est, songea-t-elle. Pas génial, mais pas mal non plus. »

C'est alors que sa mère arriva avec un mug blanc posé sur une soucoupe garnie d'une petite ronde d'écorces d'orange. La femme accepta sans façons, prenant du bout des doigts chaque morceau d'écorce avant de les mettre dans le mug.

– Quatre doses de café, annonça sa mère.

La femme approuva d'un hochement de tête et but son café serré le plus naturellement du monde.

– Je vous présente ma fille, Scarlett.

– Nous nous sommes déjà présentées. C'est un joli prénom. Et une jolie robe. Personnellement, je suis plutôt Vivienne Westwood mais, au fond, ce que je préfère, ce sont les jeunes stylistes prometteurs, frais émoulus de leur école. C'est eux qui ont les idées les plus novatrices, et ça ne coûte rien.

Le visage de la mère de Scarlett s'était métamorphosé en un masque de quasi-paralysie, signe qu'elles avaient face à elles une cliente sérieuse, prête à payer.

– Je te présente Mrs Amberson, dit-elle à sa fille. Qui va loger ici tout l'été.

– Tout l'été ?

– Tout l'été, confirma Mrs Amberson.

– Tout l'été, reprit sa mère. Dans la suite Empire.

– La suite Empire ? demanda Scarlett.

– C'est trop mignon, coupa Mrs Amberson. Vous chantez souvent en canon ainsi ? Remarquez, ça se comprend. Vous ressemblez un peu à la famille Von Trapp.

Scarlett mit quelques instants à comprendre qu'elle faisait allusion à *La Mélodie du bonheur*. Le fait est qu'ils ressemblaient un peu à la famille Von Trapp : nombreuse, à dominante blonde, portée sur la répétition, et prête à prendre la poudre d'escampette.

– Votre mari doit-il vous rejoindre ? demanda sa mère en venant se rasseoir face à l'ordinateur.

– Oh, non. Mon mari est plus une abstraction qu'une réalité, si je puis dire, répondit Mrs Amberson, laissant en suspens ses paroles énigmatiques.

– Ah… très bien, finit par répondre la mère de Scarlett. Il faut que je vous prévienne, nous avons une politique particulière à l'hôtel Hopewell. Nous, c'est-à-dire la famille, nous occupons nous-mêmes d'un certain nombre de chambres.

– J'ai lu ça dans mon guide, répondit Mrs Amberson en sortant de son immense besace un ouvrage intitulé *Que faire et où crécher à New York ?* Hop, elle ouvrit le guide à la bonne page, où le livre était cassé, comme un marque-page permanent.

– La suite Empire est particulièrement recommandée. Quelle chance que quelqu'un vienne de l'annuler !

Le mensonge était tellement énorme que Scarlett faillit éclater de rire. Pour éviter que sa mère ne la trucide sous le nez de leur nouvelle cliente, elle préféra s'en tenir à l'agrafeuse qu'elle se mit à tripoter dans tous les sens.

– C'est la plus belle suite de l'hôtel, poursuivit sa mère. Et notre Scarlett en est responsable. Elle pourra vous dépanner, vous donner un coup de main pour vos courses quotidiennes, ce genre de choses...

Mrs Amberson déshabilla Scarlett du regard comme si elle prenait ses mensurations pour lui tailler un harnais.

– J'en aurai peut-être besoin, dit-elle. Je retiens.

– Vous êtes sûre que vous ne voulez pas un second café ? Scarlett, s'il te plaît... demanda sa mère.

Elle saisit le bloc-notes du bureau et gribouilla : LÈVE-TOI ET COURS AÉRER LA CHAMBRE !

Scarlett sentit ses yeux s'écarquiller. Dans cinq minutes, elle était censée accompagner Marlène, qui devait tellement brailler qu'on avait dû la ligoter pour qu'elle la boucle.

– Je...

Sa mère se retourna et se pencha au-dessus du bureau.

Elle avait en général un visage plutôt amène. À vrai dire, elle ressemblait à Spencer, version féminine et plus âgée, ce qui ne la rendait guère intimidante. Néanmoins, quand elle s'y mettait, son regard pouvait devenir franchement menaçant. Autant son frère réservait son regard de tueur pour la scène, autant sa mère le réservait pour ce style d'urgence.

– Je monte ouvrir les fenêtres, annonça Scarlett.

– Bien, répondit Mrs Amberson. J'imagine que quelqu'un va venir pour...

Et elle fit un signe en direction de ses bagages.

– Ah, oui, bien sûr, répondit la mère de Scarlett. Je vais demander à quelqu'un de vous les monter.

Elle avait réagi au quart de tour, comme si des douzaines d'employés étaient tapis dans l'ombre en attendant de recevoir des ordres. Tout pour entretenir l'illusion que c'était un hôtel comme les autres.

Mrs Amberson préféra suivre Scarlett plutôt que de rester sur place.

– Je monte avec votre fille. J'ai bu trop de café, je ne tiens plus debout.

Scarlett ouvrit la porte de l'ascenseur et toutes deux s'engouffrèrent d'un même élan. Elle referma brusquement la porte, qui émit un épouvantable grincement en signe de rébellion.

– Charmante, remarqua Mrs Amberson en indiquant la porte.

Était-elle sincère ou sarcastique? Scarlett n'aurait su le dire.

Mrs Amberson dépassait Scarlett de plusieurs centimètres. Scarlett étant plutôt grande, elle soupçonna son hôte de tricher. Elle baissa les yeux et vit qu'elle portait des ballerines plates imprimées tigre. Mrs Amberson croisa son regard et jeta un œil sur les claquettes de Scarlett.

– Alors ? dit-elle en sortant un étui à cigarettes rouge qui devait être très ancien et très cher. Dior, c'est bien ça ?

– Elle appartient à ma sœur.

– Elle a bon goût. Et des goûts de luxe. Quant à l'ascenseur, c'est une pièce d'antiquité, non, mécanique et tout le bataclan ?

– Euh, oui, en quelque sorte.

– D'époque, ça se voit.

Scarlett ne sut pas comment interpréter ces remarques. Heureusement, une semaine plus tard environ, l'ascenseur fit une arrivée triomphale au cinquième étage et Scarlett put ouvrir la porte.

La suite Empire était une chambre tout en longueur située à l'avant du bâtiment, dont les trois fenêtres hautes donnaient sur la rue. Elle était inoccupée depuis quatre mois au moins. Scarlett eut un peu de mal à faire tourner la clé mais finit par y arriver en forçant légèrement.

Un calme absolu et une chaleur à mourir y régnaient. Les hôtels dignes de ce nom avaient l'air conditionné en permanence et le flot de clients était tel que les chambres étaient sans cesse aérées. Personne n'avait fait la poussière dans celle-ci depuis le départ de Monique, plusieurs semaines plus tôt. Par bonheur, la pièce était rangée, mais elle donnait cette étrange impression que dégagent les pièces vides et inoccupées – qui semblent furieuses d'avoir été négligées.

La chambre était désormais la responsabilité de Scarlett. Avec un peu de chance, Mrs Amberson ne prendrait pas ses jambes à son cou en hurlant à la recherche d'un hôtel mieux tenu.

– Je vais avoir besoin de... la réveiller un peu, bredouilla Scarlett.

– La réveiller, oui. J'aime bien l'idée. Ça m'évoque plein de choses.

Mrs Amberson enleva sa tenue rose sous laquelle elle portait un haut moulant à manches courtes, qui ressemblait à un justaucorps. Elle fit le tour de la chambre en tapotant son étui à cigarettes contre son avant-bras et s'arrêta pour admirer la coiffeuse au miroir en forme de lune. C'était le meuble préféré de Scarlett. Sous le superbe miroir, il y avait une douzaine de petits tiroirs, sûrement conçus pour contenir tous les accessoires d'une femme coquette des années folles : bracelets, rouges à lèvres, petits flacons de liqueurs illicites...

– Bien, lâcha Mrs Amberson, apparemment satisfaite. C'est le genre de mobilier authentique que j'aime. Je peux fumer sur le balcon, n'est-ce pas ? Ne t'inquiète pas. Je te promets que je ne brûlerai pas les rideaux.

Elle grimpa au-dessus du bureau, ouvrit la fenêtre et posa un pied sur le petit rebord abrité. C'était une jardinière. Pas un balcon.

– Je ne suis pas sûre qu'il supporte le poids d'une personne, prévint Scarlett. Je ne sais pas s'il...

– Je ne suis pas très lourde. Et il n'y a jamais que quatre étages en dessous. Tant pis, je prends le risque.

Elle s'assit contre la petite balustrade en fer forgé, un bras tendu contre la fenêtre, et maintenant le rideau ouvert avec une jambe.

– Tu ne fumes pas ?

– Non.

– C'est bien, répondit-elle en allumant sa cigarette. Il vaut mieux ne jamais commencer. Ouh, comme c'est bon...

Cette dernière remarque était adressée au ruban de fumée qui s'échappa de ses lèvres.

– Vingt-neuf heures sans fumer dans l'avion. Interdit de fumer dans l'aéroport. Interdit dans le taxi...

Elle parlait, le regard rivé sur les fines volutes qui s'élevaient dans les airs, et Scarlett comptait chaque seconde qui passait. La perspective d'accompagner Marlène était déjà angoissante, mais si en plus elle arrivait en retard !

– Avez-vous besoin de quelque chose en particulier ? finit-elle par demander. Sinon, je...

– Ça fait si longtemps que j'ai quitté New York, répondit Mrs Amberson en fumant tranquillement.

Scarlett fut condamnée à attendre un nouveau signe de relâche. Elle avait l'impression que Mrs Amberson la tenait au bout d'une laisse fantôme.

– Si vous avez besoin de quoi que ce soit...

– J'aurai sûrement besoin de quelque chose. Il faut que je réfléchisse.

– Je vous laisse mon numéro de portable.

Elle gribouilla son numéro sur le bloc-notes de l'hôtel posé sur la coiffeuse.

– Voilà, lança-t-elle en indiquant le bloc et en reculant

vers la porte. Appelez-moi quand vous voulez! Je vous laisse vous installer. Vos bagages ne vont pas tarder à arriver…

Mrs Amberson murmura un vague mmmmm, que Scarlett interpréta comme une signe de renvoi.

– Ça t'ennuie si je t'appelle O'Hara? demanda-t-elle au moment où elle franchissait la porte. Comme Scarlett O'Hara?

– Comme vous voulez! s'exclama Scarlett en sortant.

– Je sens que nous allons devenir de sacrées bonnes copines, O'Hara. Je le sens, et je me trompe rarement sur ce genre de choses.

Star d'un jour

De retour au quatrième étage, Scarlett tomba sur Lola et Marlène côte à côte dans le couloir, tel un tableau figé, une scène de film d'horreur. Le visage de sa petite sœur était cramoisi.

– Où étais-tu? demanda Lola.

– Avec une cliente qui vient d'arriver.

– J'ai demandé à Chip de passer vous prendre en voiture pour que vous ne soyez pas en retard.

– Ah, c'est bien, répondit platement Scarlett.

– Vous êtes prêtes? demanda Lola avec son plus beau sourire en se tournant vers sa petite sœur.

– On est en retard, rétorqua Marlène. C'est foutu!

– Pas du tout. Je te l'ai déjà dit, la voiture vous attend.

– Pourquoi c'est pas toi qui m'emmènes? reprit Marlène en frappant contre le mur.

Scarlett sentit son regard se durcir, malgré elle, quand Lola lui effleura doucement le coude pour la rassurer.

– Nous en avons déjà parlé, dit Lola. Vous me rendez un immense service, les filles, je ne l'oublierai jamais. Vous allez adorer votre séance de relookage.

Marlène se jeta contre le mur et frappa son visage contre le papier peint, comme si elle voulait y imprimer son propre regard furibond.

– Chip m'a juré qu'il avait super envie de vous emmener faire un tour sur son bateau, ajouta Lola, avec une imperceptible note de découragement. Tu te rappelles sa vedette ? La petite cuisine en bas et les coupes de champagne ? On pourrait d'abord s'offrir un relookage et après, une virée en mer. Ça peut difficilement être plus glamour, non ?

Marlène pivota en direction de ses sœurs en les fusillant du regard.

– Je ne veux pas que tu portes ce rouge à lèvres débile, lança-t-elle à Scarlett qui, sans le vouloir, serra les poings et les enfouit dans sa robe Dior. Ça ne valait pas le coup, vraiment pas le coup.

– C'est moi, j'adore maquiller les gens pour les transformer, se justifia Lola. C'est une couleur parfaite pour Scarlett. Toi, tu as avantage à porter des nuances plus claires. Je t'ai mis de côté un gloss abricot, mon préféré.

Marlène parut plus ou moins rassurée par la perspective de bénéficier de la couleur préférée de Lola – n'importe laquelle pourvu que ce ne soit pas celle de Scarlett, qui posa une main hésitante sur ses lèvres. Était-il trop foncé ? N'avait-elle pas l'air d'un clown ? Mais non ! Lola ne commettrait jamais une erreur pareille.

– Allez, on va finir par être en retard, lança Lola en tendant la main à Marlène. Et n'oublie pas, si on croise maman, motus et bouche cousue. Je t'ai confié mon secret, alors ne le divulgue pas.

Marlène prit la main de Lola et passa devant Scarlett sans un mot.

– Attendez, dit Scarlett en arrivant devant l'ascenseur. Je prends les escaliers. Ça paraîtra plus… crédible. On se retrouve dans le hall.

Lola répondit par un regard qui signifiait « Je suis désolée », ou « S'il te plaît, tâche de ne pas trop transpirer dans ma robe », ou les deux à la fois.

La Mercedes les attendait tranquillement devant l'hôtel. Sur le siège arrière était assis Chip, Numéro 98 en personne, tenant sur ses deux genoux un exemplaire du *Wall Street Journal*. Scarlett rigola en douce : la lecture n'avait jamais été le fort de Chip. Pire, quand elle essayait d'imaginer à quoi il consacrait son temps libre (ça lui arrivait, oui!) elle le voyait en train de jouer avec une ardoise magique sans comprendre comment ça marchait. Pourquoi? Elle ne savait pas, c'était l'image qui lui venait à l'esprit.

Elle aurait eu du mal à dire si Chip était beau, ou si ses coupes de cheveux très étudiées, son bronzage de fils à papa, impeccable, son corps de joueur de Lacrosse et sa dentition irréprochable donnaient le change. En vérité, il avait les cheveux blond vénitien, comme Marlène, des sourcils vraiment énormes (dont Spencer soupçonnait qu'il les épilait) et des lèvres épaisses qui donnaient l'impression qu'il boudait.

Lola se glissa dans la voiture et l'embrassa délicatement tandis que Marlène montait à côté. Celle-ci adorait Chip, à tel point qu'elle paraissait plus amoureuse que sa sœur aînée.

– J'ai peur qu'il n'y ait pas assez de place pour quatre, dit Chip en saluant Scarlett avec un hochement de tête. L'une de vous devrait monter devant.

Il n'avait pas dit : « Tu devrais monter devant. » Non. Mais le sous-entendu était clair, puisque Lola et Marlène était déjà assises derrière.

Scarlett s'installa à côté du chauffeur et, quand elle leva les yeux, vit Mrs Amberson qui les observait d'un air intrigué, perchée sur son balcon de fortune. Elle brandit sa cigarette et Scarlett répondit en agitant une faible main avant de s'asseoir.

– On s'arrête d'abord au Rockefeller Center, ordonna Chip au chauffeur.

La voiture démarra en se faufilant, aux ordres.

– Tu ne me croiras jamais, poursuivit Chip en s'adressant à Lola. Mes parents m'envoient suivre un séminaire qui s'appelle « Gérer sa fortune », dans quelques semaines. C'est une formation prévue pour les gens qui, tu vois... vont hériter de certains biens et doivent apprendre un minimum de règles pour gérer leurs affaires. Des histoires de fonds spéculatifs... Il faut que j'aille jusqu'à Boston et que je passe trois jours là-bas dans un hôtel à les écouter.

Lola répondit en lui coulant un regard plein de compassion. Scarlett fit comme si elle était au bord des larmes. Au coin du rétroviseur, elle aperçut le chauffeur qui esquissa un sourire.

– Viens avec moi.

– À Boston ? répondit Lola. Mais je travaille...

– On ira chez mon copain Greg et on fera du bateau à voile.

– Chip, sérieusement. Je ne peux pas prendre trois jours. Je commence à être à court d'excuses.

– Ça sera marrant. Si tu ne viens pas, je laisse tomber. Tu aimeras Boston, j'en suis sûr. De toute façon, autant que tu t'y fasses, parce que je déménage là-bas cet automne.

Chip n'avait pas été pris à Harvard, mais il avait été accepté dans une université située « dans la région de Boston ». Scarlett et Spencer avaient un certain nombre de théories plus ou moins comiques sur ce que cela signifiait, dont plusieurs impliquaient de faire joujou avec des crayons de couleur.

– Tu as raison, répondit Lola, peu convaincue.

– Je peux venir ? demanda Marlène.

– Tu veux y aller à ma place ? lança Chip.

Marlène éclata de rire comme si jamais, au grand jamais, elle n'avait entendu de plaisanterie plus subtile. Ce fut assez terrifiant.

Le chauffeur longeait à présent le sud de Central Park et la série de grands hôtels – ou plutôt, aux yeux de certains, de *vrais* hôtels – qui ponctuent l'avenue.

– Au coin de la Sixième, c'est bon ? demanda Chip. Ça ne vous dérange pas de faire le reste du chemin à pied ? Il faut qu'on y aille, nous.

– Parfait, répondit Scarlett. C'est juste à deux ou trois pâtés de maisons.

La voiture s'arrêta en douceur entre deux voitures à cheval, devant l'entrée de Central Park.

– Quand tu rentreras, murmura Lola, dis qu'on s'est rencontrées par hasard dans la rue et que tu as décidé de faire le dernier bout de chemin avec Marlène, OK ? Je ne te remercierai jamais assez.

Elle remit en place les boucles folles, légèrement crêpées, de Marlène avant de l'embrasser. La voiture s'éloigna et le sourire de Marlène se métamorphosa en une expression de rage pure et dure.

– Pourquoi t'as fait ça ? aboya-t-elle.

– Quoi, ça ?

– La voiture ! Je voulais qu'elle nous dépose devant les studios ! Si tu n'avais pas répondu, ils auraient accepté !

Scarlett comprit soudain sa maladresse. Marlène rêvait de voir ses amis baver d'envie en la voyant descendre d'une voiture avec chauffeur.

– Ils étaient pressés, se justifia Scarlett. Tu ne voulais quand même pas que Lola et Chip soient en retard à cause de nous, non ?

En guise de réponse, Marlène se précipita sur la chaussée et traversa toute seule, sans attendre le feu vert. Elle faillit se faire renverser par un bus. Puis elle continua, veillant à précéder sa sœur d'une dizaine de pas. Scarlett essaya de la suivre jusqu'au moment où elle abandonna, la laissa filer et finit par la perdre de vue.

Peu après, elle la retrouva dans l'entrée glaciale du 30, Rockefeller Plaza. L'intérieur était prestigieux mais chargé, les murs et le sol étaient noir et or ; de grandes peintures murales représentaient des avions en plein vol et des ouvriers de chantier ; une armée de petits employés de la NBC* filaient dans tous les sens. Marlène avait déjà rejoint sa bande de Powerkids et oublié la présence de sa grande sœur.

C'était un des avantages de la maladie : les gens se fichaient de savoir combien gagnaient vos parents ou dans quel quartier vous habitiez. Les Powerkids eux-mêmes venaient de la banlieue, du New Jersey et du Connecticut, de Harlem, de Chinatown, de l'East et du West Village, de l'Upper et du Lower East Side, de Staten Island et de Long Island, de tous les quartiers de Brooklyn et du Bronx. Marlène avait vécu auprès d'eux quand elle était à l'hôpital. Avec eux, elle se sentait comme chez elle.

Le studio de *Good Morning, New York* était beaucoup plus petit qu'à la télévision. À l'écran, on avait l'impression que le public comprenait des centaines de personnes. En fait, il y avait à peine quelques gradins et de la place pour une quarantaine de personnes. Ce jour-là, le plateau était à moitié vide. Il y faisait une température glaciale. Une myriade de câbles pendaient du plafond et les lumières étaient aveuglantes.

Le fameux chef cuisinier de l'émission était lui aussi beaucoup plus petit qu'à l'écran et il avait des tartines de maquillage. L'équipe mit une éternité à préparer la cuisine, disposant une série de grands bols de légumes sur le comptoir. Les Powerkids n'avaient pas l'air plus impressionnés que ça. Ils avaient l'habitude de faire des sorties beaucoup plus excitantes. Scarlett, qui s'ennuyait à périr, jouait avec son portable et entrait un

---

* National Broadcasting Company, groupe audiovisuel.

par un tous les numéros qu'elle avait notés dans le petit répertoire au fond de son sac, y compris les plus improbables : des camarades de classe qu'elle connaissait à peine, un élève de son cours d'option biologie par exemple, ou la femme de ménage de son amie Dakota.

La directrice de plateau, munie d'un casque, fit alors son apparition et s'adressa au public :

– OK, dit-elle. Nous allons filmer la séquence « cuisine ». Nous allons avoir besoin d'une ou deux personnes pour couper les légumes et nous aider au cours de la démonstration.

Les Powerkids assoupis se réveillèrent et tous levèrent le doigt comme un seul homme. Scarlett ne remarqua rien, quand la femme demanda :

– Toi, au fond, par exemple ?

Elle sentit quelqu'un lui donner un léger coup de coude et leva le regard.

– Moi ?

– Oui, toi. Essayons d'avoir un groupe de participants de tous les âges cette fois-ci.

– Mais je...

La femme, qui n'entendait rien, lui fit un signe impatient de la main pour qu'elle descende sur le plateau.

– Ne t'inquiète pas, la rassura le chef. Je ne mords que ce que je cuisine !

Rires obligés.

Marlène, fort contrariée, fusilla du regard sa sœur qui descendit d'un pas hésitant. Scarlett essaya de se défendre en levant les yeux comme pour signifier « Je n'avais aucune envie de participer », mais déjà la directrice de plateau la plaçait devant une planche à découper et un énorme couteau.

– C'est toi la plus âgée, essaya de la rassurer le chef. Alors c'est à toi que nous demanderons de couper les légumes les plus fins, d'accord ? Comment t'appelles-tu ?

Scarlett répondit qu'elle s'appelait Scarlett.

Ultimes retouches du maquillage du chef quand, soudain, tout le monde s'agita et les plats valsèrent à droite et à gauche. Scarlett et deux Powerkids furent bousculés et priés d'essayer différentes places sur le plateau, jusqu'au moment où tout s'immobilisa.

– Direct dans une minute, annonça la directrice de plateau. Ne vous inquiétez pas. On vous donnera des instructions. Soyez naturels et amusez-vous, ajouta-t-elle sur le ton le moins amusé qui soit.

– Direct ? demanda Scarlett en levant les yeux vers les caméras et les projecteurs.

C'était la première fois que quelqu'un parlait de direct. Elle eut une légère impression de vide, comme si toutes ses facultés de penser s'évaporaient. La femme égrena les dernières secondes tandis que l'on descendait les caméras.

Soudain, une sonnerie retentit… Elle découvrit avec horreur que c'était le minuscule portable qu'elle serrait dans son poing. Le numéro affiché était un des postes de l'hôtel Hopewell.

– Il vaut mieux que tu répondes tout de suite, dit gentiment le chef.

Derrière les projecteurs aveuglants, la directrice de plateau secoua la tête et leva les mains en signe de mécontentement. Scarlett jeta un œil terrifié sur son portable. La caméra glissa et pivota vers le chef qui l'encourageait toujours à répondre. La femme s'avança sur le plateau et lui fit signe d'éteindre son portable. Il fallait qu'elle choisisse... Soudain, elle l'ouvrit et le plaqua contre son oreille.

– Pourquoi est-ce que tu ne réponds pas? demanda Mrs Amberson.

– Je suis sur un plateau de télévision, chuchota-t-elle.

– Un plateau de télé? Mais qu'est-ce que tu fiches dans un endroit pareil? répondit-elle suffisamment fort pour que tous entendent.

– Dis-lui que nous sommes en train de préparer des *quesadillas* pleines de bonnes choses avec les Powerkids! souffla le chef. Et invite-la à venir si elle veut.

Nouveaux rires obligés.

– Qui était-ce? Où es-tu?

– Sur le plateau de *Good Morning, New York*.

– *Good morning* à toi, O'Hara. Mais tu n'as toujours pas répondu à ma question.

– C'est pour une émission. Une histoire de *quesadillas*.

– De quoi?

La directrice de plateau leva la main en écartant ostensiblement dix doigts, puis neuf, huit...

– Vous avez besoin de quelque chose? chuchota Scarlett sur un ton urgent.

– Du thé à la prune, du vrai, en vrac. Et bio. Et je voudrais te parler. On peut se voir à l'heure du déjeuner?

– Quand exactement?

– Midi et demi, ça te va? Où es-tu, déjà?

– Au Rockefeller Center.

La directrice avait quatre doigts en l'air.

– Ah, oui. Dans ce cas-là, on se retrouve à la réception de l'hôtel Algonquin.

Scarlett referma son téléphone et le lâcha. Il tomba avec un bruit assourdissant. Tant pis s'il était foutu. La caméra pivota vers elle alors que le chef faisait le tour du plateau pour venir la rejoindre derrière le comptoir.

– C'était ton petit copain ?

– Hum...

– Hé ! C'est qu'on s'amuse bien ici ! Vous devriez tous inviter vos copains !

– Deux, un... Direct.

La caméra projeta une lumière rouge tellement forte qu'elle vacilla.

Le chef et son invité commencèrent à discuter. Leur gaieté semblait encore plus fausse sur le plateau qu'à l'écran.

Les cinq minutes suivantes se déroulèrent dans le brouillard pour Scarlett. Les Powerkids faisaient sauter des légumes dans une poêle. À un moment, il fut question de tofu et d'avocat. Elle vit qu'on avait discrètement placé un concombre devant elle, qu'elle avait inconsciemment attrapé et auquel elle s'accrochait comme à une bouée de sauvetage. Soudain, elle atterrit, songeant que ce n'était guère élégant d'agripper un concombre en direct à la télé.

Quelqu'un l'interpella pour qu'elle le coupe en rondelles, et elle fut soulagée de sentir qu'elle se détendait. Le chef s'approcha d'elle pour l'aider. Bientôt la séance prit fin, beaucoup plus rapide que la mise en place, et l'on éteignit les projecteurs. On raccompagna les participants vers la sortie, à la queue leu leu, Marlène toujours en tête. Scarlett dut hâter le pas pour la rattraper.

– Je n'ai pas fait exprès, s'excusa-t-elle en la prenant par l'épaule.

Marlène haussa l'épaule pour dégager sa main.

– Je te promets. Tu le sais. Tu as vu ce qui s'est passé.

– Alors, pourquoi tu n'as pas dit non ?

– J'ai essayé.

– Tu parles !

Le pire, c'est que c'était vrai. Elle n'avait pas dit non. Elle n'avait résisté que dans son esprit. En réalité, elle avait fait exactement ce qu'on lui avait demandé.

– Tu as déjà été sur un plateau de télé, se justifia-t-elle. Tu as participé au Téléthon.

– Quand j'avais neuf ans, oui.

Quelle conversation lamentable, surtout au milieu du beau couloir noir du Rockefeller Center, devant les animateurs et les Powerkids. Lamentable, vraiment !

– J'ai rendez-vous avec ma cliente pour le déjeuner. Il faut que je te ramène tout de suite.

– Non, je suis censée déjeuner avec les Powerkids.

– Je n'ai pas le choix, Marlène. C'est un déjeuner de boulot. S'il te plaît, laisse-moi te raccompagner...

– Dans ce cas-là, je viens avec toi.

Marlène faisait tout pour rendre la vie impossible à sa sœur, et ça marchait.

« De toute façon, pensa Scarlett, tôt ou tard Mrs Amberson fera la connaissance de Marlène. Ou plus exactement... Marlène fera celle de Mrs Amberson. Honnêtement, la perspective ne manque pas de piquant. »

Un rendez-vous de déjeuner

L'hôtel Algonquin était un des établissements les plus prestigieux de New York, puisqu'il était connu pour avoir été le lieu de rendez-vous des gens de lettres dans les années vingt et les années trente. La réception avait une décoration chargée et des murs couverts de lambris sombres. Autant l'hôtel Hopewell avait un certain éclat (du moins jadis), autant l'Algonquin avait un charme profond, très bien entretenu, et des... clients. Mrs Amberson attendait Scarlett, assise sur un petit canapé de l'entrée.

– C'est ça ou un séjour à l'hôpital, annonça-t-elle en accueillant Scarlett et en levant un verre plein d'un liquide rouge profond d'où dépassait une branche de céleri. Rien de mieux qu'un bon Bloody Mary pour se requinquer. La seule façon de résister au décalage horaire, c'est de rester debout toute la journée, et ce cocktail va m'aider à demeurer éveillée. Mais qui est avec toi ?

Cette dernière remarque visait Marlène qui, tel un chat mouillé, traînait d'un air méfiant derrière Scarlett.

– Ma petite sœur, Marlène. On revient d'une sortie organisée par son groupe.

Marlène s'écroula dans un fauteuil capitonné en face de Mrs Amberson.

– Son groupe? demanda celle-ci en retirant la branche de céleri qu'elle mordit avec avidité.

– Les Powerkids, répondit Scarlett en s'asseyant. Une association pour les enfants qui ont survécu à un cancer.

En général, les gens réagissaient en demandant, non sans lourdeur : « Tu as eu un cancer? Mais dis-moi, tu es une petite fille sacrément courageuse! À ton âge, c'est terrible. Je croyais que les enfants qui ont été malades… » Et patati et patata. C'était toujours la même rengaine, dont Marlène n'écoutait jamais un mot.

Mrs Amberson, elle, ne fit aucun commentaire. Elle se contenta de hausser un sourcil en regardant Marlène et replanta sa branche de céleri dans son verre. Une réaction étrangement saine aux yeux de Scarlett, elle aussi écœurée par l'éternel discours des gens.

– J'ai faim, lança Marlène.

Mrs Amberson eut un léger sourire et lui passa le menu.

– Choisis ce que tu veux.

Marlène s'attendait à tout sauf à ça. L'Algonquin était un hôtel agréable, donc cher.

– Je… hum… j'ai huit dollars sur moi, pas plus, lâcha enfin Scarlett.

C'était la moitié de sa fortune.

– Je vous invite, répondit Mrs Amberson. Prends ce que tu veux, Marlène. Toi aussi, O'Hara.

La carte du menu était présentée dans une épaisse chemise de cuir reliée, particulièrement lourde, mais les plats proposés n'avaient rien d'extraordinaire – sandwiches et petits snacks. Les prix, eux, étaient démesurés, ce qui ne surprit point Scarlett. Bizarre, d'être invitée à déjeuner dans un endroit pareil, et par un client, songea-t-elle. Normalement, c'est elle qui aurait dû offrir ses services à Mrs Amberson, et non l'inverse. Vite, elle choisit le plat le moins cher, avec une carafe d'eau, ça lui allait très bien. Marlène, elle, n'avait pas ce genre de scrupules. Elle commanda une assiette de mini-cheeseburgers, spécialité de la maison, et une Piña Colada sans alcool, avec des cerises en supplément.

– Voilà une petite fille qui sait ce qu'elle veut, commenta Mrs Amberson.

– Je peux aller téléphoner en attendant ? demanda Marlène.

« Oh, que oui ! » répondit Scarlett en silence. La règle des quinze ans minimum n'avait pas été appliquée à Marlène. Elle avait un portable depuis des années, l'excuse étant qu'elle en avait besoin pour appeler la maison quand elle était hospitalisée. Il faut avouer que l'excuse était valable, mais quand même...

– Vas-y, répondit Mrs Amberson. Je dois discuter de deux ou trois choses avec ta sœur.

Marlène s'éloigna à pas furtifs pour aller s'installer dans un canapé vide à l'autre bout de la réception, le plus loin possible.

– Désolée, dit Scarlett. Elle est un peu...

– Vous formez une sacrée paire, la coupa Mrs Amberson. Tu n'as pas à t'excuser. J'espère que tu ne m'en veux pas de te donner rendez-vous dans un hôtel. Ne le prends pas mal, mais celui-ci est très réputé et a un bar fabuleux.

– Vous ne m'avez pas dit que c'est la première fois que vous revenez à New York depuis un bout de temps?

Mrs Amberson répondit par un sourire crispé. Elle sortit son étui à cigarettes, puis soudain se ravisa et le relâcha au fond de son sac avec un geste découragé.

– J'ai vécu ici il y a belle lurette. À l'époque du glam, du disco et du punk. Mais moi, j'étais surtout attirée par Broadway.

– Vous devriez en parler à mon frère. Il est comédien. Il rêve de décrocher un rôle à Broadway.

– Ma chérie, un quart des habitants de New York rêve de monter sur une scène de Broadway, et un quart y est monté.

Scarlett ne sut comment interpréter la réponse : était-elle destinée à la rassurer, à l'humilier, ou était-ce une simple information? Mrs Amberson avait l'art, fort déconcertant, de balancer des remarques à la limite de l'affront.

– L'école est finie, non? reprit-elle. Alors, comment vas-tu t'occuper? Tu n'as pas un genre de… camp d'été ou autre chose?

– Non. Je travaille.

– Tu travailles? Ta famille est propriétaire d'un hôtel. Et tu portes une robe de chez Dior, je te ferai remarquer.

– La robe est à ma sœur, se défendit Scarlett, inca-pable de cacher son embarras. C'est un cadeau qu'on lui a fait. Nous sommes tout sauf riches.

Aussitôt, elle regretta ce qu'elle venait de dire. Pourquoi avouer d'emblée à une nouvelle cliente qu'ils n'étaient pas exactement ce que l'on appellerait un modèle de réussite professionnelle ? Mrs Amberson eut l'air intrigué. Elle se cala dans son fauteuil et remua son Bloody Mary jusqu'au moment où son bâtonnet de céleri se brisa, là où elle l'avait mordu.

– Mon petit doigt me dit que... poursuivit-elle. La robe aurait-elle quelque chose à voir avec le propriétaire de la voiture dans laquelle je t'ai vue monter ce matin ?

– Oui, c'est un cadeau du petit copain de ma sœur. Et c'était sa voiture.

– Ah ! fit Mrs Amberson en remuant son cocktail d'un air satisfait. Tout sauf riche, c'est ce qu'il y a de mieux, finalement. Rien de tel que travailler pour obtenir ce qu'on veut. C'est la seule façon digne.

La remarque semblait curieuse dans la bouche d'une femme qui appartenait de toute évidence au clan des plus fortunés. Mais peut-être avait-elle travaillé pour en être.

– Alors, comment occupes-tu ton temps ?

C'était une bonne question, à laquelle Scarlett ne sut que répondre. Si bien qu'elle fit part à Mrs Amberson de sa dernière lubie.

– J'écris.

– Tu écris ? J'aime bien cette idée. C'est ambitieux. Tu es dans un hôtel particulièrement indiqué. L'Algonquin... sais-tu pourquoi il est connu ?

– À cause de la Table ronde de l'Algonquin, le nom du groupe d'écrivains qui se réunissaient ici à l'époque.

Précisons ici que l'histoire des hôtels était un des points forts de la famille Martin, même si Scarlett aurait été au courant de toute façon.

– On voit que tu lis, fit remarquer Mrs Amberson. Et tous ces gens qui prétendent que le livre est mort!

Soudain, son attention fut détournée et elle bâilla bruyamment. Elle plongea la main au fond de son sac et en sortit un stylo et un carnet sur lequel elle jeta quelques notes. Fouilla à nouveau et sortit une drôle de poignée de billets de toutes les couleurs.

– Des bahts, encore des bahts thaïlandais, toujours des bahts... ah, voilà.

Suivit une pluie de dollars, dont elle poussa le petit tas vers Scarlett.

– Tiens, je te donne un peu de sous pour l'accueil, et pour le thé à la prune, quand tu pourras. Garde la monnaie, j'aurai sûrement d'autres courses à te demander. Tu en as assez pour un certain temps. Allez, je vais à mon yoga, à plus tard.

Scarlett observa la liasse. Cinq cents dollars environ, estima-t-elle.

« Je n'en reviens pas, c'est quoi son histoire? » se demanda-t-elle.

Elle prit les dollars quand le serveur revint avec deux grandes assiettes, la carafe d'eau et la fausse Piña Colada, amplement décorée et remplie d'une douzaine de cerises au moins.

– Elle est où? demanda Marlène en revenant et en se précipitant sur son verre.

– À son cours de yoga.

Satisfaite, elle dévora ses mini-cheeseburgers et commanda une seconde Piña Colada. Scarlett grignotait ses encas en silence. Elle fut soulagée quand son portable sonna et qu'elle vit le nom de Spencer s'afficher.

– Tu peux venir, vite ? demanda-t-il.

– Arrête, Orlando. Arrête de m'appeler. Si on se mariait, je m'appellerais Scarlett Bloom, et ça ne sonne carrément pas génial.

– Tu ne me vois pas, mais je viens littéralement de faire pipi dans mon caleçon tellement je riais. Mon short est trempé.

– Tu dis ça comme si c'était la première fois.

– J'ai le fou rire. Si jamais tu as fini…

– J'ai fini, oui.

– Viens, sérieusement. C'est trop important.

– Tu as obtenu le rôle ?

– Je te répondrai si tu viens dans Central Park à quatre heures. Au pied de la statue du Chapelier fou.

Partenaire de scène

Pour une journée qui avait commencé sans projets, les choses s'emballaient sérieusement!

Tout d'abord, Scarlett dut raccompagner Marlène qui traîna des pieds jusqu'à l'hôtel. Puis elle dut l'écouter débiter l'excuse toute prête « je suis tombée sur elles au coin de la rue » devant leur père, qui acquiesça sans broncher. Et supporter sur son visage l'expression d'une sympathique envie de meurtre. Ensuite elle se changea pour vaquer à ses occupations : laver les draps, balayer la réception, déchirer les cartons de livraison de l'épicerie pour les recycler, astiquer les poignées de cuivre de l'ascenseur, passer l'aspirateur dans le couloir du troisième... Sitôt ses corvées terminées, elle remit la robe de Lola et fila à son rendez-vous dans Central Park.

Quelques instants plus tard, elle vit apparaître Spencer, vacillant sur sa vieille bécane rafistolée en coupant à travers un carré de pelouse interdite.

– Alors, c'est bon? demanda-t-elle.

Il lâcha son vélo, arracha la bouteille d'eau accrochée

sur la barre et en siffla la moitié tellement vite que l'autre moitié dégoulina sur son menton.

– J'arrive d'East Village, dix minutes pour monter jusqu'ici, dit-il enfin en renversant la tête et en respirant un grand coup.

Il prit sa sœur dans ses bras et la serra contre lui, le visage ruisselant.

– Où étais-tu quand je t'ai appelée ? demanda-t-il. Mais... pourquoi portes-tu cette robe ?

– C'est Lola qui me l'a prêtée. Je viens de déjeuner à l'Algonquin.

– C'est ça ! répondit-il en la relâchant et en s'écroulant par terre. En tout cas, le second comédien, celui qui me donne la réplique, va nous rejoindre. Il faut que je connaisse par cœur tout mon rôle dans deux jours. Tu m'aideras à l'apprendre ?

– Je t'ai toujours aidé, non ?

– Ouais, mais ça fait longtemps. J'avais peur que tu ne veuilles plus.

Il sortit un exemplaire de *Hamlet* de sa sacoche et le feuilleta.

– « Est-ce moi que vous prenez pour une éponge, monseigneur ? »

Scarlett se retourna.

– « Est-ce moi que *vous* prenez pour une *éponge*, monseigneur ? » reprit-il.

– Non.

– C'est une des répliques de Rosencrantz. Je ne comprends pas ce que ça veut dire. Peut-être qu'en lisant la pièce on comprend. Peut-être qu'il se transforme vraiment en éponge.

– À mon avis, c'est ça, *Hamlet*. Des personnages qui se métamorphosent en éponges. Ah, j'ai oublié de te dire… j'ai du nouveau dans la suite Empire.

– Du nouveau, c'est-à-dire? Une femme? Un homme? Plusieurs personnes?

– Une femme. C'est elle qui m'a invitée à déjeuner. Et voilà ce qu'elle m'a donné pour ses courses personnelles, ajouta Scarlett en révélant sa liasse comme d'un coup de baguette magique.

– Pour une fois que quelqu'un comprend la politique familiale, approuva Spencer. Tu vois! Il t'arrive toujours des choses inattendues. Moi, la meilleure, c'est cette femme qui n'arrêtait pas de me demander de monter réparer sa télé. Il fallait tout le temps que je me penche. Je me sentais exploité et sali.

– C'est le prix à payer pour ta belle gueule, même si tu es un peu gringalet.

– Gringalet? Tu es blessante. Je préfère qu'on dise grand et efflanqué. Contrairement à mon partenaire… qui se trouve juste derrière toi.

Scarlett pivota sur place. Il y avait beaucoup de monde : des promeneurs avec une poussette, des coureurs, des gens paumés, des touristes, et toute la gamme de fous habituels. Elle repéra alors un garçon dont le visage lui disait quelque chose, qui fendait la foule d'un pas décidé vers eux. Il était à peine plus petit que son frère, mais plus râblé, plus musclé, alors que Spencer était, comme elle venait de le lui rappeler, plutôt maigrichon. Le garçon avait les cheveux couleur sable, légèrement trop longs et pas particulièrement bien coupés, mais justement très sexy. Les traits de son visage présentaient une certaine irrégularité : un des côtés de sa bouche était retroussé comme en un sourire permanent, tandis que l'autre demeurait étale. Il portait des vêtements anodins, un T-shirt noir et un bermuda à poches vert. Tout pour avoir l'air banal, mais d'une banalité attirante. Scarlett n'en revenait pas.

– Pardon, dit-il en s'approchant. J'ai dû prendre le métro. Mon scooter ne démarrait pas. Tu as eu le temps d'apprendre ton rôle ?

Il avait une voix profonde, avec un légère pointe du Sud, traînante, qui arrondissait la fin de chacun de ses mots.

– J'ai appris la pièce entière ! s'enorgueillit Spencer. En sens inverse. Je te présente ma sœur. Elle est venue nous aider à bosser. Éric, je te présente Scarlett. Scarlett, Éric.

Éric lui sourit comme s'il la connaissait depuis toujours. En effet... Elle l'avait déjà vu quelque part. Il pointa le doigt vers elle comme s'il la connaissait lui aussi.

– Je t'ai déjà vue, dit-il. Récemment. Aujourd'hui, même.

– À la télévision ? demanda Scarlett, virant au cramoisi.

– Oui, c'est ça ! J'étais à mon club de gym. Dans une émission matinale, je crois.

La tête de Spencer pivota vers sa sœur, qui leva les mains en signe de reddition.

– C'était une erreur, s'excusa-t-elle. J'accompagnais Marlène à un enregistrement. J'étais censée être dans le public, mais je me suis retrouvée en train de préparer ces... *quesadillas*.

– Ah! lâcha Spencer. Tu n'étais pas vraiment à la télé. Ce n'est pas comme si tu avais un rôle dans un sitcom.

Il se détendit.

– Moi aussi, j'ai l'impression de t'avoir vu quelque part, reprit Scarlett.

– En train de faire ça? rétorqua Éric.

Il se débarrassa de son sac à dos, courut, se jeta à terre et roula au sol, puis enchaîna trois sauts tout en frappant dans ses mains comme s'il avait le feu aux fesses.

Bizarrement, ça rappelait quelque chose à Scarlett.

– C'était une pub, expliqua-t-il.

Il jouait le rôle d'un type qui s'était brûlé les fesses en préparant le dîner et finissait par commander une pizza alors que son derrière fumait toujours. La publicité était beaucoup passée à la télévision à l'époque de Noël.

– Nous sommes tous les deux des stars de la télé! s'exclama-t-il.

Scarlett sentit sa mâchoire prête à se décrocher.

– Fais voir, intervint Spencer.

– Quoi? Les roulades?

Spencer hocha la tête et Éric recommença son numéro, courant, plongeant et roulant trois fois en applaudissant frénétiquement. Spencer l'observait attentivement, quand tout à coup il déposa son livre et imita Éric, à la perfection, avec une roulade en prime.

– Pas mal! s'écria Éric. Le jour où j'ai auditionné, voilà ce qu'ils voulaient...

Il se lança alors dans un vrai show, comme Scarlett n'en avait jamais vu. Elle avait l'habitude que son frère fasse le pitre sous ses yeux, pour l'amuser, elle ou n'importe qui, ou parfois pour lui tout seul. Mais jamais elle n'avait rencontré quelqu'un d'aussi déchaîné que son frère.

Spencer commença par se flanquer une série de faux coups de poing dans la figure en imitant le bruit des uppercuts comme un pro (un exercice appelé « la claque », avait appris un jour Scarlett), jusqu'au moment où il finit KO. Éric, manifestement très impressionné, prit alors la relève, mais dans le ventre cette fois, reculant violemment à chaque coup. Spencer se redressa et lui rendit la pareille en faisant semblant de trébucher et en se jetant sur deux bancs, dont l'un lui tournait le dos. Dix fois mieux qu'Éric. Ils échangèrent quelques coups en comparant les sons qu'ils arrivaient à produire, puis ce fut une série de saltos arrière...

Une heure après, ils en étaient à savoir qui arrivait à marcher sur les mains le plus longtemps. Là, il faut avouer que Spencer était un peu dépassé. Il était fort, mais Éric avait des bras beaucoup plus musclés. Spencer avança sur les mains un moment puis, soudain, s'écroula. Éric prit alors le relais : il était plus lent, sans conteste, mais il tint le coup une bonne minute supplémentaire.

– Alors, qu'en penses-tu ? demanda-t-il, à bout de souffle, le visage tout rouge. Qui a gagné ?

Spencer s'essayait à un nouveau poirier.

– Tu assures, répondit Scarlett.

– Ouais, mais ton frère est carrément bon. Il a de la technique. J'aimerais qu'il m'explique comment il réussit à tomber aussi souplement.

Spencer approcha sur les mains en marmonnant quelques répliques. Puis disparut de l'autre côté de la statue.

– Peut-être, mais là, c'est toi qui as gagné, dit-elle. Sans hésitation. Tu es resté sur les mains plus longtemps.

Il eut un sourire un peu déséquilibré.

– Je vais travailler la chute, reprit Éric. Tu vas voir. Donne-moi encore quelques jours. Tu restes encore un peu à New York?

– Pas sûr, répondit-elle. Sans doute. Si vous avez besoin de moi.

– Oui, oui! Et moi, j'ai besoin d'un témoin.

Déjà, Scarlett savait qu'elle n'oublierait jamais l'épisode : son premier échange avec Éric, la façon dont il l'avait observée, ses cheveux ébouriffés, sa transpiration légère. Une rencontre unique.

Soudain, Spencer réapparut, sur ses pieds. Puis s'écroula dans l'herbe.

– Je n'en peux plus, lâcha-t-il. Allez, il est temps de répéter.

Il avait à peine eu le temps d'apprendre quelques répliques, puisqu'il avait obtenu le rôle le jour même, mais il fit l'effort de répéter toutes les scènes où les deux compères apparaissaient, sans texte, avec l'aide de Scarlett qui lui soufflait les répliques. Éric était d'une patience incroyable, répétant aussi souvent que nécessaire son texte pour permettre à Spencer de rattraper. Il avait une voix étonnante, grave, une vraie voix de comédien. À chacune de ses paroles, Scarlett avait l'impression de sombrer dans une sorte de transe, que son frère parvint à peine à rompre en jetant son livre à terre et en annonçant :

– Il faut qu'on y aille. Ce soir, réunion de famille à Hopewell.

Elle jeta un œil sur sa montre. Cela faisait plus de deux heures et demie qu'ils étaient dans le parc.

– C'est quoi Hopewell ? demanda Éric en ramassant ses affaires.

– On habite dans un hôtel, expliqua Spencer. Le Hopewell. Nos parents sont propriétaires.

– Wouah ! Vous êtes propriétaires d'un hôtel. Vous devez être pleins aux as... Heu, pardon, s'excusa-t-il. C'est sorti tout seul. C'était carrément grossier.

– Pas de problème, répondit Scarlett. On a l'habitude. Sauf qu'on n'a pas un rond, mais pas un rond.

Tous trois quittèrent Central Park par la sortie est, traversèrent Madison Avenue et ses belles boutiques, puis Park Avenue avec ses prestigieux immeubles tout en hauteur. Éric les accompagna jusqu'au métro, bavard, sympathique. Scarlett apprit ainsi qu'il avait dix-huit ans et qu'il venait d'une petite ville, pas loin de Winston-Salem, en Caroline du Nord.

– Cette publicité... ça a été un coup de bol, lança-t-il, en reculant brusquement pour éviter un taxi qui fonçait sur eux.

On voyait qu'il ne maîtrisait pas encore la circulation de New York.

– Mon prof de théâtre au lycée avait organisé un week-end pour ceux qui envisageaient sérieusement de faire des études de théâtre. Tu imagines, découvrir New York en un week-end, voir deux ou trois spectacles et admirer les gratte-ciel! Ils nous ont permis de participer à une audition, et il se trouve que le responsable du casting de la pub était là et qu'il m'a trouvé marrant.

– Je n'y crois pas, s'exclama Spencer. Je vis ici! Je passe mon temps à auditionner. Jamais un truc pareil ne m'est arrivé.

– J'ai eu de la chance, ni plus ni moins. Toi aussi, ils auraient pu te prendre.

Éric était généreux, il faisait l'éloge du talent de Spencer... autant de qualités qui allaient droit au cœur de Scarlett. C'était ça qu'elle aimait chez lui, et pas seulement sa beauté, presque troublante.

– Quoi qu'il arrive, poursuivit-il, après avoir décroché ce petit rôle, j'ai décidé de franchir le pas. Je devais aller à l'université de Caroline du Nord, mais j'ai touché assez d'argent grâce à la pub pour m'inscrire à NYU* à la place. Les cours commencent en septembre, mais j'ai décidé de m'installer un peu avant pour m'habituer à la vie ici. Tu suis des cours, Spence?

– Non, pas en ce moment. Avec un peu de chance, je reprendrai bientôt.

Éric observait les augustes immeubles de la Cinquième Avenue : ambassades, instituts, clubs privés. Scarlett vit qu'il était très impressionné par New York. Des détails auxquels elle ne prêtait plus guère attention devaient le choquer ou l'épouvanter. Elle avait l'impression d'être une citadine sophistiquée, et c'était nouveau pour elle.

– Bon, dit Éric en arrivant devant la bouche de métro.

---

* New York University.

C'était sympa de vous rencontrer tous les deux. Je vous souhaite un bon dîner. Une soirée en famille, c'est sympa. Mes parents me manquent un peu.

– Viens dîner avec nous, si tu veux, s'entendit répondre Scarlett.

Poli, Spencer ne se permit pas la moindre grimace ni le moindre geste, mais il jeta un coup d'œil en coin à sa sœur. Les soirées en famille n'étaient pas... table ouverte. Certes, on y avait déjà vu des pièces rapportées : Marlène avait ramené deux ou trois fois un Powerkid, et Spencer une ou deux petites amies de son lycée, mais c'était à l'époque où ils avaient un cuisinier.

– Ça ne fera jamais qu'un couvert en plus, justifia Scarlett. Il y a toujours des tonnes de nourriture, vraiment des tonnes.

Éric ne répondant pas tout de suite, elle crut qu'il essayait de trouver une façon courtoise de refuser l'invitation. Puis il leur adressa un grand sourire.

– Je suis toujours à la recherche de repas gratuits, dit-il. En plus, j'aime bien les dîners de famille. Si c'est toujours d'accord...

– Bien sûr, répondit Spencer. Pas de soucis. Cela dit, il faut que je te prévienne... Si tu aimes les bons petits plats, tu risques de déchanter. Mais il y aura tout ce qu'il faut question quantité.

– C'est ce que je préfère. On y va ?

Famille nombreuse, famille heureuse

Sitôt arrivés à l'hôtel, Spencer emmena Éric se débarbouiller à l'étage avant le dîner. Scarlett se glissa discrètement derrière le bureau de la réception. Lola planqua ses petits trésors – un miroir, deux ou trois lingettes censées absorber le sébum des visages à peau grasse, un gloss de couleur claire – au fond d'une des armoires à dossiers. Puis elle fila dans la salle à manger pour préparer une jolie table.

Une odeur âcre traînait dans l'air, qui ressemblait vaguement à des relents de pot d'échappement. Marlène aidait à mettre le couvert du bout des doigts, laissant tomber l'argenterie sur la table d'un air blasé.

Son père entra, apportant de la cuisine une salade qui avait l'air un peu tristounette. Il portait sa chemise de cow-boy branchée, à carreaux bleus et blancs, avec des roses brodées sur le col. Elle venait de sa friperie préférée et il en était particulièrement fier. Hélas, même l'étudiant le plus cool de NYU aurait eu du mal à se concocter un tel *look* – que Spencer avait baptisé : massacre au Texas.

« Comme par hasard, c'est la chemise qu'il porte ce soir », songea Scarlett.

– On a un invité, annonça-t-elle en tâchant de ne pas trahir sa nervosité. Un ami de... Spencer. Qui n'est pas de New York, mais de Caroline du Nord. Il s'appelle Éric. Il n'a aucune famille ici, du coup... on lui a proposé de dîner avec nous. Ça vous va ? Il est monté se préparer avec Spencer.

Marlène leva les yeux sur sa sœur. Scarlett ne put s'empêcher de penser : « Pourvu qu'elle ne prenne pas la parole, elle va faire fuir Éric. Elle parle trop vite et trop fort. Remarque, quand il verra la chemise de papa, il risque de sauter par la fenêtre. »

– Que veux-tu que je te dise puisqu'il est déjà là ? répondit son père. J'espère qu'il y aura assez. Nous avons un autre hôte.

– Qui ?

En guise de réponse, une longue silhouette apparut dans l'encadrement de la porte, vêtue d'une sorte de kimono en soie bleue et de petits chaussons japonais.

– Je ne suis pas en retard ? demanda Mrs Amberson en souriant. J'ai tendance à perdre la notion du temps quand je médite.

Son visage était tendu en un rictus qui ne parut pas très naturel à Scarlett, et les commissures de ses lèvres frémissaient. En outre, elle tenait dans sa main droite un drôle d'objet qui ressemblait à un furet mort.

– Je vous en prie, répondit le père de Scarlett qui

s'efforçait de ne pas regarder l'animal mort. Vous êtes parfaitement à l'heure. Asseyez-vous.

Scarlett s'attendait à tout sauf à l'apparition de Mrs Amberson avec un furet mort à table. Elle s'assit pour ne pas chanceler et Mrs Amberson prit place à son côté, balançant son furet mort autour du cou, comme un lasso, qui frôla l'oreille de Scarlett.

– J'espère que ça ne te dérange pas, s'excusa-t-elle en indiquant la bête. C'est un boa en fourrure, d'époque, que j'ai transformé en coussin de tête parfumé aux huiles essentielles revitalisantes. Je l'ai baptisé Charlie.

Le furet avait donc un nom... Encore mieux...

– Marlène et moi, nous avons déjà fait connaissance, dit-elle pour prévenir toute présentation. Mais j'ai hâte de rencontrer le reste du clan.

À l'instant même, Spencer arriva, suivi d'Éric, qui portait un de ses T-shirts. Comme Spencer était plus grand et plus mince, le tissu épousait le corps et mettait en valeur ses biceps impressionnants d'Éric. Scarlett vacilla sur sa chaise.

Spencer soupira en voyant la chemise de cow-boy paternelle, mais Éric ne souleva pas un sourcil. Il serra la main de leur père, très naturellement, et les deux garçons s'assirent en bout de table. Mrs Amberson haussa légèrement les épaules, et Charlie, le furet mort, remua imperceptiblement.

– Amy Amb, se présenta-t-elle, tout sourire. Je suis une nouvelle cliente. Je loge ici pour l'été.

– Tout l'été? demanda Spencer.

– Oui, et j'en profite pour vous dire que je trouve adorable la façon dont vous m'accueillez à votre table.

Spencer, ajouta-t-elle d'un air songeur, encore un prénom superbe, une référence aux classiques du cinéma. Nous avons Marlène Dietrich, qui jouait le rôle de Lola dans *L'Ange bleu*. Scarlett, bien sûr, de *Autant en emporte le vent*. Et Spencer, comme Spencer Tracy, un des plus grands acteurs de tous les temps.

Tout en parlant, elle dévisageait les deux garçons avec un regard particulièrement insistant. Elle commença par observer le T-shirt moulant d'Éric, puis son regard bifurqua et s'attarda sur Spencer.

– Tu as plutôt le type Cary Grant, dit-elle en s'adressant à lui.

– Vous ne me croirez peut-être pas, répondit leur père en secouant une boîte de fromage râpé pour dégager un morceau coincé au fond, mais c'est une coïncidence. Ce sont des prénoms que nous aimions beaucoup.

– Rien ne nous arrive par hasard, que nous en soyons conscients ou non.

– Je vous remercie de me recevoir, intervint poliment Éric pour combler le silence que la remarque de Mrs Amberson avait provoqué. C'est gentil de votre part.

– Ah, un peu d'éducation ! s'exclama Mrs Amberson. Rien de plus séduisant que les gens bien élevés.

Soudain, un vacarme épouvantable retentit dans la cuisine, comme si on avait renversé une jardinière du haut d'un escalier. Très tranquillement, leur père déposa la boîte de fromage, se leva et s'excusa.

– J'ai entendu dire que tu étais comédien, dit Mrs Amberson en s'adressant toujours à Spencer.

– Oui, répondit-il en se rapprochant d'Éric. On est tous les deux comédiens.

– Moi aussi, je suis actrice, ou du moins je l'étais. Mais j'ai toujours aimé suivre les jeunes acteurs en herbe.

Un sourire un tantinet renardin traversa son visage. Spencer saisit aussitôt le sous-entendu et ses yeux brillèrent d'un éclat rieur. Même sa position à table changea : il se redressa et se mit à jouer avec sa fourchette comme avec une baguette.

– J'ai toujours rêvé d'être suivi, dit-il avec un sourire de loup assez effrayant.

Scarlett réfléchissait à la meilleure façon de lui planter son couteau dans le genou, sans blesser Éric, quand elle aperçut dans le coin de son champ de vision la Mercedes noire.

– Les voilà ! s'écria Marlène en bondissant de sa chaise. Lola et Chip ! Je vais demander à Chip de rester dîner.

Le sourire de Spencer s'évanouit et il cessa son petit flirt diabolique.

– C'est Lola ? demanda Mrs Amberson en tendant le cou pour regarder par la fenêtre. Ouh là là, elle est ravissante ! Vous savez qui elle me rappelle ? La chanteuse d'Abba, la blonde. Un jour, je me suis retrouvée coincée avec elle dans les toilettes du restaurant *Elaine's*. C'était juste après la sortie de leur tube *Dancing Queen*. J'ai fait un jeu de mots à partir du titre pour rire. Sauf que la fille est suédoise et que j'avais un peu bu, alors je vous laisse imaginer sa réaction... Les Suédois sont difficiles à connaître.

Scarlett surveillait Éric du regard. Elle était persuadée qu'il tomberait en pâmoison devant Lola. Tous les garçons tombaient en pâmoison devant elle. Ce n'était pas sa faute, et Scarlett ne lui en voulait pas. Promis, juré, ça ne lui avait jamais posé le moindre problème, jusqu'à ce soir. Pourtant, à sa grande surprise, Éric ne s'intéressait pas du tout à ce qu'il se passait de l'autre côté de la vitre. Il la fixait, elle, Scarlett Martin. Et il souriait.

Elle était assez proche de lui pour distinguer la couleur de ses yeux : un bleu vaporeux, changeant, tacheté de gris, tel un ruban de fumée s'élevant dans un ciel matinal. Elle sentit quelque chose s'allumer... s'animer au fond d'elle. Comme lorsqu'elle avait des haut-le-cœur quand l'ascenseur faisait des siennes. Elle avait l'impression de tomber, tomber...

Paniquée, elle s'efforça de détourner le regard et rencontra les deux yeux vitreux de la créature furetesque posée sur l'épaule de Mrs Amberson.

– Excusez-moi, fit Lola en entrant, suivie par Marlène qui tenait Chip par la main. J'avais oublié. Je croyais que c'était demain.

Le regard d'Éric changea lentement de direction, mais Scarlett était toujours dans son champ de vision...

Soudain, la porte de la cuisine s'ouvrit et les parents Martin entrèrent avec un plat de lasagnes au-dessus duquel planait un nuage grisâtre puant. Étaient-ils surpris, contents, mécontents d'avoir un nouvel hôte ? En tout cas, ils ne laissèrent rien paraître, sans doute plus préoccupés par cette chose qu'ils venaient de sortir des profondeurs infernales de leur four capricieux.

De nouvelles présentations suivirent. On tira deux chaises supplémentaires autour de la table. Une cruche de thé glacé passa, en même temps que la salade mollassonne et un pain à l'ail mal décongelé. Puis ce fut au tour des lasagnes, qui émettaient un curieux bruissement quand on les touchait avec la cuillère en argent. Tout le monde les mangea en silence, sauf Mrs Amberson qui se contenta d'un verre d'eau et d'un quignon de pain à l'ail. Élégante, elle expliqua que son estomac était encore réglé sur le fuseau horaire de la Thaïlande.

– Et toi, Chip!? demanda-t-elle. Tu es étudiant?

– Je viens de passer mon diplôme.

– Le bac?

– Oui. J'étais à Durban.

– C'est où, déjà, Durban? interrogea Spencer, en toute innocence. Sur la Quatre-Vingt-Dix-Huitième Rue?

– Non, la Soixante-Dix-Septième, rectifia Chip.

– Sûr et certain? J'aurais juré que c'était la Quatre-Vingt-Dix-Huitième. À quoi pensais-je?

Spencer tressaillit. Scarlett n'avait rien vu, mais Lola avait dû le titiller d'une manière ou d'une autre. Elle avala une énorme bouchée de lasagnes pour ne pas éclater de rire et faillit hurler tant elles étaient mauvaises. Elle tendit la main pour prendre la cruche de thé glacé, donnant un coup de coude à Mrs Amberson au passage.

– Et vous trois, vous étiez où? demanda celle-ci pour relancer la conversation.

– Lola, Spencer et Scarlett ont tous été dans des lycées spéciaux, répondit leur mère, non sans fierté. Spencer est un ancien élève du lycée des Arts de la scène, Lola vient de sortir de Beacon, et Scarlett est à Frances Perkins.

– C'est bizarre, à New York, il y a plein de lycées différents, intervint Éric. Chez moi, il n'y en a qu'un, c'est *le* lycée de la ville, le seul. Un lycée. Une équipe de foot. Un bal de fin d'année. Ici, on a l'impression que chacun va dans une école choisie.

Il fixa son regard sur Scarlett en prononçant le mot « choisie » et elle s'aperçut qu'elle avait les deux mains agrippées à la table comme à la barre d'un grand huit. Elle les relâcha en priant pour qu'il n'ait rien vu. Mais s'il avait remarqué ? S'il voulait dire « choisie » dans le mauvais sens ? « Choisie », genre… réservée aux élèves qui ne sont autorisés à utiliser que des ciseaux en plastique…

– Il paraît que tu joues dans un nouveau spectacle, Spence ? demanda Chip.

Chip essayait toujours d'engager la conversation avec le frère de Lola, déployant un sens de la diplomatie à peu près aussi subtil que celui d'une poule cherchant à amadouer un alligator affamé. Heureusement, Spencer n'eut pas le temps de répondre.

– On joue dans une pièce ensemble, dit Éric en se resservant avec enthousiasme. *Hamlet.* Spencer a été engagé aujourd'hui.

Les deux parents de Scarlett sursautèrent et se retournèrent en même temps, comme si l'on venait de pousser un hurlement strident, tel un crissement d'aiguille sur un vieux vinyle.

– Le pire c'est que c'est vrai, renchérit Spencer. Aujourd'hui, il y a cinq heures à peine.

– Hamlet, prince du Danemark ! s'exclama Mrs Amberson, sans remarquer les regards échangés ni le minidrame qui se jouait autour de la table.

Elle se lança alors dans l'interminable histoire d'un de ses amis qui s'était fait agresser alors qu'il était en chemin vers Central Park où il devait jouer une pièce de Shakespeare. Elle monopolisa la conversation si long-temps que le dîner était achevé quand elle s'arrêta, et elle-même paraissait épuisée. Marlène l'écoutait d'un air las qu'elle ne cherchait même plus à dissimuler.

– Excusez-moi, dit-elle enfin. Il faut que je monte me coucher. Je vous remercie, chacun de vous, pour cette soirée délicieuse.

Éric se leva à son tour et les salua chacun très poli-ment.

– On t'accompagne dehors, lança Spencer avec un clin d'œil à sa sœur.

– À très vite, dit son père, qui avait tout compris.

Sur le trottoir, Éric semblait enchanté, inconscient des ravages qu'il avait causés sans le vouloir.

– Je vais y aller, dit-il. Mais votre famille est telle-ment… différente de la mienne.

– Je te remercie, je sais ce que ça sous-entend, répon-dit Spencer.

– Détrompe-toi, tes parents sont super. Merci de m'avoir invité. À demain, mon vieux. Et merci pour l'invitation, Scarlett.

Il serra la main de Scarlett un long moment – une main puissante, dont le bas de la paume était légère-ment rugueux.

Scarlett planait. Un être sublime avait débarqué dans sa vie, qui venait de lui serrer la main et à présent s'en allait…

Elle n'eut pas le temps de s'attarder.

– Tu pourrais m'aider à rattraper le coup auprès des parents, s'il te plaît? demanda Spencer en pivotant vers elle. Tu me rendrais un sacré service.

Le jour du jugement

– J'avais prévu de raconter tout moi-même aux parents, un peu plus tard. Je voulais prendre un peu de temps et réfléchir pour monter une histoire où je devenais un acteur super connu et très bien payé. Maintenant, il va falloir que je m'explique tout de suite. Pourquoi as-tu invité Éric?

Spencer était au bord de la crise de nerfs. Il allait et venait sur le trottoir devant l'hôtel en se frottant le visage si violemment qu'on aurait dit qu'il allait s'arracher le nez.

– Comment je vais me justifier? demanda-t-il d'une voix faible. Ça n'est ni Broadway, ni la télé.

– C'est Shakespeare, justifia timidement Scarlett.

– Je leur mens? Non pas que ça me pose des problèmes, mais... le jour où... le jour où ils viendront voir le spectacle dans ce garage, j'aurai l'air malin! Et s'ils me demandent combien je suis payé et que je leur réponds quatre dollars par jour... Il faut que je trouve une façon de faire passer la pilule. Scarlett, aide-moi.

Scarlett réfléchissait en se mordillant un doigt.

– Ah, pourquoi? s'exclama Spencer. Pourquoi est-ce qu'on n'est pas pleins aux as comme Chip? Il n'a jamais ce genre de problèmes, lui.

– Ses parents l'envoient dans un séminaire pour gosses de riches à Boston, répondit Scarlett, trop contente de remonter le moral de son frère avec le dernier ragot. Il veut que Lola l'accompagne parce qu'il n'a pas le courage d'y aller tout seul.

L'effet produit ne fut pas celui qu'elle espérait.

– Génial! lança Spencer. Trop génial. Il me dépasse, ce Chip. Et pourquoi Lola sort avec lui, ça aussi, ça me dépasse. Tout me dépasse dans cette histoire. Je me demande comment ce mec vit, comment il peut ne rien faire à ce point et être payé pour.

– Tu n'es quand même pas obsédé par ce genre de considérations?

– Si, justement. Son histoire de séminaire à Boston va me hanter toute la nuit. Pourquoi tous les gens bourrés de fric sont-ils aussi creux? Et pourquoi sommes-nous cernés par eux?

– Parce qu'on vit à New York, peut-être, la ville qui attire le plus de gens au monde? Et dans un hôtel où ils descendent régulièrement, ce qui, soit dit en passant, nous fait vivre?

– C'est trop injuste. Pourquoi est-ce que Lola l'amène à la maison?

– Parce que c'est son amoureux.

– Tu dis ça comme si c'était une évidence. OK, OK. Je vais y réfléchir.

Il poussa un long soupir et s'assit sur le trottoir.

– Ils ont bien aimé Éric, j'ai l'impression, reprit-il. C'est déjà ça. Ils ont vu que j'étais dans un spectacle avec un type bien élevé, pas trop bizarre. Ça aide.

– Ouais... En plus, il est bon et il te ressemble. Il est capable des mêmes cascades que toi. Il est mime...

– Je ne suis pas mime. Je l'ai été une fois parce qu'on me l'avait demandé pour un spectacle scolaire. Je t'interdis de dire que je suis mime. Les gens méprisent les mimes. Ils pensent que ça se résume à des combats de scène, des jeux de corps... des trucs de base pour un acteur.

– Peu importe le nom, tu es imbattable dans le domaine. Même Éric t'a félicité.

– Tout le monde a un petit talent. Lui au moins, ça lui a permis de décrocher une pub.

Tout à coup, la porte s'ouvrit et Marlène apparut, les poings sur les hanches.

– C'est vrai, cette histoire de *Hamlet*? interrogea-t-elle.

– Sans commentaire, répondit Spencer.

Marlène demeura immobile.

– On était en train de parler en privé, précisa Scarlett.

– Le trottoir est un espace public.

Marlène était-elle avocate?

– S'il te plaît, Marlène, insista gentiment Spencer, tu peux nous donner deux minutes?

– Je veux savoir de quoi vous parliez.

– C'est justement pour ça qu'on discutait en privé, répondit Scarlett.

Leur tête-à-tête fut définitivement rompu quand Lola et Chip sortirent de l'hôtel. Spencer plissa les yeux et afficha une expression menaçante, comme s'il était sur le point de faire une révélation exceptionnelle, mais Lola lui coupa l'herbe sous le pied et annonça :

– Mr Kobayashi a un problème, les toilettes de la suite Sterling sont bouchées. Et papa et maman voudraient que tu ailles les voir dans la suite Jazz.

Difficile de réagir après un tel coup de semonce.

Marlène rentra en ricanant doucement. Chip ne s'attarda pas. Il hocha la tête en guise d'adieu et Lola l'accompagna jusqu'au coin de la rue.

– Quelle tristesse qu'il parte à Boston, dit Spencer. Quoique... Finalement ça me rassure de savoir que quelque part il existe une université avec option alphabétisation.

– À propos d'université...

– Oui ?

– Éric est à NYU, non ? Il y a beaucoup de comédiens de NYU dans ton spectacle ?

– De NYU et de la Juilliard*, oui. Je dois être le seul à n'être dans aucune des deux facs.

– Ça doit être une coproduction NYU-Juilliard, mais peut-être pas officielle. Un spectacle produit par les deux meilleures écoles de théâtre qui soient, c'est l'occasion ou jamais, non ? Tout ce que les parents veulent, c'est que tu aies en main un diplôme – ça les rassurerait. Une vitrine, si tu préfères. À part ça, des professeurs des deux écoles vont venir voir le spectacle, non ?

– J'imagine, oui.

------

* The Juilliard School est un conservatoire privé de New York, fondé en 1905, d'excellent niveau.

– Ça, ça peut aussi les rassurer. C'est tout ce dont ils ont besoin. Par ailleurs, tu es payé. Évite simplement de leur dire combien.

– Tu es géniale ! Moi qui comptais encore pleurnicher devant eux et me taper la tête contre les murs. Cela dit, il va falloir que je leur vende ta salade… conclut Spencer en se redressant et en prenant sa sœur par l'épaule.

Lola réapparut alors et s'excusa pour passer.

– On se retrouve en haut, leur lança-t-elle. Bonne chance.

– Bonne chance ? Il ne s'agit pas de chance, mais de talent, ma jolie.

Il rentra en exécutant son numéro je-me-suis-cogné-sans-faire-exprès pour se détendre, puis monta affronter son destin. Contrairement à Scarlett, qui souriait toujours, Lola était affligée par les pitreries de son frère.

– Quand est-ce qu'il arrêtera ce genre de singeries !

– Jamais, j'espère, répondit Scarlett.

L'attente dans la suite de l'Orchidée fut longue et douloureuse.

Lola était assise sur son lit, les pieds sur un livre, retirant soigneusement le vernis à ongles de ses orteils. Scarlett alla devant son miroir et jeta un dernier coup d'œil sur la robe qu'elle portait. Et si c'était cette petite robe qui avait plu à Éric, qui l'avait distinguée face à la directrice de plateau, et qui avait incité Mrs Amberson à l'inviter à déjeuner ? Quelques bonnes petites robes et la vie vous souriait ?

– Tout s'est bien passé, ce matin ? s'aventura à demander Lola.

– Si je ne compte pas le moment où Marlène a failli me trucider, oui, répondit Scarlett en s'asseyant sur son bureau qui vacilla.

– Elle a l'air contente, reprit Lola. Je sais que Mrs Amberson vous a invitées à déjeuner. C'est gentil de sa part. Elle est très...

Lola ne sut comment finir sa phrase. Pas plus que Scarlett, d'ailleurs.

– Le copain de Spencer est super mignon, ajouta Lola en frottant délicatement ses doigts de pied avec des lingettes spéciales. Si tous les acteurs sont aussi craquants, je risque d'apprécier sa pièce, pour une fois.

À peine songea-t-elle à Éric que Scarlett sentit sa nausée revenir. Elle cala ses talons contre les poignées de la commode, descendit du bureau et alluma son ordinateur. Elle avait plusieurs courriers de ses amis. Chloé avait rencontré un type qu'elle aimait bien. Tabitha avait été mordue par une mystérieuse araignée et son œil était très enflé. Josh, lui, n'avait écrit qu'une phrase : « Je sais chanter en gallois ! »

Mais elle n'avait pas le courage de répondre, elle préférait continuer à écrire. Elle sauta les fragments de phrase rédigés la veille et commença une nouvelle page.

« Écris ce qui te passe par la tête », s'encouragea-t-elle.

Et ce qui lui passa par la tête, ce fut... deux beaux yeux, d'un bleu époustouflant.

Éric : elle le tenait enfin, son sujet ! Elle décrivit en détail tout ce qu'elle se rappelait de lui. Sa voix douce et grave. L'ombre de duvet sableux qui couvrait son visage. Sa façon trop naturelle et *cool* de mettre ses pouces dans ses poches. Cette délicieuse habitude d'osciller d'un pied sur l'autre quand il parlait, et d'observer tout ce qui se passait autour de lui...

Scarlett était plongée dans son portrait quand on frappa à la porte, un coup, et Spencer entra. Elle referma illico son ordinateur.

– C'est fait, dit-il.

– C'est-à-dire ?

– Ils se donnent la nuit pour réfléchir et ils me diront demain si j'ai leur autorisation. Je vais passer la nuit à gamberger. Super !

Il s'écroula sur le sol comme une chiffe molle.

– Qu'est-ce que tu leur as dit exactement ? demanda Lola en se penchant sur lui et en le regardant dans le blanc des yeux.

– Que c'était l'équivalent d'une audition pour la Juilliard, je crois. Je suis capable d'avoir sorti un truc pareil. Dans la foulée, j'ai ajouté une histoire de bourse pour NYU. Ce n'est pas complètement faux, non ?

– Si c'est toi qui l'affirmes... répondit timidement Lola.

Un étrange courant passa entre Spencer et Lola, un long moment au cours duquel tous deux se dévisagèrent en silence.

– Si c'est moi ton problème, autant me l'avouer, finit par dire Spencer.

– Je trouve que tu ne devrais pas abandonner la bourse de l'école hôtelière, c'est tout. Enfin, quelle que soit ta décision...

– Je te remercie.

– En échange, tu pourrais peut-être me laisser prendre mes décisions, moi aussi, ajouta Lola.

– Je ne suis jamais intervenu, je te ferai remarquer.

Aussi loin que Scarlett s'en souvienne, une querelle sourde avait toujours existé entre Lola et Spencer, comme une vibration permanente, un vieux résidu de leur Big Bang personnel. Quelle en était la raison ? Personne ne le savait et leur mésentente n'aboutissait jamais nulle part. Elle refaisait surface régulièrement, sans explication, puis elle passait.

– Je me casse, en lança Spencer, bondissant sur ses pieds. Il fait trop chaud, je suffoque. J'ai besoin de me défouler. Si j'essayais de tomber du haut des marches de Central Park, quelle probabilité j'aurais de me tuer à votre avis ?

– Cent pour cent, répondit Lola.

– C'est bien ce que je pensais, lâcha-t-il, déçu. Tu crois que je finirais comme un gros tas ?

– C'est quoi, votre problème, tous les deux ? interrogea Scarlett dès que Spencer eut disparu.

– Il n'y a pas de problème. On n'a pas la même conception de la vie, et depuis toujours.

– C'est plus profond que ça.

Lola plongea le pinceau du vernis dans le flacon et leva les yeux sur sa sœur.

– J'ai peur pour lui, parfois, ajouta-t-elle.

Scarlett fut touchée par la sincérité de sa sœur. Honnêtement, elle aussi était un peu inquiète pour leur frère. Elle n'avait pas de doutes sur son talent… mais elle se posait des questions sur leur famille. Tous les jours, un petit bout de la pyramide fragile que constitutaient leurs vies se détachait. Encore un peu et toute la structure s'écroulerait. Mais contrairement à Lola, elle était incapable d'exprimer son angoisse.

– Après tout, c'est son histoire, reprit Lola. Ça me touche que tu te fasses du souci pour lui, mais il faut que tu penses à toi, à ton avenir. En plus, tu as une nouvelle cliente.

Lola avait raison, même si Scarlett appréciait moyennement de se l'entendre dire. Oui, elle avait des problèmes : les longues semaines qui se profilaient devant elle, sans projet, le manque d'argent, le sens de sa vie. Spencer, lui, au moins, avait un but, même s'il était difficile à atteindre.

Quoique... Elle aussi avait un but difficile à atteindre, dans son genre.

Elle rouvrit son ordinateur, où l'attendait son Éric idéal, la dévisageant comme lorsqu'ils étaient à table... Oui, il s'était passé quelque chose au dîner, quelque chose qui n'avait rien d'idéalisé. Ça voulait dire que tout pouvait arriver, non ?

– Peut-être que cette fois-ci la situation va s'améliorer, non ? dit-elle à sa sœur.

– Tout est possible, répondit Lola. Mais ça tiendrait un peu du miracle.

Le bras armé du droit

Le lendemain, Mrs Amberson fumait sa cigarette matinale sur son balconnet, vêtue de sa tenue de yoga, quand Scarlett frappa à la porte de la suite Empire.

– Laisse tomber, dit-elle en voyant Scarlett déposer sur la coiffeuse une paire de draps propres. Nous avons rendez-vous !

– Ah, bon ? répondit Scarlett en jetant un œil sur son T-shirt et sur son short froissés.

– Il faut que je réapprivoise la ville. Ça fait bien une bonne vingt... euh... depuis que je suis partie. Tu ne peux pas imaginer ce que c'était dans les années soixante-dix et les années quatre-vingt, New York. Aujourd'hui, c'est Disneyland mais, à l'époque, ça n'avait rien à voir. Personne ne prenait le métro après dix heures, sauf à vouloir se faire agresser à coups de couteau. Times Square était le cœur du quartier porno, un endroit vraiment angoissant.

Mrs Amberson parlait avec nostalgie mais, soudain, elle bondit de son balconnet et jeta sa cigarette allumée, évitant de peu la balustrade qui faillit la faire ricocher dans ses cheveux.

– Viens, on va se balader. Il est temps que je redécouvre New York.

La matinée avait beau être humide et poisseuse, Mrs Amberson marchait d'un pas vif. Elle se dirigea vers Central Park et entra du côté du zoo en leur frayant un chemin au milieu des promeneurs.

– Je n'ai pas pu m'empêcher de vous écouter, toi et ton frère, hier soir, dit-elle. Vous êtes un peu dans le pétrin, non?

Derrière le « Je n'ai pas pu m'empêcher de », Scarlett comprenait : « J'étais pendue à la balustrade de ma fenêtre pour être sûre de ne rien rater. »

– Il va s'en sortir, répondit Scarlett, il a du talent.

– J'aime bien la façon dont tu réagis. Mais il n'est pas le seul à avoir des soucis, si je ne m'abuse?

Elle laissa la question en suspens et tira une longue bouffée de sa cigarette avant d'expirer lentement, comme un moteur avant le démarrage.

– J'ai connu New York à une époque très particulière, reprit-elle enfin. Je voulais revenir pour y relancer ma carrière d'actrice, mais je suis en train de me dire que je devrais peut-être en faire un livre. Tu m'as dit que tu écrivais, non?

– Vous allez écrire un livre? Comme ça?

– Oui. Et ça va déménager! C'est pour ça que je voulais me promener avec toi, du reste, pour que nous échangions nos fluides créatifs.

Question fluides, le plus dur était la transpiration. Du moins pour Scarlett. Son visage avait beau briller légèrement, Mrs Amberson ne transpirait pas – ce qui n'était pas normal.

Elles arrivèrent sur la Sixième Avenue, à la hauteur du Radio City Music Hall.

– J'ai failli être prise dans la troupe des Rockettes*, avoua Mrs Amberson. Mais j'étais trop grande, de deux centimètres. Deux centimètres! J'ai cru que je ne m'en remettrais jamais.

Elle sortit une nouvelle cigarette, frotta une alumette contre le mur d'un immeuble, et passa l'heure suivante à marcher en indiquant à Scarlett des lieux où avaient vécu des amis, des restaurants qui avaient disparu, d'anciennes boîtes, des repaires où l'on se faisait attaquer sans raison.

– Où va-t-on? finit par demander Scarlett alors qu'elles tournaient dans la Neuvième Avenue.

– Retrouver mes racines.

C'était un quartier d'immeubles d'habitation, beaucoup moins rutilants que certains de ceux qu'elles venaient de longer.

Elles remontèrent cinq pâtés de maisons, quand Mrs Amberson s'arrêta face à un bâtiment étroit de briques jaune doré, de quelques étages seulement.

– Rien à voir avec ça, dit-elle.

– Quoi n'a rien à voir avec quoi?

– C'est ici que je vivais. En 1978. Tu ne pouvais pas imaginer d'immeuble plus ignoble. Un jour, j'étais assise, là, sur les escaliers de secours, quand j'ai vu un

---

* Troupes de danseuses liées au Radio City Hall de New York. La compagnie fut créée en 1925.

homme se précipiter dans la rue avec un fusil. Combien de fois j'ai vu des gens se faire attaquer, poignarder, ou se battre! Il y avait plus d'agitation dans l'escalier de secours que sous la rubrique faits divers des infos. Le soir, je m'enfermais à double tour et j'avais six verrous.

Une femme sortit de l'immeuble avec un petit chien au bout d'une laisse rose.

– Ça me rend malade, commenta Mrs Amberson en les observant. Qu'ont-ils fait de cette ville?

Elle se leva pour entrer dans le bâtiment, mais la porte était fermée à clé. Elle appuya sur trois ou quatre boutons, mais personne ne répondit.

– On y va, dit-elle. Je voudrais voir autre chose.

Elles étaient sur la la Neuvième Avenue, dans une partie où se succédaient toutes sortes de bars et de restaurants : thaïlandais, grecs, chinois, italiens, éthiopiens. Entre les restaurants, elles passèrent devant un bar à vin, un bar à bière, une boutique qui vendait exclusivement des biscuits, un magasin d'animaux domestiques, une galerie de peintures de très bonne qualité – en bref, un joyeux concentré de la vie urbaine sur quelques centaines de mètres. Au milieu trônait un magasin d'alimentation très attirant, plus grand que la moyenne, *Food Paradise*, dont la vitrine proposait un large éventail de fruits exotiques, de fromages importés et de pâtisseries raffinées.

– Ah, enfin, je reconnais cette épicerie! s'exclama Mrs Amberson. Mais, à l'époque, c'était loin d'être un paradis.

Elle traversa la rue en évitant un taxi et entra.

– Tu aurais dû voir le bouge que c'était dans les années soixante-dix, dit-elle en scrutant le bar à olives.

Dégueulasse. Du pain moisi, des cafards. Remarque, moi, je mangeais de la soupe à base de ketchup.

Elle allait et venait dans les allées en commentant à voix basse tout ce qu'elle voyait. Les étalages de nourriture, joliment présentée, semblaient la rendre tour à tour nostalgique, lasse, et soudain, ravie. Scarlett, elle, commençait à avoir faim.

– Allons-y, coupa brusquement Mrs Amberson. J'en ai assez.

Elle prit Scarlett par le bras et fonça vers la porte. Au moment même, un gardien au visage sympathique se racla la gorge et fit un pas pour leur bloquer la sortie.

– Une minute, je vous prie, dit-il. Pourriez-vous avoir la gentillesse d'ouvrir votre sac, mademoiselle, s'il vous plaît?

Scarlett eut la surprise de voir que la demande s'adressait à elle.

– Comment? répondit-elle. Pourquoi?

– Je vous demande simplement de l'ouvrir.

Mrs Amberson leva les yeux au plafond, et Scarlett sentit pointer au fond de son ventre un malaise inattendu.

– Je vous demande d'ouvrir votre sac.

Elle fit glisser son sac de son épaule. La fermeture Éclair était ouverte. Elle l'avait fermée avant de partir, elle en était sûre. Elle présenta le sac au gardien, et... quelle ne fut pas sa surprise en découvrant des boîtes de thon au-dessus de ses affaires!

– Elles ne sont pas à moi, se défendit-elle.

– Sûrement pas, dit le gardien. Tu veux bien m'accompagner jusqu'au bureau, s'il te plaît?

Ses genoux flanchèrent, et elle chercha à prendre le bras – sacrément musclé – de Mrs Amberson.

– Scarlett! s'écria celle-ci. Je pensais que tu en étais sortie!

– Sortie de quoi?

– Nous avons largement dépassé cette étape, ma fille.

– Mais de quoi parlez-vous?

Mrs Amberson s'interposa entre Scarlett et le gardien.

– Écoutez, dit-elle. Je sais que c'est inadmissible, mais je vous prie de me comprendre. Je suis bénévole dans l'association SOS Ados de New York, et nous nous occupons des jeunes qui ont des problèmes.

Le gardien croisa les bras. Scarlett n'en croyait pas ses oreilles.

– Vous avez devant vous une jeune fille qui se nomme Scarlett, poursuivit-elle, que nous sommes en train de soustraire à un environnement familial particulièrement néfaste. Il est vrai qu'à une époque elle a été obligée de voler pour nourrir ses frères et sœurs. Je suis sa tutrice personnelle, bénévole, je répète, et mon rôle est de sortir avec elle pour lui apprendre à se tenir en société. Je tâche aussi de lui apprendre à se nourrir avec de bons produits et un budget limité. Je suis censée la surveiller, mais elle est rapide... À part ça, c'est une fille formidable, je vous assure.

Toute activité avait cessé dans les trois allées autour d'eux. Les vendeurs et les clients les observaient. Mrs Amberson tremblait, apparemment bouleversée par l'incident.

– Je vous en prie, dit-elle. L'arrêter ne lui apportera

rien. Nous avons tant fait pour essayer de la soustraire à ce cercle infernal. Je...

Elle jeta un regard anxieux autour d'elle et indiqua un mur de ballons, dont chacun correspondait à un don d'un dollar en faveur d'une collecte de nourriture.

– Je vous rembourse le thon et je vous achète cent ballons, proposa-t-elle, sortant son porte-monnaie et tendant une poignée de billets de vingt dollars. Voilà déjà la somme en liquide, je donnerai en plus cent dollars à l'association. Comme ça, d'autres en bénéficieront, en plus de Scarlett. Je vous promets qu'elle ne remettra plus les pieds dans ce magasin. Je reconnais que nos conseillers et nos médecins ont encore du chemin à parcourir mais, je vous en prie, ça n'est jamais que du thon, ce dont elle se nourrit essentiellement. Ce n'est pas le genre de gamine qui vole pour le plaisir.

Le gardien semblait plongé dans un abîme de perplexité. Il croyait avoir arrêté une vraie petite chapardeuse... qui de fait l'était... en même temps la sincérité de Mrs Amberson le touchait.

– Qu'elle ne revienne plus jamais ici, répondit-il. Jamais.

– J'ai compris, répliqua Mrs Amberson en lui glissant les billets dans la main.

– Voulez-vous signer les ballons ?

– Non, merci, je regrette mais nous sommes pressées.

Elle passa le bras autour des épaules de Scarlett et l'entraîna dehors, sous un soleil éblouissant. Elle attendit d'avoir atteint le bout du pâté de maisons et tourné au coin de la rue, héla un taxi et poussa Scarlett à l'intérieur.

– Soixante-Neuvième et Lexington, ordonna-t-elle au chauffeur. Ça vous ennuie si je fume?

– Pas du tout, répondit-il en souriant. Je vais en profiter pour m'en griller une. C'est pas tous les jours que j'ai un client qui m'y autorise!

– Voilà qui me fait plaisir.

Tous deux allumèrent leur cigarette tandis que Scarlett demeurait silencieuse, encore sous le choc.

– Tu as vu ça? lança Mrs Amberson. Je n'ai rien perdu. Je vais appeler mon agent et lui dire qu'il faut absolument qu'il me dégotte un rôle d'éducatrice spécialisée ou autre dans la série *Crime et Châtiment*. Un personnage qui arrive et témoigne, l'air bouleversé, tout en restant professionnel. Le problème, c'est que mon agent est mort. Il faut que j'en trouve un nouveau.

– Vous avez volé du thon, finit par lâcher Scarlett. (Sa voix était assez forte pour surprendre le chauffeur qui referma le panneau derrière sa tête.) C'est vous qui l'avez glissé dans mon sac.

– Encore mieux, ajouta Mrs Amberson, il n'a rien remarqué. Tu as été une parfaite couverture!

Elle fourra la main sous sa ceinture et sortit une barre chocolatée.

– Je n'ai rien couvert du tout, se défendit Scarlett. J'ai failli être arrêtée à cause de vous!

Mrs Amberson se tourna vers elle, imperturbable, et la dévisagea à travers un fin nuage de fumée.

– Jamais je n'aurais permis qu'on t'arrête. Le gardien a essayé de t'impressionner, c'est tout. Tu n'as pas trouvé ça drôle?

– Ils m'ont bannie du magasin! Ils me prennent pour

une délinquante qui pique des boîtes de thon et se fait suivre par une armada d'assistants sociaux et de médecins.

– Tu ne retourneras jamais dans cette épicerie, elle est à l'autre bout de la ville. En plus, ils t'auront très vite oubliée, crois-moi. C'était juste une menace.

– Ce n'est pas ce que je veux dire.

– Tu as l'air complètement tourneboulée, répondit Mrs Amberson, avec une voix plus douce. Tu paniques à cause d'une montée d'adrénaline. Nous, les acteurs, nous connaissons ça par cœur. La meilleure façon est de se précipiter sur la scène pour exploiter cette adrénaline. Respire profondément, inspire par le nez et expire par la bouche, tu verras, ça soulage. Je leur ai largement donné de quoi rembourser ce qui a été pris. Sans compter qu'une association très méritante a reçu cent dollars pour acheter de quoi nourrir des gens dans le besoin. Quant à toi, tu ne risques rien. Profite de la vie, ma chérie !

Elle parlait d'une voix rassurante, apaisante, qui devait lui venir de ses professeurs de yoga. Scarlett ouvrit le panneau derrière la nuque du chauffeur.

– Pouvez-vous vous arrêter ? demanda-t-elle.

– Je t'en prie, Scarlett, et ton goût de l'aventure ?

– L'aventure, pour moi, c'est le rafting. Quant à ça, renchérit-elle en brandissant la boîte de thon, c'est du thon.

– Pas mal. Toi aussi, tu as un petit talent de comédienne.

Le taxi s'arrêta. Scarlett ouvrit la portière et bondit sur le trottoir.

– Bien joué ! s'écria Mrs Amberson en la voyant s'éloigner. Gagné ! Je suis sûre que ça va marcher du feu de Dieu !

Scarlett n'avait pas idée de ce que cela signifiait mais elle s'en fichait.

L'affaire du siècle

Scarlett ne parvint à se calmer qu'une fois arrivée à l'hôtel, après une interminable marche sous la chaleur. Elle traversa la réception, la salle à manger, et fila dans la cuisine.

La taille de la cuisine Hopewell était disproportionnée, vu que personne dans la famille ne savait cuisiner et que les clients étaient de plus en plus rares. La plupart des instruments dataient des années soixante et soixante-dix, et il y en avait beaucoup trop, dont la moitié ne fonctionnait pas. Belinda, en son temps, arrivait à peu près à les maîtriser, mais elle était la seule.

Autre élément difficile à maîtriser dans la cuisine : les parents de Scarlett, qui se séparèrent en la voyant entrer, avant de passer une main nerveuse dans leurs cheveux et de réajuster leurs vêtements. Scarlett comprit. Ils se faisaient des câlins. Encore... C'était plutôt sympathique d'avoir des parents qui s'aimaient ; elle était une des seules parmi ses amis dans ce cas. Mais quand même... Tout le monde dans la famille les avait surpris à un moment ou un autre. Ce n'était pas pour rien qu'ils étaient quatre enfants.

– Pardon, dit-elle en grimaçant, vous ne pourriez pas mettre un panneau ou quelque chose pour prévenir?

Son père faisait semblant d'être concentré derrière un des trois réfrigérateurs.

– Rappelle-moi, c'est toi ou Marlène qui a peur des souris? demanda-t-il, l'air de rien. Je ne me souviens jamais. Je sais que l'une a la phobie des araignées, l'autre des souris.

Scarlett répondit en s'asseyant sur un des plans de travail.

– OK, poursuivit son père, c'est toi. Dans ce cas-là, oublie ce que tu viens de voir.

Pour une fois, elle aurait préféré qu'il prenne son air penaud.

– Mrs Amberson est venue nous voir ce matin, intervint sa mère en ouvrant une boîte de pièges à souris non mortels. Elle t'a dit ce qu'elle préparait?

– Oui, oui.

– Ça n'a pas l'air de t'enthousiasmer. Je pensais que tu serais contente de travailler sur un projet de livre.

– Attendez... Un projet de...?

– Elle te propose d'être son assistante, ajouta sa mère sur un ton enjoué. Tu l'as beaucoup impressionnée, à mon avis.

Ses parents échangèrent de longs regards incrédules.

– Écoute, dit enfin son père, nous avons longuement parlé de vous ce matin, au lit. Et nous avons pris un certain nombre de décisions. Nous avons conscience que vous faites tous d'immenses efforts.

– Lola travaille dur et vient de prendre une année avant d'entamer des études ou de déménager, poursuivit sa mère en prenant la main de son mari. Spencer a réussi sa dernière audition et je reconnais qu'il se comporte beaucoup mieux depuis un an, notamment en se levant à cinq heures tous les matins pour s'occuper du petit-déjeuner au Waldorf. Quant à toi, on ne t'a jamais vraiment donné ta chance. Une opportunité se présente, une activité que tu adores, écrire, qui te rapporterait une coquette somme.

– Ah bon ?

– Mrs Amberson propose de te rémunérer cinq cents dollars par semaine. En liquide. Certes, nous avons besoin de ton aide, mais c'est une cliente et ça représente beaucoup d'argent.

Cinq cents dollars par semaine : une vraie, une réelle fortune. Même si certains de ses amis recevaient presque autant pour les taxis, les vêtements et les sorties.

– Alors, reprit son père, tu es contente ?

C'était le moment parfait pour évoquer l'épisode du thon volé et le numéro devant le vigile. Mais... cinq cents dollars.

Cela dit, une autre question la taraudait.

– Qu'est-ce que vous avez décidé pour Spencer ? demanda-t-elle.

– Comme tu le sais, il est pris dans un spectacle lié à NYU et à la Juilliard. C'est une occasion magnifique pour entrer en contact avec ces deux écoles, éventuellement demander une bourse, mais cette fois pour des études dont il rêve, répondit son père.

– Nous avons appelé l'école hôtelière, renchérit sa mère. Ils nous ont expliqué que sa demande de bourse expire aujourd'hui, mais il peut se représenter l'année prochaine ; ils retiennent son dossier. S'il décide de se présenter une seconde fois dans les semaines qui viennent, il y a de fortes chances pour qu'ils puissent lui proposer les mêmes conditions. Rien n'est garanti, mais je pense qu'il tient le bon bout.

– Nous avons décidé de le laisser jouer dans cette pièce, ajouta son père. Si ça ne marche pas, nous pourrons toujours le réinscrire. Dans la mesure où, de ton côté, tu as cette occasion unique...

– Vos deux propositions sont arrivées en même temps, poursuivit sa mère. Comme nous sommes rassurés pour toi, nous pensons que nous pouvons prendre un dernier risque pour ton frère.

Pas de problème. Pas de problème... Elle était ravie de savoir que son job permettait de donner sa chance à Spencer.

– Alors... reprit son père tout sourire, contente ?

– Grisée, répondit-elle.

Super. Son été se transformait en champ de mines. Enfin, au moins elle aurait de l'argent. Elle pourrait s'offrir une nouvelle garde-robe, un nouvel ordinateur, et autant de cafés glacés et de taxis que nécessaire.

– Quant à ta rémunération, dit son père, elle est beaucoup trop importante pour être gaspillée. Nous avons demandé à Mrs Amberson de nous payer, nous, et nous mettrons l'argent de côté pour toi. Nous te donnerons cinquante dollars par semaine. Bon, maintenant, il faudrait que tu ailles porter le linge de table sale chez Mrs Foo et récupérer les médicaments de Marlène chez Duane Reade. Le linge est derrière le bureau de la réception.

Scarlett quitta la cuisine sans un mot.

Les nappes et les serviettes sales étaient fourrées en vrac dans un grand sac en plastique, lourd et difficile à manipuler. Elle le hissa dans ses bras, le serra contre sa poitrine et sortit en claquant la porte.

Elle était à mi-chemin, vacillant sous son fardeau et sous le soleil brûlant, quand elle reconnut une voix devant elle.

– Wouah! Ça m'a l'air sacrément lourd.

Elle vit deux mains se saisir de son sac et reconnut Éric. Elle émit un petit rire nerveux – tel le cri du chien-chien à sa mémère dont les poils seraient restés coincés dans une fermeture Éclair. Pas très excitant. Sans compter qu'elle transpirait comme un bœuf et avait sur les bras dix kilos de linge sale… Vraiment pas sexy.

– Où vas-tu avec un truc pareil? demanda Éric.

– Au coin de la rue.

– Passe-moi ça et montre-moi le chemin.

Elle était tellement interloquée qu'elle fut incapable de réagir quand Éric lui retira son paquet des mains.

– J'étais en train de répéter avec Spencer. Je suis descendu m'acheter un sandwich. On avance bien. Alors, quoi de neuf? De nouvelles émissions de télé?

– Non, ma nouvelle patronne a essayé de m'embarquer dans une histoire de vol à l'étalage.

Éric s'arrêta et déposa le sac par terre pour en rééquilibrer le poids.

– Tu es sérieuse?

– Sérieuse, je te promets. Tout ça pour des boîtes de thon.

– Je te connais à peine, mais j'ai l'impression que tu accumules les histoires bizarres. Alors, ça paye, le crime ? demanda-t-il en reprenant le sac.

– Oui. Mais pas pour maintenant. Pour mes futures études.

– Ah ! les bonnes surprises des frais universitaires ! répondit-il. Dieu merci, j'ai eu cette pub. Deux jours de boulot et ça me couvre une année à NYU. J'ai intérêt à en trouver une autre, sinon je ne sais pas si je pourrai rester.

Scarlett fit très vite le lien entre le besoin d'Éric de gagner de l'argent et la promesse qu'elle avait faite à son frère au sujet des fils à papa.

Ils arrivaient devant la blanchisserie. Éric entra et posa le sac sur le comptoir.

– J'ai hâte que tu me racontes tes aventures, dit-il. Promets-moi de le faire la prochaine fois qu'on se verra. Parce qu'on va se revoir. J'y tiens et je ferai tout pour.

Il la gratifia d'un dernier sourire, ravageur et inattendu, et disparut à la recherche de son sandwich.

Tout à coup, Scarlett se sentit prête pour son nouveau job, sans réserve.

ACTE II

La suite Empire fut la dernière chambre de l'hôtel restaurée en 1929. J. Allen Raumenberg y travailla durant plusieurs semaines et c'est sans doute là qu'il a mis au point le concept de « lune-sur-terre » qui allait signer les centaines de scénographies qu'il conçut pour Broadway et pour des décors télévisuels au cours des vingt années suivantes.

Raumenberg jugeait que le moment le plus mystérieux de la journée est le crépuscule, quand la lune est encore basse et que le ciel brille de nuances variées. Il fit fabriquer par ses maîtres verriers un miroir spectaculaire en forme de lune, où les jeux d'ombres et de lumières sont agencés de façon à ce que la pièce « donne constamment l'impression d'être suspendue à cette heure entre chien et loup, quand la nuit est sur le point d'éclore et le rideau de chaque scène sur le point de se lever ».

La première occupante de la chambre fut naturellement Clara Hooper, danseuse de la troupe des Ziegfeld Follies, et maîtresse d'un riche banquier de Wall Street. Elle était assise à sa coiffeuse, face au miroir en forme de lune, quand elle reçut un appel téléphonique qui lui annonçait que la Bourse venait de s'effondrer. Quelques heures plus tard, son amant avait disparu et on ne le retrouva jamais. Elle comprit que les six dollars et quarante-sept cents qu'elle avait devant elle étaient toute sa fortune. Comment payer un hôtel à douze dollars la nuit? Peu après, elle jeta ses affaires du haut du cinquième étage, tandis qu'une de ses amies l'attendait sur le trottoir, et elle s'éclipsa en catimini, en pleine nuit.

C'est ainsi que l'hôtel Hopewell possède un lien fort (voire douteux) avec le monde du théâtre...

J. Allen Raumenberg, designer d'une époque

Habiter New York

– Comment raconter une vie ? demanda Mrs Amberson en fumant devant la fenêtre de la suite Empire. C'est une trame tellement compliquée, avec des milliers d'histoires... J'ai l'impression qu'il nous manque quelque chose.

« Des mots, songea Scarlett. Des mots, sur une page, écrits par vous. Voilà ce qui manque. »

Mais elle soupira en silence. Elle jeta un œil distrait sur les e-mails de ses amis. Comme d'habitude, il fallait qu'elle réponde et se mette à jour.

Dakota avait fait des progrès en français parce qu'elle avait passé une journée entière à Paris sans prononcer un mot d'anglais. Chloé avait blessé à la tête un de ses élèves de dix ans en effectuant un revers... sinon tout allait bien. Elle avait abandonné son premier flirt pour un autre garçon et elle avait déjà des vues sur un troisième. Hunter avait passé une journée à L.A. et visité les studios Paramount. Josh avait une vingtaine de nouveaux copains anglais avec qui il allait s'éclater à Londres le week-end, ou à la campagne pour faire de la barque et s'amuser à se pousser à l'eau.

Deux semaines... Deux semaines venaient de passer et ils avaient tous une nouvelle vie et plein de choses à raconter. Et elle, elle était là à attendre que Mrs Amberson accouche d'une phrase qui tienne debout et commence son fameux livre.

Dieu sait s'il y avait eu des préparatifs ! Elles avaient été dans la boutique Mont Blanc, sur Madison Avenue, où Mrs Amberson avait dépensé plusieurs centaines de dollars pour deux stylos, l'un à encre, l'autre à bille, et une bouteille d'encre. Puis quelques centaines de dollars pour acheter des carnets de notes qui venaient de chez un prestigieux papetier parisien. Puis il y avait eu le coussin de yoga ergonomique censé favoriser l'inspiration. Et combien d'allers-retours dans toutes sortes de magasins diététiques et d'épiceries asiatiques pour acheter du thé, des herbes, des prunes séchées, des sachets d'algues, du café bio, de l'eau de source...

Scarlett n'avait jamais été aussi occupée à ne rien faire. Entre deux courses, il fallait accompagner Mrs Amberson dans ses promenades sans fin pour « sentir à nouveau le pouls » de New York, passer des journées entières à traîner dans des librairies pour sélectionner des essais sur l'écriture, déjeuner, repérer tous les lieux dont elle pourrait avoir besoin... Scarlett n'avait pas eu une minute pour elle.

– Le début est toujours ce qu'il y a de plus difficile, songea à haute voix Mrs Amberson.

Scarlett était à bout.

– Mais qu'est-ce que vous faisiez de si extraordinaire à New York? demanda-t-elle d'un ton sec.

– Comment ça de si extraordinaire? Pour gagner ma vie?

Scarlett hocha la tête. C'était un bon début. Sa question un peu directe avait de l'effet.

– Mon premier job a été dans un boui-boui qui s'appelait le *Round the Clock Diner*. Je l'avais obtenu en racontant que j'avais été serveuse pendant trois ans à Cleveland. On pourrait dire que ça a été mon premier rôle. Un rôle de serveuse à New York. Au début, je n'avais aucune idée sur la manière de m'y prendre. J'imitais la démarche, la façon de parler des autres. Au bout de quelques semaines, j'étais la serveuse la plus efficace du restaurant, à vrai dire, trop bonne même. Certaines personnes avaient peur de moi. Alors, j'ai décidé de monter la barre et je suis allée travailler au *All Hours Diner*, plus au nord. J'arrondissais mes fins de mois au *Ticktock*, un autre boui-boui.

Scarlett ne savait pas s'il fallait qu'elle note le nom de toutes ces gargotes, mais elle était assise depuis des heures ici, à attendre que Mrs Amberson crache quelque chose, alors elle les tapa.

– Et où viviez-vous?

– Je dormais par terre, dans un appartement que je partageais avec une danseuse classique qui s'appelait Suzie, entre la Treizième Rue et la Sixième Avenue. Suzie était dingue. Bonne danseuse, mais elle ne se nourrissait que de lait et de bretzels. Je ne l'ai jamais vue manger autre chose, même quand je rapportais des restes des restaurants où je travaillais. Elle avait un petit copain dealer, un bon à rien. À l'époque, les dealers de drogue avaient un peu de prestige, mais lui, aucun. Il débarquait et s'asseyait dans un coin avec un chapeau de sorcier et se mettait à méditer à haute voix. Comme ça, écoute...

Mrs Amberson émit un long *mmmmmmmm* sonore et caverneux. Scarlett songea à le transcrire, puis laissa tomber.

– Je suis restée avec elle parce que ce n'était pas cher. Plus tard, ils sont partis vivre ensemble dans une communauté branchée macrobiotique dans le nord de l'État de New York et j'ai été virée. J'ai déménagé sur la Seconde Avenue...

Elle se pencha par-dessus la balustrade et scruta quelque chose à ses pieds.

– Ta sœur est là avec son jules, dit-elle. Comment s'appelle-t-il déjà ?

– Chip.

Lola était déjà rentrée ? Elle était censée travailler tout l'après-midi.

– Ah oui ! Chip. Pas mal physiquement, mais il n'a pas inventé le fil à couper le beurre ?

– J'en doute.

– Tu n'as pas l'air très impressionnée. Ce n'est pas ton genre, hein ? Je parie que tu préfères qu'ils en aient un peu plus dans le ciboulot, O'Hara !

Scarlett préféra ne pas poursuivre. Hélas...

– C'est quoi, ton genre ? insista Mrs Amberson. Tu ne m'as jamais parlé de ta vie amoureuse, Scarlett. Tu es très jolie. Je suis sûre qu'il y a anguille sous roche. Et je parie que c'est un intello, avec un petit air de Harry Potter et une collection de T-shirts noirs. Allez, à quoi ressemble-t-il?

– Je n'ai pas de petit ami. Juste, je... des copains au collège, parfois.

– Tu as sauté le verbe, je vois. Or tout est dans les verbes.

Scarlett la fusilla du regard mais Mrs Amberson ne se laissa pas démonter.

– J'ai beaucoup d'espoir pour toi cet été, O'Hara. Je ne crois pas à cette apparence sévère et déterminée, je suis sûre que tu caches une personnalité passionnée.

Scarlett ne savait pas qu'elle avait une « apparence sévère et déterminée ».

– De quoi parlez-vous exactement?

– Tu souris très rarement, expliqua Mrs Amberson. Je veux dire un vrai sourire. Je m'y connais, crois-moi. J'ai joué dans des publicités pour du dentifrice. Je connais par cœur toute la gamme.

Elle essaya de passer la tête à travers la balustrade pour avoir un meilleur aperçu de la scène qui se déroulait sur le trottoir.

– Bon, reprit-elle. Ta sœur ne s'en sort pas trop mal. À partir du moment où ils n'ont pas grand-chose dans la cervelle, ni ailleurs, plus intéressant, si tu vois ce que je veux dire, le porte-monnaie est une alternative judicieuse. Je suis bien placée pour le savoir.

Un étrange décrochement eut lieu, et les paroles de Mrs Amberson restèrent suspendues un instant. Scarlett était épuisée par la tension que cette femme lui imposait.

– Je sens que j'ai besoin d'une séance aux bains turcs, lança Mrs Amberson. Je vais y aller pour transpirer un bon coup et me libérer. Tu pourrais peut-être en profiter pour rafraîchir la pièce et te reposer quelques heures. Je te trouve un peu pâlichonne. Sors et va t'amuser un peu.

Scarlett ouvrit la porte de la suite de l'Orchidée et vit Lola bondir d'un mètre au moins.

– Tu n'étais pas censée travailler ? demanda-t-elle.

– Et toi ? Où est Mrs Amberson ?

– Partie transpirer aux bains turcs. Quelle est ta nouvelle excuse aujourd'hui ?

– L'anniversaire de la maman de Chip, elle a cinquante ans, répondit Lola, avec un air légèrement coupable et fuyant. Ils ont organisé un week-end dans les Hampshires et un dîner à Manhattan.

– Ça n'est pas vraiment le week-end. Ni l'heure du dîner.

– Il y a plein de choses à préparer : le minibus à affréter, les traiteurs à rappeler, la boîte d'événementiels, les fleurs, l'orchestre…

– Je te rappelle que Chip est un grand garçon qui vient de passer son bac, qui possède un portable et tout ce qu'il faut. Pourquoi demander un arrêt de travail pour l'anniversaire de sa mère ?

– Il a besoin qu'on l'aide. Il n'a aucun sens de l'organisation.

– Ce n'est pas le rôle de la boîte justement ? D'organiser des événements ou des soirées privées ?

– Tu ne comprends rien, répondit Lola, furieuse, en fouillant autour d'elle. Tu n'aurais pas vu ma boucle d'oreille rose… ah, la voilà !

Elle enfonça son diamant tel un petit coup de poignard.

– Et la semaine dernière ? demanda Scarlett. Et le week-end précédent ?

Lola passait la main dans ses cheveux, manifestement mal à l'aise.

– Je travaille dans une boutique où je peux changer mes horaires, les vendeurs se relaient. En plus, Chip doit aller à Boston pour ce séminaire sur la gestion de fortune... il n'a pas le temps. Au fait, tu pourrais me rendre un service, s'il te plaît ? Tu ne m'as pas vue ici de tout l'après-midi, d'accord ? Je te le revaudrai.

– Tu me dois déjà pas mal.

– Comme ça, tu accumules les points.

– Ça va. Je ne te dénoncerai pas. Je ne suis pas comme... Marlène.

Le visage de Lola s'illumina.

– À plus, lança-t-elle. J'essaierai de te piquer une petite douceur chez le pâtissier-traiteur. Je reviendrai tôt, quoi qu'il arrive. Marlène a une soirée de bowling à sept heures, il faut que je l'accompagne.

Elle s'éclipsa en laissant planer derrière elle le sillage de son parfum. Enfin, Scarlett avait quelques heures devant elle pour écrire. Elle mit en route la climatisation, ouvrit son ordinateur et...

L'unique objet qui lui venait à l'esprit était Éric.

Elle ne l'avait pas revu depuis le jour où il l'avait accompagnée à la blanchisserie, mais elle pensait sans cesse à lui. Elle brûlait d'envie de demander de ses nouvelles à Spencer, dès qu'il rentrait de répétition, mais chaque fois un sentiment de gêne l'en empêchait.

Scarlett n'avait jamais eu de petit ami attitré, officiel, mais aucune de ses amies non plus. Le collège Frances Perkins n'était pas le lieu idéal. L'emploi du temps était tellement chargé qu'on n'avait pas le temps de s'attacher à quiconque. À peine avait-on l'occasion de flirter entre les séances de labo, les visites de musée, encore les séances de labo, et les innombrables activités extra scolaires. En outre, draguer, c'était pour les nuls, ceux qui ne visaient ni la section scientifique (ce n'était pas le cas de Scarlett), option chimie ou physique (idem), ni l'entrée dans *le* bon lycée.

La situation était très différente au lycée des Arts de la scène, où allait Spencer. Chaque fois qu'elle rencontrait ses copains, ils sortaient tous les uns avec les autres. Ils s'acoquinaient et se séparaient au vu et au su de tout le monde. D'ailleurs, Spencer avait tellement courtisé et été courtisé qu'elle avait renoncé à retenir le nom de toutes les filles concernées.

Là où ça faisait mal, c'est que... le sujet aurait dû être facile à aborder, mais il ne l'était pas. Elle ne savait même pas si ça valait le coup de demander quoi que ce soit à son frère. Elle visait trop haut.

Quand même...

Il suffisait qu'elle pense à Éric pour sentir de légers picotements.

Elle tapa son nom sur Google et tomba sur sa publicité. Elle la regarda une fois, deux fois, trois fois... Jusqu'au moment où elle crut qu'elle allait devenir folle, à moins que ce soit ce qu'on appelait les « chats ». Peu importe, finalement elle n'était pas si troublée.

Elle avait dû visionner la publicité près d'une

trentaine de fois quand elle n'y tint plus. Éric version YouTube, c'était trop frustrant. Pourquoi ne pas laisser un message à Spencer et lui proposer de le retrouver après leur répétition? Éric serait forcément dans les parages.

À sa grande surprise, Spencer décrocha.

– Tu as lu dans mes pensées? demanda-t-il.

– Peut-être... répondit-elle d'un air mystérieux. Laisse-moi deviner à quoi tu pensais. Cela aurait-il à voir avec un pantalon de cuir et un sandwich au jambon?

– Gagné. Tu es trop forte. Soit c'est ça, soit tu as lu ma *fanfiction*, sur... *Phénomène Raven**. Et tu arrives à résoudre des problèmes avec tes pouvoirs de médium?

– Comme une experte. Teste-moi.

– À Central Park dans une heure. N'oublie pas ton guide spirituel!

---

* Titre d'une série télévisée (*That's So Raven*), diffusée en France depuis 2004, qui met en scène une adolescente qui voit l'avenir.

Un problème mineur

Scarlett repéra tout de suite Spencer sous la statue d'*Alice au pays des merveilles* de Central Park. Deux monocycles gisaient à ses pieds.

– Tu dois te demander pourquoi je ne suis pas en répétition, dit son frère.

– Non, je me posais plutôt des questions sur les monocycles. Cela dit, pourquoi n'es-tu pas en répétition ?

– Les monocycles font partie de la mise en scène. Interroge-moi sur le spectacle.

– Alors ?

– L'horreur. Une bande d'huissiers a débarqué au milieu de la scène de la mort d'Ophélie et nous a imposé un ordre d'évacuation.

– Un ordre d'évacuation ?

– Genre, foutez le camp immédiatement, le bâtiment est pourri, plein de matériaux dangereux. Les mecs ont débarqué avec des masques et nous ont poussés dehors avant de marquer les lieux avec du gros Scotch jaune et de poser un panneau au-dessus de la porte. La scène du crime, en moins drôle.

– Où allez-vous répéter?

– Bonne question! C'était le seul endroit abordable pour la troupe. Ils avaient signé un accord exceptionnel avec le propriétaire, sans doute parce que le type savait que le bâtiment était condamné. Le directeur de la troupe est en train d'appeler à droite et à gauche. Mais je doute qu'il trouve un truc moins cher, et tout de suite… Je te laisse imaginer ce que ça implique.

– Spectacle annulé, répondit Scarlett d'une voix grave.

– Annulé, oui. A-nnu-lé. Et je suis bon pour l'école de cuisine. Finis mes projets de comédien. À moins de trouver une idée géniale dans les heures qui viennent. Il ne me reste plus qu'à profiter de mon monocycle avant de le rapporter chez le loueur.

Spencer eut un léger sourire, un peu forcé.

– Le second est celui d'Éric. Mais il est venu en répétition à scooter et il ne peut pas le rapporter chez lui. Je me débrouille pas mal, cela dit, je serais incapable de rouler sur les deux à la fois.

Il ramassa un des monocycles, le tint en équilibre et s'y reprit à plusieurs fois avant de monter dessus.

– De quoi avez-vous besoin? demanda Scarlett. Pour la répétition, je veux dire?

– Pas grand-chose, une grande pièce vide. Éventuellement une seconde pour ranger nos affaires, les accessoires. Un local qui contienne une quinzaine de personnes qui s'agitent un minimum.

– Ça ne me paraît pas difficile à trouver.

– Non, renchérit Spencer en écartant les bras pour tenir en équilibre sur son monocycle. New York est bourrée d'espaces à louer, sauf qu'on n'a pas un rond.

Il se stabilisa et pédala sur quelques mètres.

– Je vais rouler un peu, j'ai besoin d'évacuer, dit-il.

Quand Spencer était frustré, il valait mieux le laisser à ses cascades. Il s'éloigna en vacillant sur son engin et faillit écraser deux ou trois petits chiens et renverser un promeneur au passage.

Un espace grand... avec une pièce de rangement... où une quinzaine de personnes pourraient évoluer. Quel dommage, toutes ces chambres vides dans l'hôtel ! Hélas, elles étaient trop exiguës et pleines d'objets fragiles. À moins que...

Scarlett eut une idée. Peut-être pas la meilleure, mais comme elle n'en avait pas d'autres...

Elle leva les yeux et vit Spencer revenir avec son monocycle sous le bras, dix fois plus sale qu'avant.

– Tu devrais voir la tête des gens quand tu sors d'un buisson couvert de feuilles, avec un monocycle entre les mains, lança-t-il.

– Je connais un endroit, répondit Scarlett. Pas particulièrement joli. Rien d'extraordinaire. Mais au moins il n'est pas menacé.

– Tu sais combien coûte ce paradis ?

– Rien.

Spencer était tout ouïe.

– La cave de l'hôtel. Elle est grande. Rarement utilisée. Et saine.

Spencer s'écroula dans l'herbe.

– Je vois mal les parents autoriser une troupe à

s'installer dans l'hôtel. J'entends déjà papa nous sortir son fameux « ne jamais déranger les clients ». En plus, les producteurs risquent de changer mon rôle s'ils découvrent qu'on n'a pas de place pour ranger les monocycles. À part ça, ton idée est géniale.

– Il faut agir en douce, bien sûr. Tu peux me rappeler combien de fois par an chacun de nous descend dans la cave, si ce n'est pour vérifier les machines et pour le recyclage ?

– J'y vais, moi. C'est là que je range mon vélo. Remarque, c'est tout.

– Tu vois ? Si on s'arrange pour être les seuls à descendre les objets à recycler et lancer les machines, les autres n'y verront que du feu.

Un silence suivit, au cours duquel Spencer commença à envisager la faisabilité de la chose. Scarlett le vit se redresser, signe qu'il pensait que c'était une solution.

– On pourrait entrer par l'allée des poubelles, songea à haute voix Scarlett.

C'était le surnom qu'ils avaient donné à l'entrée de service de la cave, autrement dit quelques marches en béton qui donnaient sur un passage sombre, protégé par une chaîne où étaient accrochées les poubelles de l'hôtel.

– Je me tiendrai devant l'entrée et je vous préviendrai quand ça sera bon pour y aller. À partir du moment où vous descendez tous ensemble, ça devrait marcher.

Spencer faisait tourner la roue de son monocycle, manifestement de plus en plus convaincu.

– Personne ne nous verra, peut-être, objecta-t-il

néanmoins, mais si on nous entend ? Ça hurle et ça crie pas mal dans le spectacle.

– Tu crois que les passants font attention aux cris et aux hurlements à New York ? Tous les bruits seront étouffés, et personne ne pensera jamais que ce qui s'échappe vient de la cave. Ça vous dépannerait au moins quelques jours.

Peu après, un test devant l'entrée de service eut lieu, qui fut très probant. Scarlett s'installa ensuite à la réception pendant que Spencer descendait à la cave pour hurler. Elle l'entendait, c'est vrai, mais les cris se mêlaient aux bruits de la ville. Enfin, tous deux montèrent dans la chambre de Spencer pour réfléchir aux détails.

La chambre de Spencer était la suite Maxwell. À l'origine, c'était une petite pièce très simple, conçue pour les hommes seuls qui étaient là pour des raisons professionnelles – à l'époque où les gens vivaient parfois à l'hôtel. Aujourd'hui, c'était la chambre de Spencer, et elle débordait de tout ce qui faisait que Spencer était... Spencer. C'était son taudis personnel, dans lequel il entassait des pièces détachées de vélo, des scénarios écornés, des bouts de costumes improbables, une immense pile de bouquins sur l'art du comédien, et un tas de boîtes et de cartons mystérieux dont Scarlett préférait ne pas savoir ce qu'ils contenaient.

– Si Lola doit accompagner Marlène à sept heures, dit-il en sortant de l'un des cartons une planche-contact froissée, ça devrait être bon à partir de six heures et demie.

Le cerveau de Scarlett était en ébullition. Si la troupe venait à l'hôtel, Éric viendrait.

– Je vais débarrasser la première pièce, poursuivit Spencer. Ça sera assez grand pour tout le monde, tu es sûre ?

« Un garçon comme Éric ne peut pas ne pas avoir de petite amie », songea Scarlett. Car il existe des êtres tellement beaux, tellement parfaits, que les autres sont instantanément attirés vers eux, tel un aimant. Et ils s'y accrochent.

– Largement, répondit lui-même Spencer tout en tapant un numéro sur son portable.

« Je n'ai rien à perdre à poser la question, remarque. Juste pour savoir. Après tout, Éric travaille avec mon frère, et demander de ses nouvelles est plutôt une marque de politesse. »

– Spence ? Est-ce qu'Éric est… ?

– Est quoi ?

Stop. Impossible de continuer.

– Un bon comédien ? s'entendit-elle poursuivre, d'une voix curieusement aigüe.

– Un bon comédien ?

– Euh… oui. C'est super d'être comédien. Mais comment sais-tu quand un acteur est vraiment bon ?

Spencer se contenta le la fixer, ce qui n'était pas trop mal.

– Je pensais à la cave, bredouilla Scarlett. Si… si les acteurs lancent beaucoup de trucs… les bons acteurs. Il faudrait peut-être protéger, capitonner, la porte.

Son argument était nul, mais Spencer, qui était à la fois ailleurs et perplexe, ne remarqua rien.

– Capitonner la porte, oui, approuva-t-il avant de reprendre son téléphone. Je vais accrocher du feutre de drainage dans la cage d'escalier. Tout ce qui réduit le bruit est bon à prendre. On peut s'en occuper dès cet après-midi.

– J'y vais, répondit Scarlett. J'ai un plan.

Bizarrement, lorsqu'elles sont à l'hôtel, même les personnes les plus soigneuses et les plus respectueuses oublient la bienséance. Les clients perdent toute inhibition, utilisant jusqu'à dix serviettes par douche avant de les jeter les unes sur les autres une fois mouillées. Rien ne les empêche de couvrir le sol de sacs, de papiers, de vêtements, de coussins, de housses... et bien pire.

Scarlett n'avait pas été autorisée à faire les chambres avant l'âge de treize ans, et encore, même à cet âge il fallait que Lola ou Spencer l'accompagne. Les enfants Martin avaient un instrument spécial baptisé « la pince », qui servait à ramasser les trucs trop répugnants.

Mrs Amberson était très différente des clients habituels. Elle avait investi les tiroirs des meubles que personne n'ouvrait jamais. Sa garde-robe était bourrée à craquer. La coiffeuse était couverte de notes, de numéros de téléphone, de piles de magazines et de revues de théâtre, et sa table de nuit croulait sous une montagne de livres consacrés à l'écriture, à la méditation et aux médecines douces.

Dès le début, elle avait prévenu Scarlett qu'elle refusait les produits d'entretien industriels et les sprays, et elle l'avait forcée à acheter un énorme stock de produits éco-compatibles et de chiffons recyclables. À vrai dire, le ménage chez elle était un rituel pas désagréable. Scarlett briquait avec ses écouteurs sur les oreilles, son balai en bois d'amande, son anticalcaire parfumé à l'ylang-ylang et un nettoyant à vitres à base de vinaigre et de concombre. Elle lavait les serviettes et les draps avec une lessive qui respectait l'environnement. De temps en temps, elle prenait même en charge la lessive personnelle de Mrs Amberson.

Tout ça lui donnait une certaine légitimité quant à l'usage de la machine à laver le linge. Mrs Amberson était la reine des clients, et ses desiderata étaient prioritaires.

Alors qu'elle rafraîchissait un peu sa chambre cet après-midi, Scarlett prit soin de rassembler le plus de linge sale possible, non seulement les draps et les serviettes, mais son peignoir de coton égyptien, ses affaires de yoga parfaitement pliées et son pyjama en soie. (Le lavage à la main était un excellent moyen de tuer le temps.)

Car elle avait une idée derrière la tête : elle monterait la garde à la cave et elle rendrait un service appréciable à sa cliente, mais elle participerait à la répétition.

Honnêtement (mais était-elle vraiment honnête avec elle-même ?) son idée de sauver le spectacle n'était pas exclusivement destinée à dépanner son frère. À quatre-vingts pour cent, disons. Elle avait aussi le droit de se rincer l'œil en admirant le plus beau garçon de tous les temps, non ? Peu importait si le prix à payer était de se coltiner tout le linge de l'hôtel.

Scarlett transportait le linge dans le chariot quand Mrs Amberson rentra.

– Bien, bien, dit-elle. Quel zèle ! Je t'abandonne en te

recommandant de t'amuser et tu préfères t'attaquer à des piles de lessive. Je commence à m'inquiéter, O'Hara.

– Tout va très bien, je vous remercie, répondit-elle en s'accrochant à son chariot. J'aime beaucoup m'occuper du linge.

– Quelle drôle de passion. Lâche-moi tout ça, je t'emmène avec moi. Mon ami Billy prépare une comédie musicale du feu de Dieu, il voudrait que je passe le voir.

– Je ne peux pas. J'ai d'autres plans.

– Des plans ? Quel genre de plans ?

– Avec des amis.

– Je croyais qu'ils étaient tous partis pour l'été ?

– Sauf une qui est rentrée plus tôt parce qu'elle a été gravement piquée par des abeilles, un essaim d'abeilles.

– Quelle horreur ! Je comprends. Va voir ton amie. Quant à la lessive...

– Je m'en occupe, répondit Scarlett en filant vers l'ascenseur. Je vais la mettre en route avant de partir. Bonne soirée.

Elle sentit le regard de Mrs Amberson lui poignarder le dos alors qu'elle attendait l'ascenseur.

– Bien des choses à ton amie, lança-t-elle. Je penserai à elle.

Les risques d'avoir de la chance

À dix-huit heures trente, Spencer et Scarlett partirent retrouver la troupe à qui ils avaient donné rendez-vous à Central Park, suffisamment loin de l'hôtel. Scarlett était un peu intimidée à l'idée de rencontrer des acteurs jouant Shakespeare, mais elle eut la surprise de découvrir une petite équipe qui ressemblait aux copains de lycée de son frère, un peu plus âgés sans doute, étudiants, mais l'air aussi inoffensif.

Trevor, le directeur de la troupe, était grand, un peu massif, avec des cheveux roux, une barbe de trois jours et une voix impressionnante. Le rôle de Hamlet était tenu par un étudiant de la Juilliard appelé Leroy, apparemment le plus calme. Scarlett crut qu'il essayait de s'identifier à son personnage, rêveur, jusqu'au moment où elle vit qu'il s'exerçait à faire tenir une cuillère en équilibre sur le bout de son nez. Horatio, le confident de Hamlet, était un garçon soigné qui s'appelait Jeff et qui se croyait très drôle. Elle avait tout de suite remarqué qu'il jetait un regard agacé à Spencer dès que celui-ci lançait une plaisanterie ou faisait le pitre.

Il y avait peu de filles. Paulette, la régisseuse, était une petite rouquine rondelette originaire du Texas. Elle tenait la troupe d'une main ferme, aboyant ses ordres et vérifiant les emplois du temps des uns et des autres tout en mangeant une salade de macaronis froids au fromage dans un Tupperware. C'était la co-loc d'Ophélie à NYU, jouée par une certaine Stéphanie, une grande fille aux cheveux noirs. Celle-ci portait de minuscules lunettes et avait un corps de danseuse, ou de vraie sportive. Elle aussi lorgnait sur Spencer, mais pas comme Jeff.

Éric fut un des derniers à arriver, toujours guilleret, avec un sourire à faire fondre une barre de glace entière.

La descente dans le passage sombre fut plus facile que prévu. Scarlett et Spencer avaient tout préparé, coinçant de vieux chiffons dans les trous et les fentes, accrochant des couvertures aux murs, et recouvrant les marches en bois et le sol en béton avec tout ce qui leur tombait sous la main. L'effet n'était pas particulièrement esthétique, mais la joyeuse bande n'y prêta guère attention.

Mis à part Trevor, tous maîtrisaient le niveau sonore de leur voix. Scarlett était aux commandes des machines à laver. C'est ainsi que l'on se sépara vers vingt-trois heures, sans que personne ne les remarque, sauf Carlos le Givré, un type qui arpentait les rues du quartier nuit et jour avec une radio déglinguée et qui hurlait à qui voulait l'entendre qu'il était Bill Clinton.

– Je n'y crois pas, dit Spencer, une fois tout le monde disparu, en retirant une des couvertures accrochées au mur. Si j'avais réalisé plus tôt que la cave était si bien isolée, mes années de lycée auraient été carrément différentes. Je me suis fait avoir.

– Avoir ? répondit Scarlett en pliant une serviette. Que regrettes-tu ?

– Je n'ai jamais organisé de fête. Papa et maman étaient toujours à la maison, ou l'un des deux. Je suis le seul de ma classe à ne pas en avoir organisé.

– Ça ne t'a pas empêché d'être invité à des milliards.

– Ce n'est pas pareil.

– Un jour, en première, tu m'as raconté que tu t'étais envoyé en l'air avec ta copine, je ne me rappelle plus laquelle, dans chacune des pièces, y compris la réception. Et même plus, si je me souviens bien...

– Quand est-ce que je t'ai raconté un truc pareil ?

– Un soir à l'hôpital, je crois.

– Je n'aurais jamais dû t'en parler. Sous le bureau de la réception, c'est vrai. Je t'aurais raconté ça à l'hôpital ?

– Oui, quand Marlène était hospitalisée et que tu travaillais sur *Roméo et Juliette*. Tu devais manquer de sommeil. Tu essayais de rester éveillé pour apprendre ton rôle, je me suis endormie contre ton épaule, et tu ne pouvais plus bouger.

– Ah, oui ! Je me souviens, mais qu'est-ce qui m'a pris de te raconter un truc pareil ? Je ne raconte jamais ce genre de bêtises quand je suis dans mon état normal.

– Y compris dans ma chambre ?

– C'était il y a des lustres, Scarlett. Avant que je fasse vœu de chasteté.

Scarlett frissonna et se concentra sur le pantalon de yoga de Mrs Amberson.

– Stéphanie est canon, fit remarquer Spencer. Et archi, archi pro, presque trop.

– Pro dans quel sens ?

– Le style qui pense que c'est impossible de sortir avec un collègue de travail. Ce que je comprends, mais...

C'était le moment de poser des questions sur Éric, sauf que... Spencer poursuivit :

– Tant pis. On ne peut pas tout avoir. Du reste, tout va se casser la figure demain quand on se fera choper.

Ils ne se firent pas choper.

Contre toute attente, le plan de Scarlett fonctionna à merveille deux soirées consécutives. Soit parce que les dieux les protégeaient, soit parce que la cave étouffait suffisamment les bruits. Certes, deux ou trois fois Scarlett eut des sueurs froides, lorsque son père descendit avec des objets à recycler et qu'elle dut se jeter sur lui pour les lui arracher des mains, ou quand elle et son frère durent inventer de subtiles excuses pour éloigner Marlène. Mais, dans l'ensemble, tout se déroula comme en rêve. Ils avaient supprimé le rendez-vous préalable à Central Park dès le second soir. Spencer leur avait tenu la porte ouverte et tout le monde s'était faufilé en vitesse. La majorité des scènes qu'ils avaient répétées les deux premiers soirs ne comprenaient ni le rôle de Spencer, ni celui d'Éric.

En revanche, le troisième soir, ils travaillèrent une scène importante avec Rosencrantz et Guildenstern. Trevor était en train de mettre en place les trois acteurs : Éric et Spencer devaient se passer un objet très rapidement derrière Hamlet. L'effet devait être comique, mais Scarlett ne voyait rien. Elle se leva et alla se plaquer contre le mur pour avoir une meilleure vue.

– Leroy, on ne risque pas de t'entendre si tu mets ta tête entre tes mains, expliquait Trevor. Toi, Éric, remonte en avant de la scène. Voilà, c'est mieux. Encadre-le un peu. Enfin, on t'entend. Réessaie d'ici.

– L'acoustique est parfaite.

La voix venait de l'escalier.

Toute la troupe se figea. Face à eux se dressait la mère de Scarlett, contemplant la scène qui se déroulait dans sa cave.

– Puis-je vous dire un mot, s'il vous plaît?

La question s'adressait à ses deux enfants, qui s'avancèrent de concert. Elle eut la délicatesse de remonter quelques marches pour leur parler en aparté.

– Combien de temps pensiez-vous nous cacher ce petit manège?

– Euh… ben… tout le temps.

– N'est-ce pas merveilleux? s'écria une voix de l'autre bout de la pièce.

C'était Mrs Amberson qui sortit du réduit où se trouvait le chauffe-eau, vêtue d'une tenue de yoga intégralement noire. Un cri de stupeur retentit, poussé par une des filles. Les autres étaient tétanisés, muets.

Mrs Amberson avança au milieu de la pièce, sûre d'elle, en époussetant un coin de sa manche. Elle avait à la main un de ses carnets français très chic, où elle semblait avoir pris des notes.

– Tu as raison, Trevor. La dernière réplique était difficile à entendre du fond. Il faudra travailler un peu les voix.

Trevor hocha lentement la tête, témoignant d'une maîtrise de soi impressionnante.

Mrs Amberson rejoignit alors la mère de Scarlett, qu'elle gratifia d'un immense sourire, plus long et plus insidieux qu'un embouteillage un jour de départ en vacances.

– Nous avions besoin du sous-sol pour nous dépanner. Nous avons eu un problème avec le local où nous répétons normalement, expliqua Mrs Amberson. Je vous promets que nous partirons dès que possible. J'aurais préféré vous demander l'autorisation, mais j'avais peur de vous déranger. Vous ne m'en voudrez pas trop, j'espère ? Mais venez, parlons-en, si vous le souhaitez. Monte avec nous, Scarlett. Les autres, vous pouvez faire une pause. Je reviens.

– Euh... d'accord, bredouilla Spencer.

Scarlett lut dans ses yeux : « Je t'en supplie, dis-moi que tu comprends ce qu'il se passe. »

Bien entendu, elle ne comprenait rien.

Un espion dans la maison du Danemark

Dans la salle à manger, Mrs Amberson accepta volontiers une tasse d'eau bouillante pendant que Scarlett montait chercher des sachets de thé bio au gingembre et une boîte de prunes confites japonaises. Elle monta par l'escalier, quatre à quatre, et revint quelques instants plus tard, épuisée, pour tomber sur Mrs Amberson en pleine conversation...

– J'ai beaucoup entendu parler de cette troupe, First National Bang, par des amis qui sont dans le milieu. C'est une production très avant-gardiste et je pense que les professionnels vont suivre la mise en scène de très près. J'ai été stupéfaite quand j'ai compris que Spencer avait été sélectionné pour ce spectacle et que c'était de ça qu'il parlait le jour où je suis arrivée. Naturellement, dès que j'ai entendu dire qu'ils avaient des problèmes de financement... ce qui arrive à toutes les productions dignes de ce nom, croyez-moi... j'ai sauté sur l'occasion pour me proposer comme nouvelle directrice artistique et principal soutien financier. C'est pour ça que cet hôtel est prisé, non ? Tu te souviens comme j'étais enthousiaste, Scarlett ?

Scarlett fut gratifiée d'une double fusillade du regard venant de l'autre bout de la table : une première pour voir si elle marchait, une seconde pour qu'elle confirme. Comme ce n'était pas le moment de poursuivre cette mascarade délirante, elle bafouilla un simple « euh... oui ».

– Nous nous faisons un peu de souci pour la carrière professionnelle de Spencer, expliqua sa mère. Il a obtenu une bourse pour une excellente école de cuisine et il a encore un peu de temps pour confirmer sa candidature.

Mrs Amberson prit un air grave et but plusieurs gorgées de son thé brûlant.

– Je comprends, dit-elle. La carrière de comédien n'est pas un choix facile, mais je trouve que vous prenez très bien les choses. Il est évident que Spencer a reçu une excellente formation au lycée des Arts de la scène. Je connais plusieurs professeurs qui y enseignent. Ils m'ont parlé de lui très chaleureusement.

Était-ce vrai ? Scarlett avait des doutes. Elle n'arrivait pas à afficher un air neutre ni à jouer le jeu, à tel point qu'elle préféra se concentrer sur une tache imaginaire au milieu de son T-shirt.

– Ça me fait plaisir de vous l'entendre dire, répondit sa mère. Mais Spencer est...

– Un comédien doué et exceptionnel. Je ne vous apprends rien, j'imagine ?

– Pas vraiment. Il est bon, en effet. Il se jette réguliè-rement dans les escaliers depuis l'âge de onze ans.

– Vous voyez? Il a un énorme potentiel. Au cours de ma troisième… enfin, depuis le temps que je travaille dans cet esprit, j'ai rencontré très peu d'acteurs de cette envergure, mais tous ceux que j'ai connus, sans exception, ont fini par avoir des parcours d'une richesse époustouflante.

Mensonge ou pas, c'était si bon à entendre… Mrs Amberson avait un pouvoir de persuasion indéniable. La mère de Scarlett en était coite. Car le message était clair : la cliente la plus importante et la plus fortunée de l'hôtel était désormais liée à la carrière de Spencer. Et Scarlett observait sa mère qui prenait peu à peu conscience de la nouvelle donne.

– Bien, dit-elle, c'est donc… donc une occasion à ne pas manquer, si je comprends bien.

Scarlett dut se mordre la langue pour ne pas hurler de joie.

– Croyez-moi, la rassura Mrs Amberson. À présent, je sors deux secondes pour m'adonner à mon vice préféré. Mais je vous promets, c'est la dernière fois qu'ils répètent ici.

Sur le trottoir, Mrs Amberson éclata de cet étrange rire qui lui déboîtait le menton et ouvrit son étui à cigarettes.

– Tiens, tiens, j'ai peut-être enfin trouvé ma troupe.

– Mais comment avez-vous…?

– Scarlett, je fume sur mon balcon. Ça fait trois jours que je vois une bande de comédiens se faufiler sur le côté de l'hôtel vers six heures et demie du soir.

– Comment saviez-vous que c'était des acteurs?

– Ils transportent des épées et des monocycles. Qui voulais-tu que ce soit? Des cambrioleurs échappés d'un cirque? Il a bien fallu que je découvre pourquoi ils se réunissaient ici. Il ne faut jamais laisser les portes ouvertes à New York. Je me suis cachée pour les observer hier soir et avant-hier soir. Jamais je ne m'étais autant amusée depuis des semaines!

– Qu'est-ce qui va se passer maintenant? demanda Scarlett, qui redoutait la réponse.

– Maintenant? Une vraie mise en scène. D'abord, un peu de travail de voix. Et si Polonius continue à tripoter sa fausse barbe, je lui coupe les cinq doigts de la main.

– Alors… c'est pour de vrai? Vous vous engagez vraiment dans la production?

– Je parle rarement pour ne rien dire, O'Hara. Je suis une femme d'action. Et qui aime les choses bien faites. D'autant que dans l'ensemble, ces comédiens forment une bonne troupe. Et ton frère est très bon, comme je l'ai dit à ta mère. En plus, il a un physique de jeune premier! La première fois que je l'ai vu, il ressemblait à un épouvantail mais, dès qu'il se déshabille, on voit qu'il a un corps d'athlète, superbe, souple, comme si on l'avait étiré sur un chevalet. Et il faut voir les pirouettes qu'il exécute…

Scarlett entendit une imperceptible sonnette d'alarme vibrer au fond de sa poitrine; cette description concupiscente de son frère lui donnait envie de vomir. Heureusement, dans l'ensemble, les choses prenaient une tournure inespérée, voire miraculeuse.

– Et votre livre? demanda-t-elle.

– C'est curieux, O'Hara, je me sens au point mort de ce côté-là. Tu as dû remarquer. Par contre, dès que j'ai vu ta mère, ici, j'ai compris pourquoi j'étais venue à New York, dans cet hôtel… pour retrouver mes racines théâtrales. J'ai eu comme une illumination. Le livre peut attendre. Le plus urgent est de trouver un espace pour répéter. Hors de question de proposer une de ces productions minables qu'on oublie instantanément. J'ai de la ressource, O'Hara, et plus d'un tour dans mon sac. Tiens, prends une prune *umeboshi*. Attention, ça a un goût salé. Et ne croque pas le noyau.

Mrs Amberson lui tendit une boîte de fruits grisâtres, dans laquelle Scarlett se servit sans enthousiasme. Le fait est que les prunes avaient un goût de fruit amer et salé. Elle grimaça et recracha le noyau.

– Excellentes pour la santé. Une mine pour le corps et l'élan vital, et je veux que sois pleine de vitalité, O'Hara. Allez, descendons retrouver la troupe.

Les acteurs de *Hamlet* n'avaient pas beaucoup bougé. On lisait dans leurs yeux cette expression à la fois hantée et pleine d'espoir, comme sur les vieux clichés d'émigrants entassés dans les cabines de l'entrepont, en route vers des terres nouvelles et inconnues.

Trevor, le metteur en scène, s'avança, comme pour signifier qu'il contrôlait plus ou moins la situation, et Mrs Amberson alla lui serrer la main.

– Amy Amb, se présenta-t-elle. Je vous ai regardés répéter hier et avant-hier soir. Je suis surprise que personne ne m'ait vue, remarquez, vous étiez très concentrés.

– Oui, enfin, intervint Spencer, je me demande qui pouvait imaginer que quelqu'un se cachait derrière le chauffe-eau.

– Tout peut arriver, répondit Mrs Amberson. Nous sommes à New York. Où que vous alliez, quoi que vous fassiez, on ne sait jamais qui vous observe. Ici tout est possible, il suffit de savoir saisir sa chance.

Heureusement qu'en l'occurrence c'était vrai, sinon sa petite morale de l'histoire aurait été particulièrement agaçante.

– On vient de perdre notre local de répétition, ajouta Éric avec un grand sourire. À cause d'un ordre d'évacuation. C'est pour ça qu'on est venus ici. Grâce à Scarlett.

Il savait que c'était elle qui avait eu l'idée !

Hélas, Mrs Amberson ne semblait pas insensible au charme d'Éric. C'était terrifiant. Pire, elle se tourna vers Spencer avec un de ses sourires appuyés qui donnaient la chair de poule à Scarlett.

– Ne vous inquiétez pas, reprit Mrs Amberson. Je sais à quel point il est difficile de trouver un lieu où répéter à New York. J'ai été actrice. Vous voulez un exemple ? En 1976, j'ai décroché un rôle dans le dernier show branché de Broadway, *Rockabye Hamlet. Hamlet* version rock. Ophélie se suicidait en s'étranglant avec un fil téléphonique. Le public riait, je vous le jure. On a tout arrêté à la septième représentation. Le lendemain, on était tous en couverture du *Times*.

Sa dernière remarque provoqua un murmure de sympathie et un net regain d'intérêt.

– J'ai une proposition, dit-elle. Bien sûr, vous êtes libres d'accepter ou de refuser. Je vous offre mon soutien financier en échange d'un droit de regard sur la mise en scène. Si vous acceptez de me prendre comme cometteur en scène, je crois pouvoir vous apporter des conseils de bon aloi et vous ouvrir mon carnet d'adresses.

– Cometteur en scène ? demanda Trevor.

– Vous connaissez tous mon assistante, Scarlett. Elle est pleine de ressources et saura se rendre utile. Parlez-en entre vous. Choisissez ce qui vous semble le mieux.

La troupe jubilait. Seul Trevor semblait frappé par la foudre. Sans surprise, tous se mirent immédiatement d'accord pour accepter la proposition, nonobstant l'état de choc de leur directeur officiel.

Mrs Amberson alla se placer au milieu du groupe et commença à parler de son « amour profond pour Shakespeare » (même si le lendemain elle devait demander à Scarlett d'aller lui acheter un exemplaire de *Hamlet* et tous les livres existants sur le sujet). Mais la nuit avançait et, peu à peu, les uns et les autres s'en allèrent. Bientôt il ne resta plus que les trois résidants de l'hôtel, et Éric.

– Rends-moi un service, O'Hara, demanda Mrs Amberson sans quitter des yeux ses deux nouvelles recrues. Tu pourrais aller m'acheter une boîte de thé vert au coin de la rue, s'il te plaît ? Je viens de me souvenir que je suis à court.

– Il vous en reste trois boîtes.

– Tu es sûre ? Il vaut mieux que j'en aie une en plus au cas où.

Le fait est qu'elle avait trois boîtes de thé vert, deux boîtes de thé blanc au gingembre et aux pétales de rose, plus une boîte de chaque parfum suivant : prune, gin-seng, menthe, mélange détox, mélange nuit calme, mélange concentration de l'esprit, mélange yoga... tous achetés par Scarlett. Elle fit quelques contorsions au sol pour adopter une position plus confortable, et enchaîna

une série de positions alambiquées de danseuse professionnelle, une manière d'affirmer : « Vous avez-vu
comme je suis souple ? » Hélas, Spencer sembla prendre
note.

– Bon, lâcha Scarlett en se redressant. J'y vais.

Elle montait les vieilles marches grinçantes de la cave
quand elle entendit Éric dire :

– Excusez-moi, je crois qu'il faut que je rentre. Je me
lève très tôt demain matin.

Scarlett s'arrêta sur-le-champ et se pencha pour ajuster ses claquettes... le temps qu'Éric la rattrappe.
Quelques minutes supplémentaires avec lui, ça valait le
coup, non ?

– Déjà ? demanda Mrs Amberson. Dans ce cas-là, à
demain. On se tient au courant pour le prochain local de
répétition. Scarlett t'appellera. À propos, ça va, là-haut ?

– Très bien, répondit Scarlett en arrachant une lanière
de ses claquettes qu'elle était en train de saccager lentement mais sûrement. Au point où elle en était, autant
sortir et s'acheter une nouvelle paire.

Elle monta quelques marches en sautillant pour
échapper à la vue de Mrs Amberson et en agrippant la
semelle avec ses doigts de pied pour ne pas perdre ses
claquettes. Jusqu'au moment où elle sentit Éric juste
derrière elle.

Elle venait d'arriver au rez-de-chaussée et d'aperce-
voir sa mère, assise derrière l'ordinateur de la réception,
qui jetait un œil sceptique du côté de la cave.

– Il faut que j'aille à l'épicerie acheter du thé pour
Mrs Amberson, se justifia Scarlett.

– Encore ?

– Ne vous inquiétez pas, Mrs Martin, carillonna Éric, j'ai garé mon scooter au coin de la rue, j'accompagne votre fille, madame.

L'idée que Scarlett ait besoin d'être escortée et l'usage du « madame » avaient beau être décalés, il était difficile de résister à ce ton et à ces manières d'un autre temps.

– Oh… merci, Éric. C'est gentil de tà part, bredouilla la mère de Scarlett, tandis que celle-ci se précipitait dehors pour que sa mère ne voie pas sa tête.

– Tu as l'air hyper pressée, dit Éric en la rejoignant sur le trottoir. Ton pied, ça va ?

– Oui, oui. Je me dépêche parce que je n'ai aucune envie de voir mon frère s'envoyer en l'air avec ma patronne. Ça m'économisera de l'argent pour mes futures thérapies.

– Elle est un peu lourde, je te l'accorde, répondit Éric en éclatant de rire. Je comprends ce que tu voulais dire. Elle a vraiment l'air de débarquer d'une autre planète.

– Bienvenue dans ma nouvelle vie.

Hélas, trois fois hélas, le traiteur était fermé. Mais le scooter d'Éric était attaché à un tronc d'arbre non loin… C'était un scooter antédiluvien, entièrement noir, très classe, complètement cabossé et déglingué, mais dix fois mieux qu'un scooter neuf.

– Je l'ai acheté sur Internet, six cents dollars, expliqua Éric. Toujours grâce à ma pub. Il commence à peiner un peu, mais c'est plus rapide que le bus.

Loin de chercher à le détacher, Éric préféra suivre Scarlett jusqu'au traiteur suivant, entra, et traversa avec elle le rayon des chips Pringles, les plateaux vides et fumants du self-service et les étagères de sacs d'aliments pour chat. Il y avait au fond du traiteur un large rayon de produits bio destiné à la clientèle du quartier, qui payait le double, mais Mrs Amberson semblait n'en avoir cure.

Quelques instants plus tard, ils sortirent du magasin et Scarlett salua nerveusement Éric qui, de son côté, ne fit pas le moindre mouvement en direction de son scooter.

– J'espère que tu ne m'en veux pas, dit-il. Je n'aime pas trop que les filles rentrent seules en pleine nuit à New York. Ça me rassurerait de te raccompagner. Je l'ai promis à ta mère.

Et il sourit, prenant soudain conscience que son petit discours était un peu absurde. Toujours pas un geste... Il s'inclina vers elle, jetant çà et là des coups d'œil du côté de l'hôtel.

– Si je comprends bien, on va travailler ensemble, dit-il.

– Oui.

– C'est super.

Il se passait quelque chose, mais quoi? Scarlett n'en avait pas la moindre idée. Éric cligna plusieurs fois des yeux, regarda autour de lui, s'appuya contre le mur. Il était si proche qu'elle remarqua son odeur – la même que celle du détergent qu'ils utilisaient à l'hôtel, mêlée à celle de l'essence, qui venait sans doute du scooter.

– À mon avis... dit-il, d'ici je vois la porte d'entrée, du coup, euh... Bon, il faudrait peut-être que je rentre. On se voit bientôt?

Quoi? Il venait de lui proposer de la raccompagner et tout à coup il reculait? Si ça n'avait pas été lui, Scar-lett ne l'aurait pas très bien pris.

– Il faut que je rentre, moi aussi, répondit-elle.

Elle se dirigea vers l'hôtel le plus lentement possible. Elle n'osait pas se retourner, mais elle savait qu'il la suivait du regard. Il n'avait pas encore détaché la chaîne de son scooter. Il agita doucement la main.

Bien, c'était très, très bien.

Le gourou

Vers cinq heures du matin cette nuit-là, quelqu'un frappa avec ardeur à la porte de la suite de l'Orchidée.

– Quoi ? grogna Lola en enfouissant le visage sous son oreiller. Dis-lui d'arrêter. Je parie que c'est Spencer. Tue-le.

Scarlett roula consciensieusement hors de son lit, se leva et s'emmêla les pieds dans les couvertures, prête à aller trucider son frère. Elle adorait Spencer, mais pour une fois elle comprenait sa sœur. Sauf que... Elle ouvrit la porte et se retrouva nez à nez avec Mrs Amberson, quasiment nue, à peine protégée par sa longue robe d'intérieur bleue transparente.

– Le téléphone ne répondait pas, se justifia Mrs Amberson.

Scarlett mit quelques instants à se rendre compte qu'elle aussi était quasiment nue – elle avait juste un T-shirt, trop petit, et une culotte.

– Vous avez besoin de quelque chose ? demanda-t-elle en tirant sur son T-shirt d'un air embarrassé.

– Que tu sois prête dans trois quarts d'heure.

– Je...

– Quarante minutes. Tu aurais des allumettes ?

– Non.

– Et merde, jura Mrs Amberson en refermant la porte.

– Elle ne va pas nous déranger tous les matins, j'espère ? grommela Lola.

Scarlett ramassa ses affaires de toilette à l'aveuglette, enfila un short, se dirigea vers la salle de bains et... tomba sur Spencer, peu habitué à croiser du monde à cette heure. Il jeta un regard incrédule sur sa sœur en continuant à se brosser les dents, leva un doigt pour lui demander de patienter et recracha bruyamment avant de se rincer la bouche.

– C'était notre nouveau metteur en scène, ta patronne, ou je rêve ? demanda-t-il. Plus ou moins à poil ?

– Oui.

– Elle est comme ça tous les matins ? Parce que, si c'est le cas, je m'arrangerai plus souvent pour être en retard et me rincer l'œil.

– Évite, si tu veux mon avis.

– Madame doit faire sa gymnastique quotidienne. Tu penses qu'elle suit la méthode Pilates ? Il paraît que c'est super efficace.

– Spencer ! l'interrompit Scarlett. Lola m'a demandé de te tuer, et pour une fois, je la comprends.

Il leva les mains en signe de reddition.

– Si c'est trop tôt pour toi, elle peut venir dans ma chambre dès le lever du jour. Je suis à sa disposition.

Scarlett darda sur lui un regard noir.

Depuis qu'elle était bébé, Scarlett Martin avait le pouvoir de fixer un objet avec une telle intensité qu'elle aurait pu arracher un ruban de papier peint à distance. Et son regard n'en avait rien perdu avec le temps.

Quarante minutes plus tard, elle était admise à entrer dans la suite Empire par Mrs Amberson vêtue d'un ensemble culotte-soutien-gorge marron chocolat, cigarette éteinte aux lèvres. Son lit était jonché de tas de vêtements informes, sans doute des tenues de danseuse. Scarlett eut beau essayer de détounrer le regard, il était difficile de ne pas voir son corps superbe, mince, mus-clé, surtout maintenant que Spencer le lui avait genti-ment fait remarquer.

– Où allons-nous ? demanda Scarlett.

– Voir Billy Whitehouse.

– Qui est-ce ?

– Un génie. Un génie de premier ordre. Très connu dans le milieu du théâtre. Je l'ai rencontré à l'époque où j'étais une jeune actrice sans le sou, je sortais à peine de Yale. C'est un des meilleurs professeurs pour la voix ; il a étudié toutes les techniques vocales occidentales qui en valent la peine. À un moment, je l'ai logé et nourri, gra-tuitement, quand il a été chassé de son appartement. Il portait exclusivement des baskets parce qu'il n'avait pas de quoi s'acheter autre chose. Je l'ai vu devenir l'homme exceptionnel qu'il est aujourd'hui.

– Mais pourquoi à six heures du matin ? Je croyais que les gens du théâtre vivaient la nuit.

– Billy est quelqu'un de très demandé. Son emploi

du temps est plein plusieurs mois à l'avance. Mais c'est grâce à moi qu'il a connu son compagnon. Alors, il me fait une fleur. Tiens, prends une prune *umeboshi*, tu as l'air un peu fatiguée.

Elle lui tendit la boîte de ces petites prunes ignobles et ne bougea plus jusqu'à ce que Scarlett se serve, croque, fasse la grimace et crache le noyau. Elle coinça sa cigarette derrière son oreille et alla s'habiller.

Il était encore très tôt quand toutes deux sortirent de l'hôtel, mais la matinée était déjà lourde et humide et les premiers signes de circulation apparaissaient. La blanchisserie n'était pas ouverte, et Scarlett ne sortait jamais avant son ouverture. Un mégot rougeoyant traînait par terre, que Mrs Amberson fit rebondir d'un coup de pied pour allumer sa cigarette. Puis elle se jeta sur la chaussée et héla un taxi en brandissant sa cigarette. Elle marmonna trois mots au chauffeur et se cala derrière pour fumer.

– C'est mon problème depuis toujours, dit-elle.

– Quoi?

– Ma voix. C'est comme si j'avais un bouchon... un bouchon de liège qui bloquait mes pensées et les empêchait de rejoindre mon esprit. Là... là... entre ma tête et mon cœur, dit-elle en indiquant sa gorge avec le bout de sa cigarette. Ma voix est coincée.

– Je trouve qu'elle est très bien comme elle est.

– Je te parle de ma voix intérieure! Pourquoi faut-il que tu sois toujours au premier degré? C'est à se demander ce qu'on t'enseigne dans ton collège.

– Oh, comme d'habitude, des matières qui ne servent à rien : géométrie, français, et un peu d'instruction civique, répondit Scarlett en bayant. J'imagine qu'ils attendent l'année prochaine pour aborder le problème de la voix intérieure.

– Ne te moque pas, ma fille. C'est une question de feng chui. Sache que pour les artistes de scène, c'est une problématique essentielle. Quand ils sont tendus, leur voix peut se verrouiller complètement. Ils ne peuvent plus chanter. La gorge est un des portails principaux du corps. C'est elle qui relie le sang à la tête, et les influx nerveux du cerveau au reste du corps. Au fond, nous ne sommes qu'une immense gorge.

Scarlett s'assoupissait, la tête appuyée contre la fenêtre. Le taxi freina brutalement devant un des théâtres de Broadway et faillit renverser un touriste éberlué qui tenait un énorme gobelet de café et un appareil photo encore plus grand. Mrs Amberson balança un billet au chauffeur et sortit. Elle prit Scarlett par la main et la tira jusqu'à une porte où elle lut : ACCÈS RÉSERVÉ AUX COMÉDIENS ET AUX TECHNICIENS.

La porte donnait sur un passage très sombre, un petit vestibule ouvrant sur une série de pièces avec des portants de vêtements marqués au Scotch. Mrs Amberson le traversa d'un pas sûr, jusqu'à un escalier qui menait à une immense scène en partie éclairée.

– Par ici, s'écria une belle voix profonde. Faites attention, vous risquez de vous tuer avec tous les fils.

Un homme émergea de l'obscurité de l'autre côté de la scène.

– Billy ! s'exclama Mrs Amberson.

Le Billy en question était exceptionnellement grand, avec un casque de cheveux blancs très soignés. Il portait une chemise et des chaussures blanches, et un pantalon kaki. On aurait dit un bibliothécaire ou un conservateur de musée. Il accueillit Mrs Amberson en l'embrassant sur les joues. Puis, à la grande surprise de Scarlett, renifla le dessus de sa tête.

– Tu as fumé, dit-il.

Mrs Amberson baissa les yeux d'un air coupable. Ce Billy devait avoir une sacrée autorité sur elle, ce qui le rendit tout de suite intéressant aux yeux de Scarlett.

– Amy t'a tirée du lit à cette heure ? lui demanda-t-il. Il y a du café près du piano, si tu veux.

– O'Hara, intervint Mrs Amberson, je te présente Billy Whitehouse. Le plus talentueux de tous les professeurs pour décoincer les gens, et s'il y a quelqu'un qui a besoin d'être décoincé, c'est bien toi, sans vouloir te vexer.

Scarlett se présenta brièvement et se dirigea vers la cafetière. Elle s'assit sur une chaise et observa les différentes strates des cintres, les kilomètres de fils et de câbles, les grands X marqués au Scotch sur le sol, les grues à nacelle à l'avant de la scène... « Broadway ? On dirait un chantier de construction en pleine journée », pensa-t-elle.

Elle se rappela la remarque de Mrs Amberson : dans quel sens était-elle si coincée ? Peu importait, pour une fois c'était Mrs Amberson qui se faisait mener à la baguette.

Billy commença par lui demander de courir en rond au milieu de la scène, pieds nus, puis de prononcer une série de mots détachés, comme « maison », « sentir », « tuer », ou « amour », à différents degrés de volume sonore. Puis de s'accrocher au mur, de ramper au sol, de piquer de petits sprints d'un côté à l'autre de la scène. Billy Whitehouse dressait Mrs Amberson comme un dompteur dresse un fauve.

Scarlett observait cet étrange spectacle tout en se laissant bercer par l'obscurité et la fraîcheur du théâtre. Elle se réveilla quelques instants plus tard avec un torticolis, la tête lourde, penchée en arrière, quand elle vit Mrs Amberson rouler au sol en hurlant « sans fin ».

– Ça m'a fait un bien fou, dit-elle en se redressant et en s'époussetant.

– Mon petit doigt me dit que tu n'es pas venue me voir aux aurores pour une simple remise en forme, répondit Billy.

– Tu lis dans mes pensées, Billy, c'est presque inquiétant. En effet, je suis venue t'annoncer que je viens de récupérer un spectacle.

– Récupérer un spectacle ? demanda-t-il. Bon, tant pis, je préfère ne pas savoir.

– Les acteurs sont tous très bons, mais ils ont besoin d'une solide formation de technique vocale. Et tu es le meilleur...

– Amy...

– Je te promets que ce n'est pas un caprice de ma part. Pas avec toi.

Un moment de gravité suivit, puis Billy marcha jusqu'au piano, prit un agenda et le feuilleta.

– Ils sont commbien ?

– Quinze.

– Quelle pièce ?

– *Hamlet.*

– Et je parie que c'est pour tout de suite ?

– Aujourd'hui.

Il feuilleta plus fébrilement.

– D'accord. Tu as de la chance. C'est vraiment parce que c'est toi. Attends... il me reste deux soirées cette semaine, ce soir et vendredi. Et une plage de quatre heures pendant la journée, samedi. C'est tout ce que j'ai. Après, il faut que je passe un peu de temps, tranquille, avec ma famille. Je ne les ai quasiment pas vus ces derniers temps, je n'ai pas arrêté ; je dois les rejoindre à la mer.

– Billy ! s'exclama-t-elle en le prenant brutalement dans ses bras.

– On voit que tu n'as pas travaillé depuis longtemps, et la cigarette n'améliore pas les choses.

– Je sais, je sais. Ne me fais pas la leçon, je t'en prie.

– C'est mon boulot.

– Non. Tu te mêles de ce qui ne te regarde pas.

– C'est mon rôle. Allez, rendez-vous demain avec ta nouvelle troupe, au studio, à sept heures.

L'autre fameux Whitehouse

Scarlett fut libérée de sa session matinale à neuf heures et demie, avec une mission : contacter chaque comédien et chaque technicien et s'assurer que chacun soit à l'heure aux rendez-vous avec Billy, sans faute. Autrement dit, elle devait attendre le retour de Spencer et avait une heure pour dormir.

À peine franchit-elle le seuil de l'hôtel qu'elle fut saisie par l'odeur de café serré et de toast brûlé. Son père était à genoux près de l'ascenseur, un marteau à la main.

– Encore des lattes qui sautent, expliqua-t-il. Je n'arrive pas à les remettre en place avec des clous. Oh, tant pis ! Je vais faire comme d'habitude.

Il tira un des fauteuils jaune canari de façon à cacher les lattes. Le fauteuil n'était pas franchement à sa place, mais son père avait l'air satisfait.

– Si tu as le temps, dit-il, ce ne serait pas mal que tu donnes un coup dans la suite Sterling. Quelqu'un a réservé pour ce soir.

– Pas de problèmes, répondit Scarlett, à moitié endormie. J'y vais.

– Ah, j'oubliais, Lola est remontée, elle ne se sent pas bien.

En effet, Lola était au lit, mais elle n'avait pas l'air vraiment malade. Elle était assise les genoux contre la poitrine, à peine plus pâle que d'habitude.

– Je suis dans la mouise, annonça-t-elle.

Scarlett s'assit au pied de son lit et attendit. Lola mit quelque temps à se résoudre à parler.

– Ils m'ont appelée pour me dire de ne pas venir. Je suis virée.

Scarlett était sur le point de répondre « Je te l'avais dit », mais sa sœur ayant visiblement passé la matinée à culpabiliser, elle se contenta de remuer la tête.

– Je suis trop bête, gémit Lola. Honnêtement, je ne pensais pas qu'ils oseraient. C'est moi qui ai les meilleures ventes de l'étage. Sinon, je n'aurais jamais pris deux jours d'affilée, je te jure.

– Je n'en doute pas une seconde, répondit Scarlett en lui prenant la main.

– Papa et maman se font déjà tellement de souci à cause des problèmes d'argent, de Marlène, de Spencer et ses études... Surtout avec son nouveau spectacle débile. Je m'en veux. Ce n'était vraiment pas le moment.

Scarlett n'apprécia pas que Lola éreinte leur frère au passage, mais elle laissa filer. Lola aimait sincèrement son boulot et elle était bonne.

– Tu trouveras autre chose en moins de deux. Explique aux parents qu'on t'a fait une proposition plus intéressante ailleurs.

– Tu as raison. Ça m'irait mieux de travailler dans un spa. C'est peut-être le moment de changer.

Elle hocha la tête comme pour se persuader elle-même.

– J'ai un dernier service à te demander. Et je n'oublie pas que je te dois déjà beaucoup. J'ai décidé d'accompagner Chip à Boston ce week-end.

Scarlett se retint de grogner.

– Je sais ce que tu penses, poursuivit Lola. C'est pour ça que je suis dans la panade aujourd'hui. De toute façon je n'ai plus de boulot. Laisse-moi faire et après, je te promets...

– Tu peux aller où tu veux.

– Oui, sauf qu'il y a une méga sortie organisée par les Powerkids samedi soir. Un dîner au *Hard Rock Café*.

– J'ai pigé. Tu veux que je l'accompagne.

– Je trouve que ça serait une bonne façon pour toi et Marlène de vous rapprocher. Comme je ne pense pas que je vais vivre toute ma vie à la maison. Ni Spen... enfin, peut-être que lui, si.

Cette fois-ci, Scarlett fut tentée de réagir au coup de griffes, mais Lola avait l'air sincèrement désolée.

– Qu'est-ce que tu vas dire à papa et maman?

– Que je vais à Boston suivre un séminaire consacré aux problèmes de peau organisé par une de nos marques. Ne t'inquiète pas de ce côté-là. Tu n'auras pas à mentir.

– D'accord, mais c'est la dernière fois.

Scarlett essaya de se reposer un peu mais Lola était là, fébrile, et n'arrêtait pas d'appeler Chip. Elle descendit s'allonger dans la chambre de Spencer, mais peu de temps après son frère débarqua.

– On a tous rendez-vous avec un certain Billy White-house, marmonna-t-elle, dans le cirage. Tu pourrais appeler tes copains de la troupe et les prévenir ?

– Arrête tes blagues, répondit-il en lâchant son sac. Je ne me suis pas encore remis de la nuit dernière.

– Ce n'est pas des blagues. Vous êtes censés rencontrer un certain Billy Whitehouse.

– Le vrai Billy Whitehouse ?

– En tout cas, un type qui s'appelle Billy Whitehouse et bosse dans un théâtre à Broadway.

Spencer commença à s'agiter dans les deux mètres carrés libres de sa chambre.

– Tu n'es pas en train de te ficher de moi ?

– Mais pourquoi irais-je inventer un truc pareil ? Tu le connais ?

– Billy Whitehouse, l'auteur de la méthode White-house ? Le mec qui a quasiment révolutionné le *live theater* aux États-Unis ? L'ancien directeur de la Simply Sha-kespeare Company, une des troupes les plus connues des années quatre-vingt ? Ex-professeur à la Juilliard ? Le type que les acteurs les plus célèbres vont voir quand ils n'arrivent pas à s'approprier complètement un rôle ?

Il prit un livre intitulé *Vous êtes votre voix* sur une de ses étagères de guingois et montra à sa sœur la photo de l'homme qu'elle avait rencontré quelques heures plus tôt. Sur le cliché, il était en train d'observer un comédien qui se tortillait sur le sol.

– Alors… c'est oui ? demanda Scarlett.

Le studio de Billy était situé dans un immeuble banal, haut, comme il en pousse une multitude au centre de New York. Scarlett, son frère et Mrs Amberson passèrent devant un gardien peu réactif et prirent un vieil ascenseur qui monta en grinçant jusqu'au douzième étage. Ils se retrouvèrent sur un grand palier un peu sinistre, entouré de portes bleues épaisses, de style industriel. Mrs Amberson se dirigea d'un pas très sûr vers une des portes. Elle n'eut pas le temps de frapper que déjà Billy ouvrait.

– J'ai reconnu ton pas, dit-il. Salut, ma petite O'Hara. Entre.

Le studio de Billy était une immense pièce, très spacieuse, avec un parquet en bois et un mur couvert de miroirs. Il y avait dans un coin un piano protégé par un patchwork. Du côté des miroirs étaient rangés des dizaines de tapis de sol bleus épais, des balles d'entraînement, des cerceaux, des élastiques, des ballons de plage et des cordes à sauter.

– Débarrassons-nous d'abord de ça, lança Billy en éteignant la lumière du plafond. Rien de pire que ces néons fluo pour tuer l'âme.

Il fit le tour de la pièce et alluma plusieurs lampes sur pied qui créèrent un éclairage tamisé plus apaisant.

Les comédiens étaient aussi ébahis que Spencer à mesure qu'ils arrivaient. Billy Whitehouse était connu dans le milieu. Tous buvaient ses paroles, bien qu'il parlât de façon très douce. Il commença par demander à chacun de s'asseoir en un cercle resserré.

– Ce soir, annonça-t-il en circulant autour d'eux et en distribuant de longs rubans de tissu à chacun, nous allons simplement lire la pièce ensemble. Je vous demanderai d'attacher le bandeau autour de vos yeux et de prendre vos voisins par la main.

Scarlett se préparait à passer une soirée à mourir d'ennui quand Billy lui fit signe de se rapprocher.

– Joins-toi au cercle, dit-il. Toi aussi, Amy. Maintenant essayons de nous concentrer tous ensemble sur notre énergie.

Il était tellement évident qu'elle devait s'installer à côté d'Éric que Scarlett préféra se décaler d'une place et s'asseoir entre Spencer et Stéphanie-Ophélie. Billy lui passa un bandeau qu'elle noua autour de ses yeux. Spencer lui prit la main. Elle s'attendait à ce qu'il lance une blague, lui chatouille le creux de la main ou émette des bruits de succion et de pet, mais pas du tout, il était extrêmement concentré, très professionnel. Il la tenait d'une main ferme, solide. La main d'Ophélie, elle, était toute menue et très fraîche.

– Je vais vous lire les didascalies, poursuivit Billy. Si vous êtes un peu perdus et ne savez plus quand vous devez intervenir, surtout prenez votre temps et laissez venir. Essayez de suivre l'énergie de la pièce, de vos camarades, plutôt que les répliques telles que vous les connaissez et sur lesquelles vous vous appuyiez jusqu'ici.

La lecture de la pièce prit trois heures. Trois heures de lecture de Shakespeare, les yeux bandés, au sol, qui auraient pu être mortelles. Pourtant, ce fut une des expériences les plus galvanisantes que Scarlett ait jamais connues. Être assis ensemble, si proches, reliés... Elle qui détestait le jargon, genre « énergie », etc., elle découvrait ce qu'il signifiait... Plus elle demeurait assise dans l'obscurité, main dans la main avec Spencer, Stéphanie et, par extension, tous les autres, plus son monde semblait s'élargir.

Billy s'adressait à eux tantôt avec sa voix normale, agréable, douce, tantôt avec une voix de scène, énorme, non pas forte, mais capable d'emporter toutes les parties vides de son cerveau que Scarlett n'était même pas consciente de posséder. Et, peu à peu, l'action de la pièce se déroula dans son esprit. Elle vit ainsi le spectre du roi mort avancer vers les gardiens sur la tour. Puis Hamlet arrivant dans le vestibule glacial du château et découvrant à la place de son père mort son oncle, le nouveau roi et le nouveau mari de sa mère. Hamlet était jeune, à peine plus âgé que Spencer ou Éric, c'était un étudiant tourmenté mais entouré d'amis comédiens. Il souffrait, il était perdu, en colère... tout le monde semblait lui jouer des tours.

Scarlett entendait Billy tourner autour d'eux à mesure que la pièce se déroulait. Elle le sentit effleurer son épaule au moment où il corrigea la position de Spencer. Sa voix était plus limpide, plus sûre. Puis elle entendit Éric répondre à travers l'obscurité. Il parlait sans accent, ayant naturellement abandonné sa pointe du Sud. Les comédiens avaient donc plusieurs personnalités en eux... comme une réserve de moi, une réserve de voix. Elle touchait là quelque chose d'extraordinaire, une faculté de dédoublement insoupçonnée.

À la fin de la session, elle retira son bandeau à contrecœur. Billy avait considérablement baissé les lumières, pourtant ce fut un choc de retrouver le jour.

Tous remuaient comme s'ils se réveillaient d'un long sommeil et avaient partagé le même rêve.

La plupart, dont Spencer, se rassemblèrent autour de Billy et l'assaillirent de questions. Éric, en revanche, fila discrètement, sans un au revoir.

– C'est dingue, la concentration qu'il a réussi à obtenir, s'exclama Spencer dans le bus du retour. Je t'ai déjà dit que tu es la sœur la plus géniale du monde, non ?

– Tu peux le redire.

– Je viens de passer la nuit à travailler sous la direction de Billy Whitehouse. Billy Whitehouse : tu mesures un peu le truc ?

Scarlet souriait. Elle était ravie de voir son frère se prendre au jeu avec un tel enthousiasme. Mais pourquoi Éric s'était-il éclipsé si vite ? De toute évidence, il y avait quelque chose entre eux. Il la connaissait à peine. Mais quand même...

– Je le sens bien, reprit Spencer. Le jour où je serai riche et célèbre, je t'offrirai tout ce que tu voudras. N'importe, un hélicoptère, un avion, ou un de ces chats sans poils.

Pas une seconde il ne se serait douté qu'il était aussi proche de son vœu le plus cher. Le fait est qu'il pouvait l'aider. Il suffisait qu'elle ouvre la bouche et formule ce vœu.

– Une piscine d'intérieur, répondit-elle. Avec un requin.

– On voit que tu es ma sœur. Tu as autant de sens pratique que moi.

La vie trépidante des New-Yorkais révélée

Scarlett assista aux deux séances de travail suivantes sous la direction du fameux Billy Whitehouse. Le maître poussait les comédiens à la limite de leurs forces et leur faisait dire leur texte successivement en courant autour de la pièce, couchés, visage contre terre, ou debout sur une chaise. L'exercice avait beau paraître chaotique, il obtenait énormément des comédiens. Certaines répliques qui jusqu'ici ressemblaient à du charabia aux oreilles de Scarlett (soit parce qu'elle ne comprenait pas Shakespeare, soit parce que les comédiens disaient mal leur texte) prenaient soudain un sens. D'imperceptibles gestes pouvaient provoquer le rire ou les larmes. Hamlet était plus menaçant, le roi plus fourbe, Ophélie plus tragique. Billy tempéra également une partie du jeu de Spencer et d'Éric, en lui donnant une note plus touchante.

La dernière séance avait lieu le samedi. Billy rassembla la troupe au milieu de la pièce. C'était un moment particulièrement intense pour les acteurs, mais très ennuyeux pour les spectateurs, si bien que Scarlett préféra filer et attendre dans le couloir. Elle tournicota un moment avant de capter le réseau téléphonique. Elle faisait demi-tour quand elle aperçut Billy et Mrs Amberson debout près de l'escalier à l'autre bout du palier. Ils ne la voyaient pas.

– Tu ne devineras jamais qui doit passer en fin de journée ? dit Billy.

– Quelqu'un de connu ? D'inattendu ?

– Donna Spendler.

Mrs Amberson se figea. Son sourire disparut comme si on le lui avait arraché.

– Je me doutais de ta réaction.

L'atmosphère changea. Était-ce la climatisation qui se mit laborieusement en route ? Ou l'ouverture de la porte du fond alors que la troupe commençait à se disperser ? Quelque chose clochait.

– En quel honneur est-ce qu'elle vient ? demanda calmement Mrs Amberson.

– Pour se préparer avant une dernière audition qui a lieu dimanche.

– Dernière audition pour quoi ?

– Une nouvelle comédie musicale. Elle vise un des rôles principaux. Normalement, ce n'est pas à moi de la coacher, mais le producteur est un copain. C'est purement professionnel. Je ferai le minimum.

– Fais ce que tu as à faire.

– Le minimum. Je n'ai pas commis d'erreur en te le disant, non ?

Mrs Amberson ne répondit rien.

Toute la troupe était sortie du studio et chacun s'arrêta sur le palier pour embrasser et remercier Billy. Scarlett resta dans l'ombre, elle essayait de comprendre ce dont elle venait d'être témoin. Au bout d'un certain temps, Mrs Amberson la repéra.

– Tout va bien ? demanda Scarlett.

Mrs Amberson fouilla au fond de son sac pour trouver son étui à cigarettes.

– Changement de plan, répondit-elle. Je comptais aller en repérage pour trouver un local de répétition. Je t'appellerai pour te donner le nouveau programme. Préviens Trevor et Éric, s'il te plaît. Ils sont toujours à l'intérieur. Ils voulaient venir avec moi.

Là-dessus, elle partit. Scarlett rentra prévenir Trevor et Éric. Tous deux traînaient avec Billy qui fermait son studio. Scarlett leur annonça le changement et Trevor s'en alla ; Éric préférait rentrer à pied avec elle.

– Je suis libre, dit-il. J'avais annulé mes plans pour ce soir. Qu'est-ce que tu fais ?

Rêvait-elle ? Éric était-il en train de lui demander de sortir avec elle ? Fallait-il qu'elle refuse parce qu'elle devait accompagner Marlène et que Lola était à Boston sous le prétetxe le plus grossier qui soit, un séminaire consacré aux problèmes de peau ?

« Non, Scarlett, tu ne rêves pas. » Il lui restait donc deux options.

– Tu veux venir au… *Hard Rock Café* ? demanda-t-elle. Le dîner est offert. Et tu seras peut-être le premier à avoir un T-shirt ! Il y en a très peu.

À sa grande stupeur, il répondit oui.

Quiconque habite à New York sait qu'il existe un certain nombre de lieux à éviter à tout prix. Comme ce sont des endroits connus, les étrangers sont persuadés que vous y êtes déjà allés, pire, que vous y allez régulièrement, ou que vous vous y précipitez dès que vous avez une minute de libre. Voici la liste de ces lieux à fuir : la statue de la Liberté, l'Empire State Building, le grand magasin de jouets F.A.O. Schwartz, la patinoire de Rockefeller Plaza, Times Square (à moins d'avoir un changement de métro, auquel cas vous restez sous terre), et tous les restaurants à thème.

Scarlett s'était toujours demandé pourquoi les Power-kids choisissaient ces endroits pour leurs sorties. Ce n'est pas parce qu'on a un cancer qu'on se métamorphose en touriste débile.

Éric, qui venait du Sud, n'avait aucun de ces préjugés. Il était ravi de se retrouver au *Hard Rock Café*. Son enthousiasme était même tel que Scarlett réussit à traverser sans trop bouder la gigantesque boutique de produits dérivés qui proposait un milliard de types de T-shirts à son effigie.

– Tu viens souvent ? demanda-t-il.

S'il avait été un de ses amis new-yorkais, il aurait eu droit à une gifle, en toute impunité…

– Avec Marlène, de temps en temps, répondit-elle.

– Si seulement j'avais grandi à New York ! J'aurais eu une vie de lycéen trop géniale, comme la tienne.

Scarlett coula un long regard sur une série de verres à liqueur signés *Hard Rock Café*, ne sachant que répondre. Éric était épaté. Mais s'il découvrait la vérité ? Que tout le monde à New York avait une vie dix fois plus grisante que la sienne ? Il comprendrait bien assez tôt. D'ici là, elle était prête à prendre à bras le corps toute la gloriole kit-schissime du *Hard Rock Café*.

Les Powerkids étaient installés autour d'une immense table tout en longueur au centre de la salle. Les parents et les accompagnateurs étaient relégués autour de petites tables. Scarlett et Éric, eux, furent placés près de la porte de la cuisine. Évidemment, Scarlett reçut deux coups de plateau dans la tête, mais du moment que Marlène ne la voyait pas, ça allait. En outre, elle était seule avec Éric, tous deux blottis dans un coin de la salle.

– Je peux te poser une question? demanda Éric après avoir passé commande.

Voilà qui semblait prometteur.

– Comment se fait-il que vous viviez dans un hôtel alors que vous n'êtes pas particulièrement fortunés? D'après ce que Spencer m'a dit, vous traversez une période un peu dure même.

OK. Ce n'était pas ce qu'elle attendait. Mais la question se justifiait.

– Un peu dure, oui.

– Pardonne-moi si je suis curieux, mais ça m'intrigue.

– C'est ma famille paternelle qui a fondé l'hôtel. Je ne pense pas que mon père avait très envie de le reprendre. Mais voilà, on est nés, mes grands-parents voulaient prendre leur retraite… Les choses allaient plutôt bien jusqu'à ce que… que…

Elle se concentra sur la bouteille de ketchup.

– Jusqu'à ce que?

Elle indiqua la table de Marlène de la tête.

– Jusqu'à ça, dit-elle.

C'était le secret de la famille Martin, dont personne ne

parlait jamais. Personne n'évoquait jamais le lien qui existait entre leurs problèmes d'argent et la longue maladie de Marlène, les tas de factures que les assurances ne couvraient pas, les injections dont chacune coûtait plusieurs milliers de dollars, les frais d'hospitalisation qui se comptaient par centaines de milliers. Bien sûr, rien n'était trop cher pour la guérison, mais le tribut à payer était lourd.

– Je comprends, fit Éric.

– Marlène n'en a aucune idée. On n'est pas censés en parler.

– Ça a dû être carrément angoissant. J'imagine, si mon frère avait une maladie aussi grave.

– En fait, ça n'a pas été si atroce. Cet été-là a été plutôt sympa. Je me doutais qu'il y avait un problème, mais mes parents ne m'ont pas vraiment expliqué jusqu'au jour où on a dû la transporter à l'hôpital.

– Tu avais l'intuition qu'il y avait un hic.

– Ouais. Genre… Je me sentais mal.

– Comment ça exactement?

La voix d'Éric trahissait une réelle sollicitude. Scarlett ne parlait jamais de l'histoire de Marlène, sauf avec Spencer, et parfois avec ses amis, mais elle n'entrait jamais dans les détails. Il y avait un point en particulier qu'elle n'abordait jamais.

– Je ne me sentais pas plus mal que ça.

– Tu culpabilisais parce que tu ne te sentais pas mal?

– Mes parents ont commencé par en parler à Spencer, parce que c'est l'aîné. Il a réagi en allant s'enfermer dans sa chambre. Il a tout de suite compris à quel point c'était grave. Ensuite ils ont prévenu Lola et elle a très mal réagi. Ils n'arrivaient plus à la calmer. Grave.

Le serveur apporta leurs plats et Éric agita la main pour signaler qu'il écoutait.

– Tout le monde avait peur de me révéler la vérité, mais j'avais deviné, et je crois que j'étais... j'avais acccepté la situation. Je me disais tout bêtement que si tu tombes malade, on t'envoie à l'hôpital pour être soigné. Ce qui est plus ou moins arrivé d'ailleurs. J'imagine que je suis la méchante de la famille.

– Tu n'es pas méchante. Tu es, disons... intrépide.

Il avait fumé? Intrépide? Scarlett aurait pu s'appliquer une myriade de qualificatifs, mais sûrement pas « intrépide ».

– Tu donnes l'impression d'être capable de surmonter le moindre problème qui se présente, poursuivit Éric en aspergeant son hamburger de ketchup.

– Qui ne tente rien n'a rien. Mais j'ai souvent de mauvaises idées.

– Tu ne comprends pas, reprit Éric. Par exemple, moi j'avais la trouille de venir vivre ici. J'ai vécu dans une petite ville où tout le monde se connaît. Là-bas, j'étais une super star. J'étais *le* comédien de la ville. À New York, il y a plein de gens hyper célèbres. Un habitant sur deux est acteur. Tu te présentes à une audition et tu tombes sur une queue de cent personnes. Tout le monde est doué, tout le monde est beau, tout le monde a un super agent. Tout le monde a vécu, comme toi...

Jusqu'ici, le fait d'aimer Éric était comme un miroir : une surface brillante, qui ne fonctionnait que dans un sens. À présent, c'était l'inverse, c'était elle qui renvoyait une image brillante. Était-ce ça dont les gens parlaient quand ils décrivaient la façon dont ils tombaient amoureux? Scarlett avait l'impression de se dédoubler et de s'observer en train de vivre la même expérience.

Elle vit le numéro de Mrs Amberson s'afficher sur son écran.

– Elle ne te fout jamais la paix? demanda Éric en pointant une frite vers son portable.

Scarlett quitta la table car elle avait peur que Mrs Amberson ne devine la présence d'Éric.

– J'ai besoin de toi, O'Hara. Je ne sais pas où tu es, mais arrête tout et viens.

– Ça va? Vous avez besoin d'un médecin?

– J'ai besoin de toi! Dans une heure au plus tard!

Scarlett retourna à table, à bout de nerfs.

– Elle a besoin de moi, tout de suite. Je ne l'ai jamais entendue me parler comme ça. Mais je ne peux pas…

– Ne t'inquiète pas. Je ramènerai ta petite sœur chez vous.

Oh, non! La soirée n'allait quand même pas se transformer en sortie avec Mrs Amberson et bras dessus bras dessous entre Marlène et Éric. Une fois de plus, Éric se montrait courtois jusqu'à l'absurde; il était déjà debout et demandait à un serveur de leur emballer les restes pour les emporter. Elle n'eut pas le temps de se retourner, il s'était présenté à un des délégués des parents des Powerkids et était déjà admis dans le cercle.

Il accompagna Scarlett à la sortie et héla un taxi pour elle.

– Je m'en occuperai comme il faut, promit-il en l'aidant à monter dans la voiture.

Scarlett fila sur la Quarante-Quatrième en abandonnant Éric.

Une pièce pour abuser le roi

Mrs Amberson était assise sur son lit dans un ensemble d'inspiration vaguement orientale, une sorte de long pyjama de soie bleu layette, avec une paire de lunettes jamais vues sur le bout de son nez. Les rideaux argentés étaient fermés et les appliques allumées, donnant à la chambre une lueur chaude et rosée. Son lit était couvert de ses carnets parisiens et de toutes sortes de papiers, et elle avait sorti de son étui son beau stylo Montblanc (celui qui n'avait pas besoin de pot d'encre).

Apparemment, elle avait commencé à écrire, pour de bon cette fois-ci. Et elle n'était pas, comme Scarlett le craignait, en train d'agoniser.

– Il faut que je te parle, dit-elle. Assieds-toi.

Scarlett s'installa sur le tabouret de la coiffeuse. Mrs Amberson prit son temps, ouvrant et refermant plusieurs fois son étui à cigarettes.

– Je t'ai déjà raconté l'histoire de cet étui ? demanda-t-elle. Tu sais que c'est un objet très précieux, des années trente, fabriqué à Berlin. Je l'avais repéré chez un antiquaire alors que je venais de débarquer à New York. J'avais décidé de me l'offrir le jour où je percerais. Pendant des mois, je suis passée vérifier qu'il était là, jusqu'au jour où j'ai percé. Je suis allée chez l'antiquaire, mais il avait disparu. Disparu !

Privée d'une soirée qui aurait pu se transformer en rendez-vous amoureux, tout ça pour écouter l'histoire d'un étui à cigarettes…

– Alors, comment avez-vous fini par l'obtenir ?

– Quelqu'un l'avait acheté pour moi. Le jour même, pour me féliciter. Je n'en avais jamais parlé à cette personne. Elle est passée par hasard devant la boutique et elle l'a acheté. Je ne sais pas comment elle a fait pour le payer…

– Qui ?

– Un ami. C'est la seule raison pour laquelle je fume, d'ailleurs. Je ne supporte pas de ne pas l'avoir avec moi. C'est le premier objet de valeur que j'ai jamais possédé.

Elle sortit une cigarette et jeta son étui sublime et si précieux sur le lit.

– Archi solide. Les Allemands construisent pour durer.

Elle alla sur le balconnet, alluma sa cigarette et la tint à bout de bras vers l'extérieur, tout en soufflant la fumée vers la chambre.

– J'ai une mission pour toi, Scarlett, qui nécessite la plus grande discrétion. Je peux te faire confiance ? Promets-moi que tout ce qui va se dire ici ce soir ne sortira pas de cette pièce. Ta discrétion sera récompensée, tu peux compter sur moi.

Elle jeta un œil sur sa cigarette, la lança par-dessus la rambarde, referma la fenêtre et se glissa sur son lit. Étrange comportement…

– Je vous promets, répéta Scarlett.

– J'imagine que tu as entendu une partie de la conversation que j'ai eue avec Billy tout à l'heure. Il a mentionné le nom d'une certaine Donna Spendler.

La simple prononciation de ce nom semblait lui coûter.

– Dans la vie, il y a des personnes prêtes à tout pour arriver, quel que soit le prix à payer pour leur entourage. On en rencontre à chaque étape de notre existence. Eh bien, sache que cette Donna Spendler appartient à cette engeance. Voilà ma proposition, qui te semblera peut-être peu… déontologique. À côté de ce dont elle est capable, ce n'est rien… vraiment rien.

– Mais encore ?

– J'y ai pensé parce que nous travaillons sur *Hamlet*, répondit Mrs Amberson en se levant pour faire les cent pas. Hamlet sait que son oncle est responsable de la mort de son père, mais il n'a aucun moyen de le prouver. Jusqu'au jour où il voit passer une troupe de comédiens et décide de les embaucher pour qu'ils jouent une saynète destinée à déstabiliser son oncle, pour que celui-ci sache qu'il est démasqué et qu'il avoue. Voilà ce qui m'a donné l'idée de mettre en scène une petite pièce…

– Une pièce ?

– Donna doit passer une dernière audition demain pour un rôle très important dans une comédie musicale à Broadway, un rôle qu'elle a des chances de décrocher.

Une seule chose peut la dissuader de se présenter, un rôle dans une série télévisée. Du coup demain, très tôt, son agent va recevoir un appel d'une boîte de production télé qui a une urgence de casting, un besoin immédiat pour un rôle principal féminin.

Scarlett ne savait comment réagir.

– Je connais un auteur de scénarios télé qui n'a pas de travail en ce moment. Il m'a envoyé quelques pages d'un pilote qui n'a pas été pris, intitulé *Le Cœur d'un ange*. À l'origine, l'histoire se passait à Los Angeles, mais il suffit de changer deux ou trois détails pour la transposer à New York, et on l'appellera *Le Cœur d'un empire*. Pas mal comme titre, non? Le personnage principal est un homme mais, à partir de demain après-midi, ce sera une femme, plus ou moins de l'âge de Donna. Elle devient flic, alors qu'elle a à peine quarante ans, pour venger le meurtre de sa fille. Elle sauve des enfants. L'actrice qui avait obtenu le rôle vient d'être gravement blessée dans un accident de voiture, ils ont besoin de la remplacer au pied levé. C'est une chance en or, exceptionnelle... qui va nous occuper tout l'après-midi, demain. Si Donna ne mord pas à l'hameçon, je bouffe mon tapis de sol. À tous les coups, elle donnera la priorité à la télévision.

– Mais pourquoi tout ce cirque?

– Je mesure très bien la portée de ce que je te demande. Crois-moi, Donna Spendler mérite ça, et même plus. Beaucoup plus.

– Elle mérite qu'on lui souffle un rôle?

– Réponds-moi déjà là-dessus, O'Hara. Comment réagirais-tu si quelqu'un coupait l'herbe sous le pied de

Spencer en lui volant un rôle? Si quelqu'un tuait sa carrière à dessein?

– Je serais hors de moi.

– Pire, oui.

– À qui est-ce qu'elle a fait le coup?

– Peu importe, répliqua Mrs Amberson en s'asseyant sur la coiffeuse qui vacilla, imperceptiblement. Sache qu'il s'agit d'une femme qui se fout totalement de la carrière des autres, prête à tout pour y arriver. Or, j'espère que tu l'as compris, ce qui m'intéresse, moi, c'est de promouvoir la carrière des jeunes comédiens, à travers une troupe comme celle de ton frère par exemple. Désormais, d'ailleurs, leur succès dépend de moi.

Ce n'était pas vraiment une menace, ni la volonté que Scarlett culpabilise, ni du chantage. C'était une simple affirmation, sous un voile d'avertissement.

– Et ça briserait la carrière de cette femme? demanda Scarlett. Comme elle-même a brisé celle d'un autre?

– Si seulement ça ruinait sa carrière! Hélas, non, O'Hara. Il s'agit simplement de faire baisser la pression d'un pneu. Personne ne souffrira. Personne n'en saura rien. C'est un petit tour de passe-passe, histoire de rendre justice à quelqu'un qui a été profondément blessé il y a longtemps. En plus, on va bien rigoler. Alors, qu'en dis-tu? Tu marches? Tu n'as pas envie d'un super plan pour t'éclater cet été? Que tu pourras raconter à tes amis?

La proposition méritait un peu de réflexion; Scarlett avait quelques raisons d'hésiter. Cela dit, Mrs Amberson avait pris en main la carrière de Spencer et elle lui permettait enfin de réaliser son rêve.

– On agira en petit comité, reprit-elle avec un clin d'œil complice. Toi, moi, ton frère et Éric. À mon avis, ils seront très partants. Nous formerons une excellente équipe.

– Comment faut-il procéder exactement ?

– Je savais que tu accepterais, O'Hara ! Bon, maintenant...

Elle prit un carnet sur son lit et le feuilleta.

– Voilà ce dont on a besoin. D'abord, un studio. Billy a la gentillesse de me prêter gracieusement un deuxième espace pour quelques heures, sans que je lui demande rien. Deuxièmement, une caméra. Facile à acheter, dès demain. Troisièmement, une petite équipe bonne en improvisation. Ça, c'est Éric et Spencer. Et ce...

Elle souleva une poignée de feuilles sur son lit, des pages de scénario criblées de notes.

– Je voudrais que tu tapes tout ça. C'est le scénario. J'ai besoin de cinq exemplaires d'ici midi. Tu crois que tu peux y arriver ? Et demande à Spencer de descendre.

La voix de Mrs Amberson avait retrouvé un ton normal, enthousiaste, toujours prompt à donner des ordres, mais avec une nuance plus... profonde. Une forme de respect. Une touche affectueuse. Ou le ton complice qui s'établit entre deux personnes qui fomentent une fausse audition à huis clos...

– Demain ! s'exclama-t-elle au moment où Scarlett quittait sa chambre. De grands événements vont avoir lieu, O'Hara !

Scarlett, passablement nerveuse, monta dans la chambre de son frère. La porte était ouverte. Il avait ses écouteurs sur les oreilles et rangeait, autrement dit vidait le contenu de monceaux de boîtes sur son lit. La boîte sur laquelle il était concentré contenait un tas de tubes et de pots de maquillage entamés, de faux cheveux et de fausse peau, et des tonnes de pages de scénario.

– Je cherche un sachet de sang, expliqua-t-il. Éric et moi, on pensait proposer à Trevor une séquence où l'un donne un coup de poignard accidentel à l'autre. Mais si on n'a pas de sang ça aura l'air nul. J'en ai au moins six ou sept sachets là-dedans... À propos, Marlène m'a raconté que vous êtes sortis avec Éric hier soir.

Il avait lâché ça comme si de rien n'était, tout en tirant trois faux nez du fond de sa boîte. Scarlett, qui parlait couramment le Spencer, savait que ce n'était pas par hasard.

– Il nous a accompagnées, précisa-t-elle. Le dîner était offert. Au *Hard Rock Café*. Je t'aurais bien proposé de venir mais tu étais parti travailler.

– Au *Hard Rock*? Pourquoi est-ce qu'ils choisissent toujours les restaus les plus ringards?

Il était évident que son radar intérieur avait enregistré l'info, mais il n'en dit pas plus. Il continua à fouiller dans son fatras et finit par sortir un sachet en plastique contenant un liquide rouge foncé.

– Voilà. Je pensais au ventre. Rien de plus facile que de percer le sachet ni vu ni connu et de s'en étaler plein les abdos.

Il remonta son T-shirt et commença à tâter son ventre pour voir quel serait le point le plus crédible.

– Mrs Amberson voudrait te voir, l'interrompit sa sœur.

Il se redressa, un peu trop vite.

– Pour un service ? J'adore rendre service. Mais quoi ?

Il bondit, attrapa un déodorant qui traînait et s'en appliqua généreusement sous les bras. Bon sang ne saurait mentir. Gestion de l'hôtel et satisfaction du client passaient avant tout.

En scène

Scarlett était installée dans la suite Jazz, où elle aimait se réfugier, et lisait le scénario dont lui avait parlé Mrs Amberson.

Le Cœur d'un ange (ou plutôt *d'un empire*) était une comédie policière tout ce qu'il y a de plus comédie policière. Le personnage principal était un flic au passé obscur qui luttait contre la pègre d'une grande ville. Le passage que Mrs Amberson avait choisi mettait en scène une adolescente victime d'une agression sexuelle et qui refusait d'engager des poursuites contre son ex-petit ami. La femme flic, jouée par Donna (à l'origine Mike Charlane, rebaptisé Alice par Mrs Amberson), hurlait comme une démente contre cette pauvre fille pour la convaincre de « faire justice », « rendre justice », « lutter pour que justice soit faite », ou, c'était la formule préférée de Scarlett, « être la cover-girl de la justice ».

Mrs Amberson ne lui avait rien demandé, mais Scarlett s'était permis d'améliorer un peu la scène, au-delà des changements homme-femme et L.A.-New York déjà indiqués au crayon. Elle reprit les mauvaises tirades, arrangea un peu les dialogues, allongea un chouia la fin de la scène. Elle venait de finir quand elle eut la surprise de voir le soleil se lever par la fenêtre de la suite Jazz. Elle retourna dans sa chambre et tomba sur Spencer, prêt à prendre sa douche.

– Déjà debout ? demanda-t-il. Tu es malade ?

– Non, je travaillais.

– Humm… Mais qu'est-ce qu'il se trame ? J'ai passé la nuit dans la chambre d'Amy pour discuter avec elle. Je n'ai pas tout compris parce qu'elle n'arrêtait pas de changer de sujet : un peu de massages par-ci, quelques parties de « Ni oui ni non » par-là, on se fait les ongles à deux…

Scarlett était trop fatiguée pour réagir aux blagues de son frère. Elle passa devant lui et il ébouriffa ses boucles d'une main affectueuse.

Quelques heures plus tard, elle était réveillée par Mrs Amberson en personne, qui venait d'entrer sans permission dans la suite de l'Orchidée.

– Lève-toi et brille, O'Hara, lança-t-elle en la secouant avec vigueur. Ce n'est pas aujourd'hui que tu vas faire la grasse matinée. Il est presque dix heures.

Scarlett marmonna une vague explication en fourrant son ordinateur entre les mains de Mrs Amberson afin qu'elle apprécie ses modifications.

– Excellent, O'Hara ! s'écria-t-elle après avoir parcouru du regard les pages choisies du scénario. Tu as considérablement amélioré la scène ! Je savais que tu avais du talent. Maintenant…

Elle mit entre les mains de Scarlett une liasse de billets et un morceau de papier.

– Habille-toi, lui ordonna-t-elle. Va me photocopier quelques exemplaires de ça. Ensuite, saute dans un taxi et retrouve-moi à cette adresse. N'oublie pas ton ordinateur. Il faut faire vite. Dans l'heure. Je t'expliquerai quand on se retrouvera.

Une heure plus tard, le taxi déposait Scarlett devant un grand immeuble sur Astor Place. Le hall était plutôt étroit, sans gardien, et les murs étaient couverts de panneaux écrits à la main indiquant des numéros de salles pour différentes auditions. Elle n'eut aucun mal à retrouver Mrs Amberson qui l'attendait, seule, au septième étage, dans un studio grand comme un mouchoir de poche, assise face à une table pleine de portraits de visages d'actrices noir et blanc, toutes plus ou moins de l'âge de Donna. Le CV de chacune figurait au dos du cliché.

– D'où viennent ces photos? demanda Scarlett.

– Il suffit d'appeler deux ou trois agents pour leur dire que tu organises un casting, et ils t'envoient une flopée de portaits avant même que tu aies raccroché. Bon, maintenant le but est de retenir Donna ici jusqu'à ce que l'autre audition, celle de Broadway, prenne fin. J'ai un espion là-bas qui doit me prévenir quand ils auront tout bouclé.

– D'accord.

– Ah! j'oubliais. Il vaut mieux que Spencer et Éric ne sachent pas exactement dans quoi je les ai embarqués. Ça risque de les troubler. J'ai dit à Spencer que je donnais un coup de main à un producteur pour une nouvelle idée d'émission de télé-réalité autour d'une histoire de faux programme.

– Ils ne savent pas que tout est du pipeau ?

– Si, plus ou moins. Imagine, improviser pendant près de trois heures en sachant que tout ça n'est destiné qu'à une personne. Fais-moi confiance... il vaut mieux. Et je les paie cent dollars chacun.

Scarlett n'eut pas le temps de répondre, on frappa à la porte.

– Nos comédiens arrivent. Je m'en occupe.

La porte s'ouvrit et Éric apparut, vêtu d'une jolie chemise de fine toile bleue et d'un pantalon noir. Trop canon.

– Spencer arrive, dit-il en souriant à Scarlett. Il attache son vélo.

Quelques secondes plus tard, Spencer suivit en effet, hors d'haleine.

– Pardon, il y avait une circulation pas possible. Je viens de finir mes heures à l'hôtel.

– Tout va bien. Tu sens le petit-déjeuner, quel délice ! répondit Mrs Amberson.

Elle fit un dernier point avec eux, sans doute pour se rassurer elle-même. On avait dit à Donna que la production du *Cœur de l'empire* venait de commencer, mais que l'actrice principale avait eu un accident et avait été hospitalisée. Il fallait lui trouver une remplaçante de toute urgence et l'actrice sélectionnée devait prendre la relève dans la semaine. Éric était le directeur de casting. Spencer, l'assistant personnel, lirait le rôle du jeune flic détective, Hank Stewart. Mrs Amberson s'était procuré une caméra vidéo qui devait être reliée à l'ordinateur de

Scarlett. Le prétexte? Tout ce qui était filmé passait en direct dans une salle remplie de membres exécutifs des studios de L.A. En fait, la caméra n'avait pas de batterie et le cordon ne correspondait à aucune des entrées de l'ordinateur.

– Le but est de la garder ici le plus longtemps possible. Il faut que les gens comprennent ce que les acteurs endurent pour obtenir un rôle. Quant à toi, Scarlett...

Elle essayait de cacher le fil vidéo sous un tas de papiers.

–... sors avec moi deux secondes pendant que les garçons se préparent.

Scarlett suivit Mrs Amberson jusqu'au bout du couloir, devant une petite fenêtre que celle-ci emjamba avant de sortir une cigarette.

– J'ai une surprise pour toi, ma chérie. Devine ce que tu feras pendant l'audition?

– J'attendrai à l'extérieur avec vous?

– Et tu raterais tout le plaisir? Oh, non! Tu liras le rôle de la jeune victime.

Scarlett demeura bouche bée. Elle vacilla, ses grands yeux écarquillés.

– La moitié des actrices de ce genre de feuilletons sont raides comme des planches, à tel point qu'on pourrait construire une table avec. Donna n'y verra que du feu. Lis tes répliques et tâche de ne pas buter sur les mots. Ce n'est pas plus compliqué que ça.

– Pas plus compliqué, tu parles! s'écria Scarlett. Eux, ils savent! Ils jouent au directeur de casting! Ils improvisent!

– Et alors?

– Et alors… je ne suis pas actrice, moi !

– Quelle différence ? Tout ce que signifie improviser, c'est inventer, et tu peux aussi bien y arriver. Toi et ton frère, vous avez l'art de rebondir face à n'importe quelle situation, avec le plus grand naturel. Spencer te soutiendra.

– Il ne va pas m'apprendre à jouer dans les cinq minutes qui viennent.

– Laisse-leur le vrai boulot. Ton rôle est d'être assise le plus innocemment possible. Ça ne peut pas être plus simple.

– Impossible.

Mrs Amberson se pencha pour dégager l'éternelle boucle coincée dans l'œil de Scarlett.

– Ne t'inquiète pas, O'Hara. Je ne te demanderais jamais de participer si je n'étais pas persuadée que tu en avais le talent. Allez, vas-y. Il faut que je disparaisse avant que Donna débarque.

Scarlett remonta le couloir en traînant les pieds et s'arrêta devant l'ascenseur. Il suffisait qu'elle appuie sur le bouton et elle échappait à cet imbroglio infernal…

« Assise le plus innocemment possible. »

Après tout, qui sait si elle ne pouvait pas jouer le rôle d'une fille complètement innocente ? Elle avait tapé et corrigé une partie du scénario, au moins elle savait où elle mettait les pieds. Et c'était l'occasion ou jamais d'impressionner Éric.

En outre, elle ne pouvait pas abandonner les deux garçons sans qu'ils sachent ce qui se tramait. Elle entra dans le studio où tous deux discutaient de leur improvisation.

– Mrs Amberson est partie, dit-elle. Elle a eu l'idée saugrenue de me confier le rôle de la jeune fille, mais…

– Pourquoi pas ? s'exclama Éric. On avait besoin d'une troisième personne.

Spencer semblait moins convaincu ; il était sur le point de se prononcer quand la sonnerie retentit.

– Silence, on tourne, dit-il en lui donnant une bonne claque dans le dos. Tu es de la partie ?

Le cœur de l'empire

Debout sur le seuil du studio, Donna Spendler n'avait pas l'air particulièrement méchante. Elle semblait un peu plus âgée que Mrs Amberson. Elle avait les cheveux mi-longs, à l'épaule, parfaitement coiffés. Ils devaient être gris depuis un certain temps mais elle les avait teints en une nuance argentée brillante, avec une gamme de profondes nuances.

Spencer l'invita à entrer, tel le parfait assistant.

– J'ai été surprise de votre coup de fil, dit-elle. Agréablement surprise, j'entends. Vous ne pouviez tomber mieux.

– Je suis content de vous l'entendre dire, répliqua Éric en tendant la main. Je me présente, Paul, le directeur de casting.

C'était le prénom sur lequel ils s'étaient mis d'accord. Spencer (qui s'était rebaptisé avec joie Dick) tendit la main à son tour. Quant à Scarlett, elle se présenta sous le nom de Tara.

– Avez-vous reçu les séquences que nous avons envoyées par coursier à votre agent ? demanda Spencer.

« Séquences », c'est ainsi qu'on appelle les pages de scénario, essaya de se rappeler Scarlett.

– Oui, là, répondit Donna. Je les ai parcourues en venant dans le taxi, je ne suis pas encore tout à fait au point.

– Pas de soucis. On peut revoir ça avant de se lancer.

– Vous n'êtes que trois ?

– Non, nous sommes beaucoup plus nombreux, répondit Éric en indiquant la caméra vidéo, débranchée et morte. Nous sommes connectés avec L.A. Une dizaine de personnes nous suivront en direct sur la côte Ouest.

Il était carrément génial ! Mais Scarlett n'avait qu'une hantise, que son ordinateur se mette à cracher de la fumée, ou pire, explose.

– Nous allons commencer par lire le scénario, annonça Spencer avec un clin d'œil entendu à sa sœur.

La lecture se déroula sans problèmes, même si Scarlett lisait sans aucune technique. Elle était très naturelle, et « assise l'air complètement innocente ». Elle eut juste un peu peur en arrivant au passage où la jeune fille éclate en sanglots hystériques. Elle était incapable de pleurer sur commande. Une seule personne y arrivait, sa camarade de classe, Ashley Wallace, mais Ashley était une dingue avérée. Scarlett passa simplement la main sur ses yeux pour signifier qu'elle pleurait.

Donna et Spencer lurent leur rôle en vrais professionnels. Scarlett trouvait curieux de les entendre répondre à ses propres paroles et luttait contre l'envie de les corriger ou de leur dire comment elle aurait interprété tel ou tel passage.

– Bien, lança Spencer à la fin du scénario.

Il essayait de paraître content, sans avoir l'air de vouloir consoler sa petite sœur qui s'était un peu plantée…

Donna scrutait Scarlett. Elle n'avait rien d'une actrice professionnelle. Le gamin le plus bouché aurait pu le confirmer.

– Es-tu… interrogea-t-elle, tu fais partie du spectacle?

– Tara est la fille du coproducteur, répondit Éric du tac au tac. Elle a eu la gentillesse de nous rendre service. Vous n'imaginez pas à quel point nous sommes dans l'urgence. C'est la première fois que nous devons boucler un casting pour un rôle principal en une journée.

Époustouflante, cette façon de sauver la mise! Qui, en plus, lui attira les faveurs de Donna Spendler. Car, désormais, elle était Tara, fille de l'un des producteurs, et pas juste une pauvre idiote nommée Tara. Elle sentit une onde de chaleur, quasi maternelle, la traverser…

– Tu te débrouilles très bien, ajouta Donna d'une voix douce. Jamais je n'aurais deviné que tu n'étais pas professionnelle.

– Merci.

– Maintenant, recommençons, pour de bon cette fois, intervint Éric en faisant pivoter la caméra.

C'est ainsi qu'ils recommencèrent, une fois, deux fois… Sous la houlette d'Éric qui appelait régulièrement L.A. (Mrs Amberson) pour confirmer que tout se déroulait comme prévu. Scarlett était tellement impressionnée qu'elle eut peur d'éclater en sanglots en arrivant au fameux passage. Spencer et Donna avançaient, répétaient, reprenaient, en vrais pros. Au bout de la dix-huitième lecture, Donna demanda à ce qu'on arrête.

– J'ai donné mon maximum, se justifia-t-elle. Sans réelle direction d'acteur, j'entends. À partir de maintenant, on ne fait que se répéter.

« Justement », eut envie d'ajouter Scarlett. Mais elle faillit embrasser Donna pour la remercier de mettre fin à la séance.

– D'accord, approuva Éric, sûr de lui. J'appelle L.A.

Il disparut avec son portable et Donna alla se servir un verre d'eau d'une bouteille posée dans un coin en s'étirant le cou. Spencer donna un petit coup d'épaule solidaire à sa sœur en se dirigeant vers la table pour trifouiller parmi les photos des actrices…

– OK, lança Éric en rentrant. Ils ont besoin d'une dernière chose. On va essayer une petite impro avec vous et… Dick. Tara, viens, assieds-toi à côté de moi.

C'était nouveau. Mrs Amberson devait avoir besoin de temps. « Peu importe, songea Scarlett, pourvu que je ne sois plus mise à contribution. » Elle n'avait qu'à rester assise à côté d'Éric. Ce n'était pas trop difficile.

– Le personnage de la femme flic a un problème de violence, expliqua Éric. On voudrait avoir une scène dans la gare où elle dépasse franchement les bornes. Vous pouvez vous montrer grossière avec elle ?

Donna et Spencer travaillaient quand Scarlett sentit un tiraillement dans le ventre, une contraction douloureuse.

Oh, non. Pas ça !

C'était une crise de fou rire, atroce, qu'elle ne pourrait jamais, jamais arrêter. L'horreur !

Elle se concentra, essaya de ne plus voir, de ne plus entendre, de ne plus penser... même quand elle aperçut Donna précipitant son frère contre le mur en lui hurlant en pleine figure : « Tu sais ce que c'est que d'être une victime ? »

Le fou rire était là, au fond de sa poitrine, prêt à exploser, incontrôlable. Elle sentit la main d'Éric sous la table.

– Serre, chuchota-t-il. Fort.

Elle serra si fort qu'elle eut peur de lui broyer les doigts. Éric ne broncha pas. Ne cligna pas un œil. Il regardait fixement la scène qui se déroulait face à lui.

Peu à peu, elle sentit qu'elle se détendait. La tension du fou rire se relâchait. Elle desserra sa main mais la garda dans celle d'Éric, par sécurité, tandis que Donna continuait à jouer toute une gamme d'émotions pour leur montrer jusqu'où elle pouvait aller. Elle luttait, pleurait, vacillait. Face à elle, Spencer se démenait, bottait en touche et la retenait. Éric tenait la main de Scarlett, et un courant vrai passait entre eux. Il la tenait par pur plaisir, jusqu'au moment où il retira la sienne quand la scène s'acheva.

– C'était super, commenta-t-il. Je vais rappeler L.A.

L.A. étant satisfait, Donna fut remerciée et renvoyée, et on lui promit qu'elle aurait très vite des nouvelles. Tous trois restèrent un moment silencieux. Ils attendirent que le bruit de ses pas s'éloigne, que la porte de l'ascenseur grince et que la clochette résonne.

Soudain, Éric se relâcha et Spencer bondit et attrapa sa sœur qu'il balança par-dessus son épaule.

– Tu as été géniale ! s'exclama-t-il.

– J'ai été nulle, tu veux dire. J'ai failli éclater de rire.

– Pas du tout, renchérit Éric. Tu as assuré.

– Sérieusement, reprit Spencer. J'avoue que j'étais un peu inquiet au début, mais tu t'en es sortie comme un chef. Je voyais bien que tu avais le trac, mais tu l'as surmonté.

Elle était tellement contente d'être félicitée... Non seulement son frère était fier d'elle, mais le garçon dont elle était amoureuse était impressionné. L'humeur générale s'améliora encore lorsque que tous trois virent revenir une Mrs Amberson ravie.

– Formidable, dit-elle en distribuant de l'argent aux deux comédiens. Des amis m'ont conseillé de ne pas m'encombrer d'un contrat de confidentialité, mais je vous rappelle qu'il est fondamental que pas un mot de tout ça ne filtre. Les fuites vont vite. Motus et bouche cousue! Les garçons, vous pouvez y aller. Je vais finir de ranger avec Scarlett.

Éric avait du mal à cacher son envie de traîner un peu, mais entre Mrs Amberson qui le chassait et Spencer qui s'en allait, il lui était difficile de rester.

– Je savais que tu avais ça en toi, ma chérie.

– Peut-être.

– Peut-être? Il faut savoir accepter les compliments, O'Hara. Je t'ai demandé de m'aider et tu t'en es très bien sortie. Je n'oublierai jamais, je te le garantis.

Scarlett se rappela le but de l'opération. Pour le pire et pour le meilleur, elle venait de participer à l'anéantissement des chances de Donna d'obtenir un rôle important à Broadway. Mrs Amberson avait beau se montrer rassurante, elle eut un léger sentiment de panique, comme si toutes les sirènes dans la rue se dirigeaient vers elle.

Le nouvel espace

– Billy vient de m'appeler, annonça Mrs Amberson en voyant entrer Scarlett le lendemain matin. Donna a abandonné la comédie musicale à cause d'une opportunité inespérée pour la télévision.

Elle était assise sur son lit en position de méditation, avec un sourire de loup, tel un tueur en série à qui l'on viendrait de confier les clés d'un dortoir. Elle se redressa et alla se percher sur son balcon pour que Scarlett change ses draps.

– On y va dans peu de temps, reprit-elle. J'ai un tuyau pour un espace de répétition. Ça a l'air idéal.

L'espace idéal était une ancienne église située dans East Village, sûrement reconvertie depuis un certain temps car il ne restait plus grand-chose de sa fonction première, sinon les vitraux. La nef avait été entièrement vidée et l'on avait installé au centre une scène basse. Scarlett monta dessus et eut l'impression qu'elle était creuse ; le plancher était criblé de petits trous. Le reste de l'espace était plus difficilement exploitable car on y avait stocké des centaines de chaises et de tables pliantes, d'innombrables cartons, de faux arbres, des portants de vêtement cassés... et, allez savoir pourquoi, une tondeuse à gazon. Il y avait au fond une grande pièce dont les murs étaient isolés, qui faisait office de studio. Et deux salles de bains minuscules, avec une fenêtre qui donnait sur un terrain de jeux abandonné.

Mrs Amberson signa un chèque de deux mille dollars pour deux semaines de location, sans sourciller.

– Sublime! s'exclama-t-elle. Obtenir un espace en si peu de temps et pour une période si courte, c'est un miracle. Si seulement on pouvait monter le spectacle ici, mais quelqu'un a réservé juste après nous. Tant pis, ce sera parfait pour travailler. J'ai de nouvelles idées lumineuses.

– Des idées? demanda Scarlett. Mais qu'est-ce que...?

– Ma chérie, la vie m'a appris une chose. Les gens ont besoin qu'on leur dise ce qu'ils veulent. La plupart ne le savent pas. Ils traversent la vie en se cognant à droite et à gauche, et en attendant qu'on leur donne des indications. Trevor est adorable, mais sans direction, le spectacle va droit dans le mur. C'est le problème de la plupart des troupes. Personne n'est là pour leur indiquer ce qu'il est essentiel de viser. C'est exactement ce qu'il se passe pour nous.

– Ah bon?

– D'où la seconde partie de mon histoire : je rencontre une compagnie de théâtre, je reprends en main *Hamlet* et je sauve le spectacle. Et toi, tu es mon Boswell.

– Votre quoi?

– Mon Boswell. Mon bras droit. Celle qui consigne mes aventures. Allez, organisons-nous un peu. Il faut appeler

Donna pour lui annoncer que nous avons pris quelques jours de retard parce que le scénario est en cours de réécriture. Dis-lui que le studio va lui envoyer quelqu'un pour lui couper les cheveux. Une coupe branchée très, très sympa. Elle a toujours été si fière de sa chevelure d'argent !

Scarlett commençait à hésiter.

– Je te parle de cheveux, Scarlett, pas de lui couper un doigt. Par ailleurs, j'ai un contact au *Roundabout* qui peut nous fournir des costumes extraordinaires. J'ai rendez-vous avec la fille. Dégage la scène, s'il te plaît, je veux que l'espace soit entièrement libre et ouvert. Je serai de retour dans quelques heures.

Scarlett jeta un long regard sur les chaises, les tables, les cartons, les meubles, les portants…

– Vous voulez que je déménage tout ça ?

– Ne t'inquiète pas. Tu vas très bien t'en sortir.

Elle prit son sac et agita la main, abandonnant Scarlett dans cet espace où l'on étouffait. Quelle drôle de façon de la remercier ! Scarlett commença à plier et entasser plusieurs rangées de chaises, puis s'assit au sommet d'une pile car elle avait envie d'envoyer des messages à ses amis à l'autre bout du monde. Elle était tellement concentrée qu'elle n'entendit rien, une demi-heure plus tard, quand la porte s'ouvrit et que quelqu'un traversa le fatras en se dirigeant vers elle.

– Salut, lança Éric.

Paniquée, Scarlett s'écroula, littéralement. Aussitôt, Éric se répandit en excuses – dont elle n'avait pas besoin. Elle avait plutôt besoin de maîtrise de soi et de calme – deux choses qui ne s'obtiennent guère sur commande.

– Alors, il faut tout débarrasser ? interrogea Éric après s'être assuré qu'elle n'était pas gravement blessée. Elle vient de m'appeler. J'espère que tu n'en as pas trop fait toute seule. Attends, il faut que je me change. Je reviens.

Il sortit un T-shirt soigneusement plié de son sac et alla se cacher derrière un gros carton.

– Pardon, c'est un peu ridicule, dit-il de sa cabine d'essayage improvisée. La plupart des mecs enlèvent leur chemise devant tout le monde, je sais, mais je viens du Sud, n'oublie pas.

Il ressortit, vêtu d'un T-shirt tellement beau, tellement impeccable, que Scarlett crut qu'on lui jouait un tour.

– Dans le Sud, les hommes ne s'imposent pas nus devant les femmes, se justifia-t-il. C'est une forme de respect.

Elle fut à la fois déçue et touchée par tant d'égards.

– Bon, si on commençait par bouger tous ce fourbi ? dit-il. J'imagine qu'il n'y a pas de climatisation, non ?

Il s'affaira un moment et tomba sur un petit mannequin posé sur une roue branlante.

– Ça pourrait être marrant, cet accessoire, dit-il en donnant un coup sur la roue. Trêve de plaisanterie, pourquoi est-ce qu'on ne pousse pas un maximum d'objets dans le fond ? On empilera tout. Occupe-toi des chaises, je m'occupe des plus gros meubles.

Elle était tiraillée entre l'envie de lui montrer qu'elle était aussi costaud que lui et la crainte de se salir et de transpirer dans cette église où l'on crevait de chaud. Autant recommencer à plier les chaises tout de suite et les déplacer. Ce serait aussi l'occasion d'observer Éric en pleine action, ce qui, il faut bien avouer, était assez excitant.

– Tu en sais plus sur l'audition d'hier ? demanda-t-il en poussant un énorme carton de la taille d'un réfrigérateur du côté du mannequin. Amy nous a juste dit qu'elle aidait un copain qui développe un projet de télé-réalité.

Scarlett se mordit violemment la langue avant de répondre :

– Je crois que c'était un test. Ils sont en train de mettre au point de nouvelles idées.

– Spencer et moi, on se posait des questions. On se demandait si ça ne serait pas une audition qu'Amy aurait montée pour…

– Je ne crois pas. Je suis sûre que c'était pour… expérimenter de nouvelles idées.

– Ah.

Il avait beau ne pas trahir de déception, elle se sentait coupable.

Il alla débarrasser un autre coin de l'église et elle en profita pour finir le rangement des chaises. Elle crut qu'il n'avait plus rien à lui dire quand, soudain, il arrêta et vint la rejoindre.

– Vous vous ressemblez beaucoup, toi et Spence, dit-il. Pas physiquement, mais dans votre façon de réagir.

– On est très proches, oui, mais différents. Spencer a un réel talent de comédien et de cascadeur que je ne partage pas du tout.

– Oui, et il est excellent, répondit Éric avec sa petite pointe du Sud, douce et nasillarde. Mais tu lui ressembles.

Vous avez tous les deux de la… personnalité. La moitié des filles de la troupe en pincent pour ton frère. Je ne sais pas si tu tiens à le savoir, remarque.

– C'était déjà le cas au lycée. Mais tu devrais le lui dire. Il est persuadé qu'il a beaucoup perdu.

– Stéphanie… Ophélie. Elle est carrément accro. L'autre jour, on est rentrés ensemble à pied et, je te promets, elle n'a pas arrêté de me parler de lui : « Spencer est trop drôle », « Spencer est trop beau », « Aujourd'hui, Spencer a chanté et il a une voix magnifique », « Spencer est capable d'enchaîner des cascades en sautant au-dessus d'une dizaine de poubelles. » Je commençais à avoir des complexes.

– Pourquoi aurais-tu des complexes ?

Éric tendit la main vers une pile de chaises. Son T-shirt avait des marques de transpiration çà et là.

– J'ai moins d'aisance que lui. Je n'ai pas cette façon naturelle… ce truc. Je suis un pauvre péquenaud du Sud, Scarlett. Un péquenaud paumé dans cette immense ville, qui passe son temps à se demander ce qu'il fout ici.

C'était l'image qu'il avait de lui ? Éric, si beau, si doué ?

– Mais tu es… génial.

Il leva le regard sur elle, commençant visiblement à élaborer quelques calculs mentaux. Il fit un pas vers elle, puis se rapprocha si vite et si près qu'elle crut qu'il avait un problème, genre, une araignée sur le bras.

– J'espère que je ne suis pas en train de tout gâcher, murmura-t-il.

– Gâcher quoi ?

Et il l'embrassa. Sur le nez, comme pour obtenir son approbation, puis sur la bouche. Les lèvres verrouillées, et pourtant l'instant fut d'une intensité inouïe.

Soudain, le téléphone de Scarlett sonna.

– J'en ai ras le bol de ce portable, grommela-t-elle. Je te parie que c'est encore elle.

À l'autre bout de la ligne, Mrs Amberson piaillait comme une folle.

– Comment ça va ?

– Très bien.

– Je suis dans le taxi, avec un second taxi derrière, plein de costumes et d'accessoires. Tu devrais voir le cortège ! Enfin, tu verras, dans un quart d'heure environ. Je voulais juste vous prévenir. Tâchez d'installer deux ou trois portants d'ici là.

Elle eut un léger ricanement et Scarlett l'entendit tirer sur sa cigarette d'un air satisfait.

– Tu sais quoi, O'Hara ? Au fond, je connais ton type de personnalité, lança-t-elle.

Et elle raccrocha.

– J'en ai envie depuis que je t'ai vue à Central Park, la première fois, reprit Éric, non sans nervosité. J'espère que tu ne m'en veux pas.

Scarlett s'accrocha aux chaises derrière elle en prenant son air post-baiser le plus détaché possible.

– Pas du tout, répondit-elle.

– Ça va peut-être te sembler bizarre, mais il vaudrait mieux ne rien dire à ton frère, non ? Comme on travaille ensemble…

– Bien sûr.

Son cerveau ramollissait dangereusement.

Ne rien dire à Spencer. Oui, oui. C'était sans doute judicieux.

– Elle arrive, c'est ça ? reprit Éric.

Scarlett hocha la tête.

– Bon, on a sans doute le temps de...

À nouveau il l'embrassa.

Ce soir le métro était bondé.

Remarquez, un wagon de métro bourré à craquer en plein été à New York est l'endroit idéal pour rencontrer de nouvelles têtes. Pas de décorum, pas d'espace, et souvent, pas de déodorant. On survit en se faisant tout petit, avec de brèves inspirations maîtrisées, des expirations les plus longues possible, comme les plongeurs.

Scarlett, championne des transports en commun, était capable de supporter les conditions les plus éprouvantes mais, aujourd'hui, elle était bouleversée. Son cerveau était ballotté de droite et de gauche tandis que le métro cahotait. Elle ne voyait plus, ne pensait plus qu'à une chose, le doux baiser d'Éric. Il effaçait, il éclipsait tout. Elle plaqua son visage, ses lèvres, tout, contre la barre du métro pour rester debout, au risque d'attraper la plus épouvantable saleté.

– Tu as envie de vomir ? demanda Spencer, tenant son vélo à la verticale d'une main et la barre au-dessus de lui de l'autre.

– Euh ?

– Tu es verte, on dirait que tu vas t'écrouler. Tu veux qu'on descende ?

L'homme contre qui Scarlett était écrasée baissa consciencieusement les yeux.

– Tout va bien, dit-elle, j'ai juste un peu chaud. Je dois être déshydratée…

« … à cause de ce long baiser. Ta gueule, mon cerveau ! »

– Qu'est-ce qui ne va pas ? reprit Spencer. Ce n'est pas que la chaleur. Tu as l'air… Je ne sais pas, tourne-boulée.

Quand elle était petite, son frère disait qu'il voyait des images de ses pensées se refléter dans ses yeux. Elle n'y avait jamais cru, néanmoins une partie d'elle était persuadée qu'il avait le pouvoir d'accéder à son esprit.

Comme à l'instant.

– Il t'est arrivé quelque chose ?

– Arrivé ? Arrivé comment ?

Quelle question débile ! Elle savait très bien ce qu'il voulait dire, et il savait qu'elle savait. C'était le moment ou jamais de lui avouer. Mais Éric lui avait demandé de ne rien révéler. D'un autre côté, elle ne voyait pas pourquoi elle devait cacher quoi que ce soit à Spencer.

Elle vit un étrange éclair traverser le visage de son frère, si rapide et si imperceptible qu'elle seule pouvait l'avoir vu. Non, Spencer n'apprécierait pas la réponse.

– J'ai mes règles, bredouilla-t-elle, à la grande joie du voisin coincé contre elle. C'est la cata.

– Pourquoi ne me l'as-tu pas dit plus tôt ? répliqua-t-il, pas franchement l'air convaincu. Tu es sûre que c'est ça ? Tu ne me caches rien ?

– Bien sûr que non !

C'était la première fois qu'elle mentait à son frère. Avec une facilité déconcertante.

Spencer se détourna vers la publicité pour Manhattan Storage qu'il fixait avant que cette maudite conversation ne commence.

Mais non, elle n'avait pas vraiment menti, elle avait changé le sujet de la conversation. Spencer non plus ne lui donnait jamais tous les détails. D'ailleurs, elle n'avait aucune envie de les connaître. Un jour, par exemple, elle avait vu une boîte de préservatifs ouverte qui dépassait sous un tas de vêtements. Jamais il ne lui serait venu à l'idée de lui demander : « Qu'est-ce que... tu fabriques avec ça et avec qui... ? » Spencer ne lui racontait que ce qui était important pour lui : ses coups de cœur les plus marquants, ses déceptions les plus cruelles. Il n'évoquait jamais les détails sordides. Il avait dû en laisser un paquet en route pour l'épargner.

Mais il n'avait jamais menti. Elle aurait pu lui demander n'importe quoi, il lui aurait répondu. Elle en était sûre. Aurait-elle voulu connaître les détails les plus glauques... il les lui aurait donnés, jusqu'à un certain point, compte tenu qu'une petite sœur ne peut pas non plus tout entendre. Jamais il ne lui aurait opposé de refus en la regardant droit dans les yeux.

Le métro arriva à leur arrêt et Spencer descendit avec son vélo. Elle le suivit tandis qu'il grimpait les escaliers dans la nuit moite. Il était déjà passé à autre chose, évoquant un incident qui lui était arrivé au travail le matin même. Elle n'écoutait pas. Une pulsation sourde résonnait au fond de son crâne, telle une pompe déglinguée.

Il fallait qu'elle le lui avoue. Peu importait la réaction d'Éric. Il s'en ficherait. Ça ne changerait rien.

Son portable émit un bip signalant qu'elle avait reçu un texto quand ils étaient sous terre. Elle le sortit, la main tremblante. C'était Éric. « Tu as fait un heureux, petite citadine. De la part d'un p'tit gars de province. »

– C'était qui? demanda Spencer. Mrs Amberson?

Elle referma son portable, vite, et le fourra au fond de sa poche.

– Oui, répliqua-t-elle aussitôt, sidérée de voir à quelle vitesse un nouveau mensonge fusait. Tu la connais...

Elle allait craquer, éclater de rire, hurler, peu importe, quand le destin vola à son secours alors qu'ils approchaient de l'hôtel. La Mercedes noire attendait mollement sur le côté. Le chauffeur faisait les cent pas sur le trottoir, portable à l'oreille.

– Viens, on va voir ce qui se trame, lança Spencer en sautant sur son vélo.

Scarlett marchait le plus lentement possible pour essayer de reprendre ses esprits. Le message d'Éric lui avait fait tellement plaisir! C'était le style de mot qu'on envoyait quand il s'était vraiment passé quelque chose. Elle remarqua à peine son frère qui tournoyait autour de la Mercedes comme un requin affamé en frappant à toutes les vitres. Personne ne répondait.

– Mais qu'est-ce qu'ils fichent? demanda Spencer en la voyant approcher. Tant qu'à s'envoyer en l'air dans une bagnole, pas devant chez toi en bloquant la circulation, non?

– Non.

Elle éprouva une vague de tendresse inédite pour Lola et Chip et leur petite vie confortable.

Soudain, la portière s'ouvrit et Lola sortit. Elle portait sa robe Dior. Chip essaya de la retenir, quand il vit Spencer et Scarlett. Il avait l'air lamentable, le visage rouge et en sueur. Lola se maîtrisait mieux, même si ses yeux étaient vaguement mouillés, et si son mascara avait coulé.

– Ça va ? demanda Spencer.

– Très bien, répondit-elle en recoiffant plusieurs mèches collées sur ses joues humides. Tu ne pourrais pas lui demander de s'en aller, s'il te plaît ? Mais sois sympa avec lui.

Elle parlait calmement, mais avec un malaise si évident que Spencer en resta bouche bée.

Lola rentra dans l'hôtel et il s'approcha de la vitre de la Mercedes. Scarlett ne distinguait pas les paroles, mais cette fois le ton de son frère n'avait rien de moqueur. Et Chip n'opposa aucune résistance. Le chauffeur monta dans la voiture et la Mercedes disparut.

– Je n'y crois pas, lâcha Spencer. Enfin ! Elle vient de le larguer. À vrai dire... j'ai un peu mal pour lui. C'est bizarre.

Il se dirigea vers l'allée des poubelles pour attacher son vélo, et Scarlett vit atterrir à ses pieds un mégot rougeoyant qui s'éteignit en touchant terre. Elle leva les yeux et vit un ruban de fumée cachant l'ombre d'un visage.

– Pas mal comme soirée, O'Hara ? Et ce n'est que le début pour eux. Quant à nous, rendez-vous demain matin.

Quand Lola découvre un dinosaure

Lola retirait sa robe quand sa sœur entra dans leur chambre.

– Tiens, je te l'offre, lui dit-elle. De toute façon, elle est mieux sur toi. Je ne suis pas sûre que le noir m'aille. C'est une couleur qui ne va pas à tout le monde. J'ai le teint trop clair.

Scarlett prit la robe et regarda sa sœur sortir un pyjama-short rose avant de renverser tout son tiroir de lingerie sur son lit. Elle se mit à plier chacune de ses petites culottes en un parfait carré, une par une; c'était sa façon de se détendre quand elle était sous pression.

– Tu veux boire quelque chose? demanda Scarlett. Un thé, de l'eau?

– Je te remercie.

Scarlett posa la robe sur le bureau et s'installa sur son lit. Elle attendit que Lola ait fini de replier tout le contenu de son tiroir, puis se rassoie en pressant la pile de petites culottes entre ses mains comme un accordéon pastel.

– On était à une soirée de charité au musée d'Histoire naturelle, expliqua-t-elle. Les parents de Chip ont des amis qui avaient loué la réception pour je ne sais trop quelle association. Les gens qui étaient là avaient payé au moins mille dollars chacun. Il y avait entre autres une fille qui s'appelle Boonz. Je l'ai déjà vue à deux ou trois galas. Elle sort avec un autre type de Durban. Sans que je lui demande rien, elle vient vers moi, comme ça, juste pour tchatcher, de toute façon il n'y a rien d'autre à faire dans ce genre de soirée, et tu sais ce qu'elle me balance?

Deux ou trois réponses vinrent à l'esprit de Scarlett, que Spencer aurait adorées, mais ce n'était pas le moment.

– Elle me balance : « T'aurais pas une autre robe par hasard? » J'ai cru qu'elle allait éclater de rire, que c'était une blague d'un goût un peu douteux. Mais pas du tout. Elle a continué : « Chaque fois que je te vois, tu portes la même. » Là-dessus, elle se tire en ricanant.

Scarlett sentit ses joues virer au cramoisi. Personne n'avait le droit d'humilier sa sœur. Lola pouvait être aussi snobinarde et odieuse, mais jamais, jamais elle ne se serait permis de blesser quelqu'un de cette façon.

Elle vit des larmes couler sur ses joues.

– Je la connais à peine. Elle n'a aucune raison de m'humilier. Elle s'est crue obligée de me sortir sa remarque parce que, chez eux, tu portes un vêtement une ou deux fois et hop! tu t'en débarrasses. J'ai pris sur moi pour ne pas pleurer, en fixant le regard sur un squelette de dinosaure et, tout à coup, j'ai eu une vision d'horreur... genre, pour toute la vie. Toute ma vie avec ces gens! J'ai déposé mon verre et je suis partie.

– Tu as bien fait. Et Chip?

– Il m'a suivie dehors. Il a essayé de me consoler. Il m'a promis de m'acheter une nouvelle robe. C'est là que ça coince, d'ailleurs. Avec lui, la solution c'est toujours « d'en acheter un ou une autre ». Ces gens-là ne changeront jamais. Ils se la pètent, alors que la plupart sont complètement crétins; le pire c'est qu'ils pensent qu'ils méritent ce qu'ils possèdent. Jamais ils n'auront besoin de travailler, ni de faire quoi que ce soit dont ils n'aient pas envie. Ils sont incapables de comprendre ce que c'est que de ne pas avoir d'argent. Pour eux c'est rédhibitoire. Chip, lui, non... mais on n'est pas sur la même longueur d'onde. Comment peut-il comprendre que, pour la majorité des gens, s'offrir une robe de chez Dior c'est de l'ordre du rêve?

Elle coula un regard sur sa robe tant aimée, qui gisait sur le bureau.

– Il m'a proposé de m'emmener ailleurs, dans une boîte, sur un bateau, mais je n'avais qu'une envie, rentrer à la maison. On est arrivés devant l'hôtel et j'ai rompu. Comme ça. Jusqu'ici, je croyais que c'était ce que je voulais, vivre dans ce milieu, avec des gens qui ont un train de vie grandiose. Tout à coup, j'ai compris que non.

On frappa à la porte et Spencer se glissa dans la chambre, un peu plus délicatement que d'habitude. Il tomba à terre au pied de Lola et leva le visage vers elle.

– Je suis sûre que tu es ravi, dit-elle.

– Non. Mais j'ai été sympa avec lui. Et je le serai encore plus avec toi et ton sandwich de petites culottes.

– Merci, répondit Lola en déposant sur sa table de nuit sa pile impeccable avant de lui serrer affectueusement la main. J'apprécie.

Scarlett et Spencer étaient là, à l'observer, attendant le drame. Mais rien. Elle renifla légèrement, tapota sa pile et se redressa.

– Je vais prévenir Marlène, et papa et maman, dit-elle. Pour ça, et pour mon boulot. Autant faire d'une pierre deux coups. Ils n'oseront pas m'envoyer sur les roses au moment où je suis au plus mal. Je reviens.

Elle s'en alla, légère comme une plume, et referma doucement la porte derrière elle.

– J'hallucine, murmura Spencer. Elle vient de rompre. Tu trouves que ça se voit ? Tu te rappelles, quand Gillian m'a largué l'année dernière, après le spectacle de fin d'année ?

– C'était laquelle, Gillian ?

– Celle qui avait des cheveux roux très longs. Elle m'a annoncé qu'elle rompait au beau milieu de *The Music Man*.

– Ah, oui. Tu es resté cloîtré dans ta chambre pendant tout le week-end, et tu t'es soûlé la tronche avec du Johnnie Walker que tu avais piqué chez elle. Soi-disant tu avais attrapé un rhume, sauf que tu puais l'alcool. Tu as vomi tout ce que tu savais. Et tu ne t'es pas changé pendant trois jours.

– En effet. Je compatis avec Lola, je sais ce que c'est.

– Tu n'es pas sorti avec la meilleure amie de Gillian une semaine plus tard ?

– Ce n'est pas le sujet…

– C'est elle qui avait rompu avec toi, c'est vrai.

– D'accord, j'ai compris. C'était un mauvais exemple. Tu te souviens d'Emily, en première ?

– Celle qui jouait dans *La Ménagerie de verre* ?

223

– Oui. C'est moi qui l'ai larguée. Je me suis senti super mal après. J'étais au fond du trou.

– Sauf que tu l'as laissée tomber parce qu'elle était plus ou moins homo et qu'elle commençait à dragouiller une fille de votre classe.

– Scarlett, arrête, j'essaye de te faire passer un message.

– Pardon.

– Lola a beaucoup trop de sang-froid.

– Elle en a toujours eu.

– Pas toujours, non.

Scarlett ne comprenait pas à quoi il faisait allusion.

– Si elle a l'air aussi calme c'est que, au fond, elle est soulagée. Finalement elle s'en fout, et depuis le début.

Un claquement de porte suivi d'un bruit de pas lourds retentit dans le couloir. Marlène déboula dans la chambre, se précipita sur le lit de Lola, arracha les draps et fit valdinguer tous les objets sur la commode, tel un immense cri de rage. Spencer la saisit au vol, l'attrapant par la taille, tandis qu'elle se débattait comme un chien.

– On se calme, d'accord?

Il la tint à bout de bras jusqu'au moment où elle se détendit, pendouillant comme une chiffe molle. Lola rentra et jeta un regard attristé sur sa petite sœur.

– Je suis désolée, dit-elle, Marlène, vraiment, désolée.

Marlène n'en avait cure. Elle se tortilla pour échapper à l'emprise de son frère et déguerpit aussi sec.

– Ça, c'est la meilleure, elle est plus chamboulée que toi! s'exclama Scarlett.

– Chip était comme un grand frère pour elle.

– Elle a déjà un grand frère, si je peux me permettre, lança Spencer.

– Un grand frère avec un bateau et un chauffeur, rectifia Lola. Elle est attachée à Chip. Mais ça va aller. J'irai lui parler quand elle se sera calmée. Mais évitez qu'elle casse tout, d'accord?

– Assez de drame pour ce soir, dit Spencer en rajustant sa chemise. Je n'en peux plus. Je vais me coucher et lire mes bouquins de théâtre.

– Lire des pornos, oui!

– Je ne sais pas de quoi tu parles. En tout cas, n'hésite pas à frapper si tu as besoin de moi.

Il partit, et enfin la chambre des filles retrouva un peu de calme. Scarlett se leva et prit la robe. Elle était à elle. Éric était à elle. Et Lola était seule.

Elle ouvrit la fenêtre.

Les fenêtres de l'hôtel Hopewell étaient anciennes, les vitres très fines, et les encadrements de bois, mal entretenus, crachaient des écailles de peinture et des plumes de pigeon dès qu'on les effleurait. Mais l'air de la nuit était doux et chaud et, pour une fois, l'allée en dessous ne sentait pas trop mauvais. Une belle lune blanche luisait au-dessus de l'immeuble de la femme nue.

Elle relut le texto sur son portable.

« Tu as fait un heureux, petite citadine. De la part d'un p'tit gars de province. »

La citadine, c'était elle. New York lui appartenait. Pour la première fois cet été, et peut-être pour la première fois de toute sa vie, Scarlett fut envahie par un tel bonheur qu'elle aurait voulu voir la femme nue pour pouvoir la saluer.

Une petite fête

Le lendemain, la petite bande dépérissait sous la chaleur de l'église désaffectée. Comédiens, techniciens, ils étaient tous affalés les uns sur les autres sur l'immense sol vide, comme des meubles mous. Dès le début, Scarlett avait remarqué, en observant les amis de son frère, que les acteurs aimaient le contact physique. Elle en avait la preuve sous les yeux, et sourit volontiers en voyant Ophélie partager sa bouteille d'eau avec Spencer.

Elle, en revanche, avait préféré ne pas s'asseoir près d'Éric. C'était trop tôt. Elle s'était installée près du mur, là où Mrs Amberson s'était postée pour préparer les comédiens.

– Trevor et moi, nous avons discuté, annonça Mrs Amberson, rompant la pause. Nous pensons que…

Elle rêvait? Sans doute, mais Scarlett crut percevoir une pointe d'accent britanique, qui sonnait faux, dans la voix de Mrs Amberson. Une pointe qui perçait çà et là, comme une chiquenaude. Mais personne ne sembla le remarquer. En tout cas, personne ne réagit. Après tout, c'était des professionnels du jeu, alors peut-être jouaient-ils l'indifférence.

– ... que nous avons besoin de souligner les enjeux dramatiques. Il faut que l'interprétation soit plus stylisée, nous allons donc reprendre ce que nous avons travaillé en le poussant plus loin. Pensez aux classiques du cinéma, aux films muets. Hamlet et Ophélie, vous êtes des légendes de vieux classiques : Bacall et Bogart, Valentino et Garbo. Spencer et Éric, vous, c'est les Keystones Cops*, les Marx Brothers.

L'idée fut accueillie avec enthousiasme.

– Maintenant, j'ai une bonne nouvelle à vous annoncer. Pour fêter le travail que nous avons déjà accompli, je voudrais organiser une soirée.

Scarlett fut surprise. Elle jeta un œil à Éric qui lui répondit par un sourire radieux.

– Je vous offre boissons et agapes. Nous nous arrêterons de répéter à cinq heures et je vous attends tous ici à huit heures pour notre petite fête.

Soudain, la compagnie se réveilla et l'on se mit à travailler avec ardeur.

À cinq heures, Mrs Amberson chassa tout le monde, sauf Scarlett.

– Vous ne m'aviez pas prévenue, se défendit-elle tandis que Mrs Amberson hélait une camionnette qui s'arrêta sur le trottoir.

– J'adore les surprises, et je vous dois au moins ça à toi et ton frère, et Éric. Allez, aide-moi à tout transporter à l'intérieur.

_____

* Série policière muette de Mack Sennett, 1912-1917.

Elle avait commandé d'impressionnantes quantités de nourriture, plusieurs caisses de bière et deux de vin.

– Réservé aux plus de vingt et un ans, dit-elle avec un sourire. Remarque, pour toi, il y a mineur et mineur. J'estime que tu as droit à un peu de vin mais, s'il te plaît, pas plus d'un verre. Viens, rentrons préparer un peu la salle.

Pour une fois, l'interlude fut agréable. Mrs Amberson avait du talent et elle savait créer une atmosphère chaleureuse. Elle monta un bar en recouvrant de tissu plusieurs chaises et caisses avec l'aide de Scarlett. Puis elle trouva des centaines de photophores et des guirlandes lumineuses dans une des boîtes qui traînaient au fond. Elle accrocha les guirlandes autour de la pièce, illumina la scène avec les bougies des photophores et regroupa plusieurs chaises sur les côtés. Peu à peu, la pièce se transforma en un espace convivial, à l'éclairage tamisé.

Cependant, elle racontait à Scarlett toutes sortes d'anecdotes, beaucoup plus amusantes que d'habitude : les fours qu'elle avait connus à Broadway, les soirées disco, les intrigues... C'était une femme qui gagnait à être connue, songeait Scarlett, quand elle arrêtait d'aboyer des ordres ou de l'embarquer dans ses aventures oiseuses. Elle était lancée dans une de ses histoires quand les acteurs commencèrent à revenir, qui avaient bien compris que plus tôt ils arriveraient, plus tôt ils profiteraient des agapes.

Scarlett n'avait pas eu le temps de parler avec tous les membres de la troupe, mais ce soir elle découvrit que la plupart étaient sympathiques et, curieusement, intéressants. Certains se mirent à chanter. Hamlet se leva et se

lança dans une version à pleurer de rire de la tirade
« Être ou ne pas être ». Éric et Spencer furent mis à
contribution pour leurs pitreries habituelles et s'en don-
nèrent à cœur joie. Le pauvre Jeff essaya de se joindre à
eux, mais dut abandonner très vite, incapable de suivre
le rythme sans risquer de se blesser. Scarlett surveillait
Stéphanie tout en gardant un œil sur son frère, qu'elle
admirait, ravie. Elle était tellement fière de Spencer, le
plus beau grand frère du monde !

La troupe se divisa peu à peu en petits groupes.
Mrs Amberson s'assit avec Trevor et deux ou trois personnes pour leur raconter ses aventures à Broadway. Scarlett vit Spencer se pencher pour chuchoter au creux de
l'oreille d'Ophélie. Vu la façon dont il souriait et plaisantait, il draguait sec. Elle avait beau être contente pour lui,
elle ne tenait pas à suivre ça de trop près. Elle préférait
papillonner pour écouter les uns et les autres. Elle était à
l'aise, acceptée par tous comme si elle faisait partie de la
compagnie, même si elle ne participait pas vraiment à la
conversation. Tout ça était théâtreux en diable.

Elle commençait à se sentir un peu en trop quand
elle vit surgir Éric derrière un pilier.

– Il faut que je te parle, annonça-t-il. (Sa voix frémis-
sait légèrement.) Rendez-vous dehors dans cinq
minutes, d'accord ?

Et il disparut. Elle prit une longue inspiration. Cinq
minutes. Elle jeta un œil autour d'elle pour voir si quelqu'un avait remarqué quoi que ce soit, mais tous étaient
ailleurs. Elle prit son sac, discrètement, et sortit. Éric
l'attendait, fixant la vitre du chauffeur d'une voiture
garée devant l'église.

– Viens, dit-il en la prenant par la main. J'aurais dû te montrer ça plus tôt.

Ils firent quelques centaines de mètres et s'arrêtèrent devant un vieil immeuble décrépi, typique d'East Village.

– Attends, fit-il en se précipitant vers la porte. N'entre pas tout de suite. Mais ne t'inquiète pas.

– Je ne m'inquiète pas, répondit-elle, inquiète. En fait, elle était terrorisée, mais agréablement.

– N'oublie pas, je suis du Sud, donc je suis un gentleman. Si tu n'es pas à l'aise, tu me le dis et on rentre. J'ai du thé glacé et une télévision, alors on peut juste boire du thé et regarder la télé. On peut aussi ne pas monter. Je ne le prendrais pas mal.

Il avait bu, et sans doute en jouait-il un peu, mais il était d'une parfaite honnêteté. À la fois plein d'espoir et anxieux.

– C'est bon, dit-elle.

Son sourire fut si désarmant qu'elle en eut les larmes aux yeux.

Le sol de l'entrée de l'immeuble était passablement cabossé, et ça sentait la vieille boîte de pizza. Des affichettes pour un rassemblement politique étaient scotchées sur le boîtier du compteur électrique. Éric la tenait par la main et grimpait l'escalier quatre à quatre. Il arriva devant chez lui et ouvrit la porte. Il faisait sombre à l'intérieur. Il la précéda et alluma les lumières.

– Bienvenue dans mon palais, dit-il en se plaquant contre le réfrigérateur pour la laisser passer.

Le studio d'Éric était grand comme un mouchoir de poche, de quoi rappeler à Scarlett que tout le monde ne vivait pas dans un immeuble de cinq étages à New York, quel que soit l'état de l'immeuble en question. Le sol était de guingois et l'espace à peine assez vaste pour contenir un lit et une chaise pliante. La cuisine – ou plutôt la kitchenette – avait à peu près le volume de la banquette arrière d'une voiture et débordait d'appareils miniatures. Il y avait quelques étagères qui croulaient sous les objets, si bien que la plupart des affaires étaient empilées et rangées dans les coins – livres, scénarios, DVD, vêtements. Tout était en ordre.

– Voilà où je vis, dit-il en lui proposant l'unique chaise. Ce n'est pas aussi classe que chez toi.

– J'aime bien, répondit-elle.

Et c'était vrai. Éric aurait vécu dans une boîte à chaussures derrière une boutique de pizza pourrie, elle aurait autant aimé, et sincèrement.

– Si j'avais décidé d'aller à la fac en Caroline du Nord, j'aurais pu louer un appartement dix fois plus grand pour la moitié du loyer ici. Peu importe, je voulais te montrer mon chez-moi. Assieds-toi et ferme les yeux.

Scarlett s'exécuta.

– Tu peux les ouvrir !

Il tenait à la main un coffret DVD d'*Autant en emporte le vent*.

– Ce n'est pas la version classique, précisa-t-il. C'est la version longue, qui comprend tous les *rushes*. Neuf cents heures de tournage, je crois. C'est un des films qu'on regarde à Noël dans ma famille. Ma grand-mère m'a offert le coffret avant que je monte à New York pour être sûre que je n'oublierais pas la gloire de la cause sudiste !

Il s'assit sur son lit, troisième et dernier meuble du studio, puis changea d'avis et s'installa par terre.

– La première fois que je t'ai vue, j'ai halluciné en entendant ton prénom, Scarlett! J'ai pensé que c'était un signe. Genre, je débarque à New York, je rencontre une fille qui s'appelle Scarlett, elle habite dans un hôtel. En plus, elle a des cheveux blonds et bouclés sublimes…

Il se tut et lentement s'approcha de la chaise, tendit une main délicate et dégagea une boucle de cheveux du visage de Scarlett.

– Elle est toujours là, celle-là, et ça me démange en permanence de l'enlever. J'espère que ça ne t'ennuie pas.

– Non, répondit-elle, la voix sèche.

– L'autre jour… je…

– Dans l'église désaffectée?

– Oui. Tu as… aimé?

– C'est la meilleure chose qui me soit jamais arrivée, répondit-elle avec une candeur inattendue.

– Alors, si on recommençait… tu ne dirais pas non?

Elle secoua la tête. Trop difficile de répondre non. Il lui fit signe de descendre de sa chaise, et l'embrassa, dos au mur, sa tête entre ses mains.

Scarlett avait complètement perdu la notion du temps, et il aurait pu arriver n'importe quoi, quand la magie du moment fut brisée par un grincement épouvantable.

– C'est la porte, la rassura-t-il. Attends.

La voix de Spencer retentit en bas des escaliers :

– Salut, lança-t-il. J'ai perdu Scarlett. Elle ne serait pas chez toi par hasard?

– Euh… Oui. On descend. Deux secondes.

Scarlett jeta un œil sur le réveil. Une heure et demie du matin ! Impossible. Elle regarda sa montre, puis le lecteur de DVD, et les chiffres orange fluo sur le micro-ondes. Tous affichaient plus ou moins la même heure : 1 h 32, 1 h 33, 1 h 34. Si tard ? Ils devaient être ici depuis deux heures au moins.

Éric referma la porte et frappa légèrement la tête contre le mur d'un air contrarié.

– C'était ton frère. Pas vraiment l'air ravi.

– On s'en fout, non ?

Elle jeta un œil sur un miroir et vit sa crinière de boucles complètement ébouriffée et des traces de maquillage qui avait coulé autour de ses yeux. Vite, elle remit en place les boucles et tâcha d'effacer les traces.

– Tu veux que je t'accompagne en bas ou… ?

– Il vaut mieux que je descende seule.

– Tu es sûre ?

– Oui, oui. C'est mon frère. Pas de problème.

Il lui prit la main et traça un petit cercle au fond de sa paume avec son doigt.

– Je…

Il hocha la tête.

– Je crois qu'il faut que je descende. On se voit demain ?

La rupture impossible

Spencer attendait Scarlett à l'extérieur, assis sur les marches en pianotant sur une des poubelles accrochées à la façade de l'immeuble. Il tenait son monocycle en équilibre contre un genou. Il avait un regard que Scarlett ne lui avait jamais vu, lointain, troublé. Elle vit tout de suite qu'il avait remarqué ses boucles ébouriffées et ses vêtements froissés.

– Je t'ai appelée cent cinquante mille fois. Pourquoi est-ce que tu ne répondais pas ?

Elle jeta un regard confus sur son portable. La réponse était sous ses yeux, plate comme son écran. Il n'avait plus de batteries.

Elle le brandit d'un air penaud. Mais Spencer ne fut guère impressionné.

– Viens, lâcha-t-il.

Ils attendirent cinq longues minutes, cinq minutes où ni l'un l'autre ne pipa mot, avant de tomber sur un taxi libre. La voiture ralentit et Spencer jeta son monocycle dans le coffre. Scarlett monta dans le taxi et se blottit contre la portière.

– J'ai appelé la maison et je t'ai trouvé une excuse, finit par grommeler Spencer. Tu étais censée rentrer il y a au moins deux heures. J'ai dit aux parents qu'on travaillait plus tard que d'habitude et que j'étais avec toi.

– Tu m'en veux?

– À mort.

Le taxi vira brutalement et elle fut projetée contre lui. Elle s'écarta.

– Pourquoi ne m'as-tu pas prévenu?

– Je ne pouvais pas.

– Comment ça, tu ne pouvais pas?

« Parce qu'Éric ne voulait pas », faillit-elle répondre. Elle demeura muette tandis que le taxi remontait la Troisième.

– Tu te tailles en pleine soirée sans prévenir personne. Comme ça, brusquement, disparue… Personne ne savait où tu étais passée, même Mrs Amberson. Honnêtement, Scarlett, j'ai eu les jetons, sérieux. Je suis allé chez Éric en désespoir de cause.

Le taxi freina brusquement devant l'hôtel Hopewell. Spencer sortit du fond de sa poche une liasse de billets froissés, en tendit plusieurs au chauffeur et bondit hors de la voiture. Scarlett le suivit à l'intérieur, sans un mot. Ils prirent l'ascenseur jusqu'au sixième, Spencer déposa son monocycle et avança sur la pointe des pieds jusqu'à la suite du Diamant, la chambre de leurs parents. Il frappa à la porte et marmonna quelques mots d'explication.

Puis il se dirigea vers sa chambre d'un pas raide et

elle le suivit. Il entra et commença à se déshabiller comme si de rien n'était.

– Je te demande pardon, dit-elle.

– Je suis cané, répondit-il en lançant sa chemise. Je me réveille tôt, au cas où tu aurais oublié.

Il grimpa dans son lit, en short et avec ses chaussures, croisa les bras sur la poitrine et fusilla Scarlett du regard.

Spencer en colère était un spectacle rare mais impressionnant, comparable à l'apparition du monstre du Loch Ness. Il était capable de contenir un sacré paquet d'émotions derrière son visage fermé.

– Tu veux savoir ce qui me débecte ? finit-il par lâcher. C'est que tu ne m'as pas prévenu. Tu m'as menti en me regardant droit dans les yeux.

– Je...

Elle allait ajouter : « ne pouvais pas faire autrement ». Mais à quoi bon mentir ? Une fois suffisait. Elle était dans son tort.

– Je peux te poser une question ? demanda-t-il d'une voix un peu pincée. Qu'est-ce que tu t'imagines ? Éric entre à la fac dans quelques semaines, et toi, tu entres en première. Tu penses que ça peut coller ? Tu crois qu'il aura du temps à te consacrer une fois qu'il aura commencé ses cours ?

Il y avait sous ses propos une méchanceté qu'elle ne lui connaissait pas. Elle en eut la nausée.

– Tu crois qu'il ne m'aime pas ?

– Bien sûr qu'il t'aime, idiote. C'est un mec.

– Ça veut dire quoi ? cracha-t-elle soudain. Tu m'en veux parce que tu ne sors avec personne ?

C'était sorti tout seul, malgré elle.

– Ça veut simplement dire ce que j'ai dit. De toute façon c'est une mauvaise idée. En plus, c'est mon spectacle que tu déranges.

– Que je dérange? Ça n'a rien à voir avec toi. Il est amoureux de moi. Quel rapport avec le fait que vous jouiez ensemble? La pièce se monte grâce à moi, je te rappelle.

Il se frotta les yeux comme s'il voulait qu'elle disparaisse de sa vue.

– Laisse tomber, dit-il. Tu es excusée pour les parents. J'ai sommeil.

Il lui tourna le dos et elle recula, curieuse de voir s'il allait reprendre. Elle franchit le seuil de la porte quand il se leva pour la refermer. Pour la première fois de sa vie, elle entendit le déclic du verrou.

ACTE III

La majorité des hôtels de New York ayant eu des morts parmi leurs clients, il est peu surprenant que l'on rapporte l'apparition de fantômes dans la plupart d'entre eux.

En 1934, l'hôtel Hopewell, situé dans l'Upper East Side, était fort prisé parmi les artistes de Broadway. Sa taille modeste et son design à la mode en faisaient une enclave distinguée, et l'hôtel était beaucoup plus abordable que le Waldorf-Astoria ou le Saint Regis (là où fut inventé le cocktail Bloody Mary, au King Cole Bar, la même année). C'est pourquoi les artistes qui cherchaient un logement correct et une atmosphère chaleureuse permirent de maintenir l'activité de l'hôtel pendant la Grande Dépression. (Le propriétaire de l'hôtel fermait l'œil sur le fait que plusieurs artistes se partageaient certaines chambres, sachant que cela contribuait à sa réussite. Mieux vaut une chambre trop remplie qu'une chambre vide.)

Au mois de juin de cette même année, une actrice en herbe du nom d'Antoinette Hemmings s'installa dans la *suite de l'Orchidée, qu'elle partageait avec son assistante, Betty Spooner. Antoinette avait déjà obtenu de nombreux rôles de choriste, mais elle avait de plus grandes ambitions. Elle était sur le point de percer pour de bon et préparait une audition pour le rôle de Hope Harcourt dans la dernière comédie musicale de Cole Porter,* Anything goes. *Hélas, un été particulièrement frais et une terrible laryngite mirent fin à son rêve, le jour même de l'audition.*

Antoinette était désespérée. Elle était déterminée à y arriver, quel que soit le chemin à prendre. Elle s'enferma dans sa chambre et écrivit une longue note à Betty Spooner en lui indiquant, entre autres, le nom de l'hôpital le plus proche et le numéro de téléphone de l'un de ses amis, responsable de la rubrique théâtre d'un journal. Elle revêtit sa longue robe d'intérieur vaporeuse rose, ourlée de plumes, et prit une poignée de somnifères qu'elle avala avec une coupe de champagne... calculant précisément son geste de façon à ce que l'issue coïncide avec le retour de Betty.

Hélas, Betty, en principe très ponctuelle, fut retardée ce jour-là. Au lieu de trouver l'élégante et toujours bien vivante Antoinette prête à être transportée à l'hôpital, drapée dans sa belle robe rose, elle tomba sur son corps mort, au pied de sa porte. Vraisemblablement, Antoinette avait dû comprendre que Betty arriverait trop tard et tenté un ultime geste pour se sauver.

En 1974, un client qui logeait dans la suite de l'Orchidée raconta avoir vu frapper à sa porte une jeune femme vêtue d'une robe d'intérieur rose. La jeune femme l'interrogea pour savoir si Cole Porter l'avait réclamée. Le client allait lui demander qui elle était et pourquoi feu Cole

Porter serait venu s'enquérir de sa personne, quand, avoua-t-il, « elle s'évanouit sous mes yeux, tel un ruban de brume ».

81 contes de la Grosse Pomme, chapitre VIII,
« Fantômes d'hôtel : le client qui ne remit jamais ses clés »

Main de fer dans un gant de velours

Cette semaine aurait dû être une des plus belles de la vie de Scarlett.

Mrs Amberson lui ficha la paix plusieurs jours consécutifs. Elle avait laissé tomber son projet de livre et courait tout New York pour « jouer l'attachée de presse », comme elle le disait, de leur futur spectacle. Une fois seulement, elle envoya Scarlett surveiller la préparation des costumes et donner un dernier coup de main. Scarlett était ravie, c'était l'occasion de passer six heures entières avec Spencer et d'admirer Éric.

Jusque-là, génial.

En parfaits comédiens, Spencer et Éric continuaient à jouer le rôle des bouffons chéris de la troupe. Peu importe si la soirée avait laissé des traces, aucun d'eux n'en parlait, ni n'en montrait rien. En revanche, chacun déployait sa petite méthode pour torturer Scarlett.

Spencer ne lui adressa quasiment pas la parole de la semaine. Pas une seule fois il ne passa la voir dans sa chambre. Il fermait la porte de la sienne dès qu'elle passait devant. Quand ils rentraient ensemble le soir, il s'isolait derrière ses écouteurs, et c'est à peine s'il l'attendait.

Quant à Éric, il ajouta une pointe épicée en apportant un élément d'incertitude. Manifestement secoué par la découverte de leur soirée en amoureux, il réagit en maintenant le profil le plus bas possible. Sa communication se limitait à des clins d'œil en coin, des effleurements, une prise de la main de Scarlett qu'il serra avec une incroyable intrépidité au cours de la répétition de la scène de la mort de Polonius... L'événement majeur de la semaine eut lieu dans la cabine d'essayage des costumes. Scarlett y alla pour prendre le costume improbable dans lequel Ophélie se noie et le remettre un peu en état (ce qui était peu dire), quand soudain, Éric surgit derrière elle, la précipita contre le portant de vêtements et l'embrassa sur les lèvres, avant d'attraper un chapeau et de s'échapper.

Super... mais après? Elle avait l'impression d'avoir été prise en embuscade, plus qu'invitée.

Le vendredi, en se levant, elle décida que ça ne pouvait plus durer. Elle se planta devant la porte de la salle de bains pendant que Spencer se préparait. Impossible de l'ignorer ni de sortir sans lui marcher dessus.

Il finit par émerger en tenue de travail, mais il ne la vit pas tout de suite car il se frottait les cheveux avec sa serviette.

– Tu te souviens de moi? dit-elle en écartant les bras pour bloquer la sortie. Je suis ta sœur. Celle que tu aimas, autrefois.

– Arrête, je n'ai pas le temps.

– Arrête, toi. S'il te plaît.

Il s'appuya contre l'embrasure de la porte et soupira en passant un doigt le long de la rainure dans le bois.

– Tu veux aller manger un morceau après la répétition ? Je t'invite.

En temps normal, il aurait bondi de joie à la perspective d'un dîner à l'œil. Mais là... Il continua à jouer avec son ongle dans la rainure.

– Allez, insista-t-elle. Tu ne vas quand même pas laisser passer un dîner à l'œil ? Dessert compris ?

Il semblait sur le point de répondre. Mais non. Il passa devant elle et disparut. Elle resta là, au cas où il changerait d'avis, et finit par s'écrouler sur place. Peu après Lola la réveillait.

– Qu'est-ce que tu fiches ici ? Puisque tu es debout, tu ne veux pas m'aider à préparer le petit-déjeuner ?

Depuis sa rupture avec Chip, Lola se laissait doucement aller sur le chemin de la folie. Non pas une folie douce, sympathique, où l'on se met à parler avec des amis imaginaires et à faire le pitre avec de la nourriture sur la tête. Non, une folie douce et assommante. Lola version seule et sans emploi, ça donnait une obsession pour le travail bien fait, poussée jusqu'à la torture.

– Pourquoi pas ? répondit Scarlett en se relevant. J'ai quelques heures devant moi.

Lola fut ravie de partager ses nouvelles manies avec sa sœur. Ensemble, elles moulurent du café frais, préparèrent des verres de jus de fruit givrés, élaborèrent quelques sculptures avec les serviettes, et repassèrent le linge. Tout ça pour pour deux clients qui se contentèrent de saisir quelques viennoiseries avant de filer. Puis elles passèrent au ménage.

– Le truc, expliqua Lola en s'affairant sur le rouleau de papier hygiénique de la suite Métro, veillant à ce qu'il n'y ait pas un millimètre de papier qui dépasse, c'est d'essayer d'obtenir le rouleau le plus lisse possible. Sinon, autant laisser tomber tout de suite. Comme ça... Tu appuies avec la main de façon à ce que ça ressemble à une espèce d'enveloppe ronde. Après, le secret, c'est de...

Elle sortit un petit flacon de son tablier et aspergea soigneusement le rouleau.

– De la lavande. Surtout, il faut acheter l'extrait le plus pur possible. C'est toute la différence, l'art de donner une petite touche provençale plutôt que de laisser traîner une odeur de vieille fille.

Scarlett l'observait, affalée au fond de la baignoire à pieds, les jambes pendouillant au-dessus du rebord pour ne pas salir.

– Tu n'as jamais pensé à prendre des médocs? demanda-t-elle très poliment.

– Tu rigoles, mais tu veux que je te dise? Les gens ne voient jamais ce qui saute aux yeux, ils retiennent les détails. Ils oublieront l'adresse de l'hôtel, mais si tu déposes une truffe de *La Maison du Chocolat* et une petite bouteille d'Évian sur leur table de nuit, ils se souviendront que la chambre avait du charme.

Était-ce parce qu'elle souffrait? Ou était-ce sa vraie personnalité, cachée par son histoire avec Chip, et révélant soudain une bonne petite névrose obsessionnelle?

– Que se passe-t-il entre toi et Spencer? poursuivit-elle en polissant le robinet avec un coton-tige trempé dans du vinaigre. D'habitude, vous êtes comme les deux doigts de la main. Il prend tout le temps exemple sur toi. Il y a un malaise, non ?

– Il est très pris par sa pièce.

– Tu ne travailles plus avec eux ?

– Si… mais disons que… il faut qu'il se concentre.

– Scarlett, Spencer joue depuis qu'il a douze ans, et sa marque de fabrique n'a jamais été un style de jeu posé ni intériorisé. Il ne passe jamais plus d'un quart d'heure sans parler de toi. Alors qu'est-ce qu'il y a ?

– Rien.

– Je ne te crois pas. Je ne sais pas ce que vous avez, mais il faut régler le problème. Le silence qui pèse entre vous met tout le monde mal à l'aise. Papa m'en a parlé hier et j'ai été incapable de lui répondre. Sans compter que Spencer a l'air désespéré. Va lui parler.

« Bon, tu veux que je te montre ma nouvelle technique pour aspirer les rideaux ? Regarde, c'est génial. Tu devrais voir tout ce que je récolte.

– Je dois y aller, lança Scarlett en bondissant hors de la baignoire.

Cet après-midi-là – Scarlett était occupée par des travaux de couture – fut la consécration de Spencer et Éric. À force de s'entraîner sur leur monocycle, d'exécuter le poirier, de boxer sur place et de parfaire l'art de la chute, ils se virent confier un rôle qui parcourait toute la mise en scène. Ils avaient notamment mis au point une scène de bagarre extrêmement comique entre Rosencrantz et Guildenstern.

La scène valait son pesant d'or : c'était une version élaborée et retravaillée des cascades auxquelles ils se prêtaient déjà dans Central Park. Spencer trébuchait contre Éric qui valdinguait hors de la scène puis remontait, comme une furie, et bourrait Spencer de coups jusqu'à ce qu'il s'écroule. Là, il l'attrapait par les chevilles et le renversait pour le forcer à marcher sur les mains.

Ils répétaient la scène quand un vacarme inattendu retentit, tel un coup de fusil dans une salle vide. C'était le moment où Spencer envoyait le premier coup à Éric. Scarlett sursauta et se blessa le pouce avec son aiguille. Elle saigna abondamment et tacha le manteau de Hamlet qu'elle raccommodait.

– Idiote ! se reprocha-t-elle.

– Pause ! hurla Trevor. C'était super, les garçons...

Elle suça son pouce en fouillant au fond de son sac pour trouver de quoi le panser, quand elle sentit quelque chose heurter son dos avant d'atterrir à ses pieds. Une serviette de toilette avec le logo Hopewell, suivie par l'apparition de Spencer.

Qui tomba à terre, ramassa la serviette, et s'essuya le visage et le cou. Il transpirait comme un bœuf.

– Tu t'es blessée ? demanda-t-il. Montre...

Il n'était pas complètement à l'aise, mais au moins il lui adressait la parole. Il se pencha pour examiner son pouce. C'était un geste fraternel.

– Pas trop grave, dit-il en sortant une serviette comme celle que l'on vous donne quand vous emportez un plat cuisiné. Je vais le nettoyer un peu.

Il ouvrit sa bouteille d'eau et but une longue gorgée.

– Ça fait longtemps que je ne t'avais pas vu exécuter un salto arrière, répondit-elle en frottant la serviette qui fleurait bon le citron sur son pouce.

– Je me suis rétamé dans la réception que papa venait de cirer. Enfin, j'aurai appris que retomber tête la première est une bonne façon de conclure la pirouette. Du moins, quand tu la maîtrises de A à Z.

Il finit d'un trait la bouteille qui craqua sous la pression.

– C'est d'accord, dit-il en se levant, pour ce soir. On dîne ensemble. Attends, je vais demander à Paulette un pansement, elle a tout sur elle.

Il essayait de prendre les choses à la légère. Il alla échanger quelques mots avec Trevor en sautillant, l'air de rien. Scarlett, elle, sentit une douleur à la poitrine, une sensation d'oppression, comme si on lui arrachait un objet invisible qui l'empêchait de respirer.

Elle passa le reste de l'après-midi à les regarder répéter et essayer un premier filage, scène après scène : Hamlet poignarde Polonius, l'espion du roi et de la reine, à travers un rideau. Gertrude, la reine, observe la scène et pense que son fils est devenu fou. Hamlet tire le corps et le cache. Rosencrantz et Guildenstern se voient confier la tâche ingrate de convaincre le meurtrier fou d'abandonner le corps, ce qu'il refuse. Tous deux se battent pour savoir qui doit s'adresser à Hamlet, chacun de leurs gestes étant très précisément coordonné à chaque ligne de leur texte.

Les comédiens répétaient les scènes, encore et encore, ajustant et accordant le moindre morceau, remettant l'ouvrage sur le métier... Scarlett était particulièrement fière de son frère, surtout maintenant qu'il acceptait enfin de s'adresser à elle.

– Je vais me débarbouiller et changer de chemise,

dit-il à la fin de la journée. Hors de question que je garde la même pour dîner, même si on va dans un boui-boui. J'arrive...

– J'attendais que ton frère s'éloigne, intervint Éric. Tu es prise ce soir?

Il lui coula un de ces regards... qui tuent. Un peu comme à la fin de la publicité où il était en feu...

– Je...

Spencer allait revenir d'une minute à l'autre. Son frère. Qu'elle adorait, et avec qui il fallait qu'elle se réconcilie. Mais Éric était face à elle : pouvait-elle se permettre de laisser passer l'occasion?

– Non, je suis libre, s'entendit-elle répondre.

– Tu veux qu'on se retrouve en bas de chez moi? Je rentre tout de suite, mais je voulais te montrer quelque chose dont je ne peux pas vraiment te parler ici.

Elle dut attendre dix minutes, infernales, avant que Spencer ne revienne en s'essuyant la figure avec une serviette.

– Alors, ce dîner? lança-t-il en s'affalant à ses côtés. Je crève la dalle.

– Euh, à propos... Ça t'ennuie si on reporte à demain?

– Demain?

– Je ne peux pas ce soir, dit-elle, incapable de le regarder en face.

– Tu es prise?

– Plus ou moins, oui.

Il demeura assis un moment, tapotant nerveusement son genou. Puis il éclata d'un rire sans joie.

– Excuse-moi, bredouilla-t-elle.

– Cette fois-ci, surveille l'heure, dit-il en jetant son sac sur son épaule et en se levant. Je ne traverserai plus tout Manhattan pour aller te repêcher.

Telle est la question

Éric l'attendait sur les marches au pied de chez lui. Il s'était changé avec une rapidité étonnante; il portait une chemise légère bleue, toujours un short, et des lunettes de soleil pour se protéger de la lumière déclinante de la fin de la journée. L'ensemble lui donnait une allure typique d'acteur, à la limite du ridicule, à tel point que Scarlett en eut un haut-le-cœur.

Jamais elle ne l'avait vu aussi beau. Impossible, ce n'était pas elle, Scarlett Martin, qu'il attendait, mais un trio de fées-mannequins prêtes à l'enlever dans un film publicitaire pour une vodka enchantée.

– Salut! lança-t-il chaleureusement. Tu es venue! Ça va sans doute te sembler idiot, mais j'avais envie de monter au sommet de l'Empire State Building. Je ne voulais pas y aller seul.

Scarlett y était déjà allée avec sa classe, en CM1, mais c'est un de ces sites où l'on ne met jamais les pieds quand on habite dans la ville même.

– J'avais peur que tu sois gênée, je n'osais pas te le demander.

Certaines destinations dans le monde ont une connotation privée, intime, surtout si quelqu'un dont vous êtes plus ou moins amoureux vous demande d'y aller. C'est le cas de la plupart des destinations. Sauf à New York. L'avantage à New York, c'est qu'il y a tant de choses à faire et à voir que même au cours d'une balade en amoureux, on risque de trébucher contre trois chihuahuas au moins, de se retrouver derrière des passants qui n'arrêtent pas de cracher, ou de déclencher l'alarme d'une voiture en pleine rue.

Et pourtant, Scarlett dit oui, et ils y allèrent ! Elle avait l'impression qu'Éric n'avait d'yeux que pour elle, ce qui ne l'empêchait pas de parler et de déployer tout son bêtisier de comédien amateur : les répliques qui lui avaient échappé au pire moment, les éclairages qui s'écroulaient, les morceaux de décor qui se cassaient la figure. Scarlett riait, riait, même si elle avait du mal à mettre bout à bout tous les épisodes.

Une chose qu'elle n'avait jamais remarquée, ou qu'elle avait oubliée : à peine entré dans l'Empire State Building, on se retrouvait pris dans un labyrinthe inextricable de queues et d'escaliers roulants qui semblaient ne mener nulle part, mais obligeaient à piétiner au milieu de hordes de touristes. Heureusement, ils finirent par déboucher sur un ascenseur qui les propulsa au sommet, et Éric lui prit la main. Il la serra très fort au moment où ils descendirent, essayant d'échapper aux photographes à touristes et à la foule de la boutique de souvenirs qu'il fallait traverser pour arriver sur la plate-forme la plus haute. Scarlett était bouleversée de voir à quel point Éric semblait content.

Le jour commençait à décliner et le ciel au-dessus de la ville avait une jolie couleur abricot. Éric voulait profiter de la vue dans toutes les directions, y compris celle de l'hôtel Hopewell. Impossible de le distinguer, mais on voyait bien Central Park et les grandes avenues.

– Tu vois le Reynolds? L'immeuble a été bâti d'après un bâtiment à Winston-Salem, en Caroline du Nord, expliqua Éric. Les types qui l'ont conçu ont été pris par le temps et se sont basés sur des plans déjà dessinés. La version qu'on a sous les yeux est la première, abandonnée, d'un immeuble qui se trouve près de ma ville natale.

La gêne se lisait sur son visage. Il se moqua de lui-même en riant et agrippa les grilles de sécurité.

– C'est notre prof d'histoire en sixième qui nous a raconté ça, au moins une dizaine de fois. Je te jure. Elle pensait prouver que Winston-Salem est aussi importante que New York.

– C'est vrai, c'est ce qu'on dit.

Éric se tourna pour lui faire face.

– Il y a autre chose que je voulais, ajouta-t-il. Tu vas rire si je te l'avoue? Parce que si, tu ris, je descends à pied les dix millions de marches et je rentre illico.

– Je te promets que non, répondit Scarlett, imperturbable.

– Ton regard est assez effrayant quand tu mens comme tu viens de le faire.

– Je ne mens pas. De quoi as-tu envie? D'une boule de neige en souvenir? De frotter la plaque de l'entrée de l'Empire State Building avec un crayon à papier?

– Effrayant mais excitant.

Enfin il l'avait lâché. Elle était « excitante », et pas dans le sens léger qu'elle, Dakota et Tabitha s'envoyaient quinze fois par jour, ni comme Spencer quand il la voyait arriver avec un peigne emmêlé dans ses boucles et qu'elle devait le conserver jusqu'au retour de Lola qui seule pouvait le lui enlever. Non, il venait de lâcher l'adjectif telle une petite bombe cachée dans une horloge où résonnerait le tic-tac tranquille de la minuterie.

– Je rêvais d'embrasser quelqu'un au sommet de l'Empire State Building, ajouta-t-il en dégageant la boucle de cheveux qui s'était encore empalée dans son œil.

Il n'attendit pas sa réponse, qui eût été débile de toute façon. Il prit son menton entre ses mains et l'embrassa – pleinement, sans honte, sous les yeux des touristes et de tout New York. Ce ne fut pas un baiser volé, mais un baiser long, très long, au cours duquel il reprit au moins cinq fois sa respiration, pour l'embrasser de plus belle, avec une telle fougue qu'elle dut s'accrocher à lui pour ne pas tomber.

Les touristes tournoyaient autour d'eux comme s'ils faisaient partie du paysage. Scarlett fut même aveuglée par le flash de quelqu'un qui les prit en photo. Le crépuscule tombait et la plate-forme fut illuminée ; la flèche de l'Empire State Building prit une belle couleur pourpre.

– C'est assez proche de ce que j'imaginais, dit Éric.

Ils décidèrent de redescendre, mais Scarlett eut du mal à tenir debout en traversant la boutique de souvenirs puis la série d'ascenseurs et d'escaliers roulants. Elle comprit alors le sens de l'expression « avoir les genoux qui flageolent », qui pour elle était un vieux cliché idiot. Car ses genoux flageolaient, et bien. Mais pourquoi ? Un baiser aussi fougueux aurait dû lui donner des ailes. Or elle avait les jambes en coton, en coton de chez coton.

Éric la tenait par l'épaule, comme pour annoncer au monde entier qu'ils formaient un couple. Et Scarlett, victime de la faiblesse générale de son corps et de descente de plusieurs centaines de mètres en quelques secondes, lâcha la plus grosse bourde de sa vie :

– Ça veut dire… qu'à partir de maintenant… on sort ensemble ? demanda-t-elle alors qu'ils arrivaient vers la sortie.

– On n'est pas encore vraiment sortis ensemble, répondit spontanément Éric. Chez moi, en Caroline du Nord, rien n'est officiel tant qu'on n'a pas dîné en tête à tête dans le centre commercial et passé au moins deux heures dans une voiture. Alors qu'est-ce qu'on fait quand on n'a ni voiture ni centre commercial ?

Elle sourit, mais elle n'était pas vraiment d'humeur à rire. Leur conversation était grotesque. Elle n'avait jamais réfléchi à cette histoire d'officiel ou pas officiel, ça faisait partie des choses de la vie, c'est tout. Un accord tacite passait entre les deux personnes qui se laissaient emporter par les eaux tièdes du statut de liaison officielle.

Et non ! Comme souvent, il fallait laisser passer un temps de latence, étrange, une espèce de sas administratif.

– En fait, je me demandais si…

Elle essaya d'adopter un ton léger, mais pas trop léger non plus comme si la réponse n'avait aucune importance.

– Je sais ce que tu penses, dit Éric. À New York ça ne se passe pas comme ça.

Il souriait toujours, tout en jouant nerveusement avec ses clés.

– Non, c'est vrai, dit-elle (gros mensonge). Je rigolais.

– Pas de problème.

Il tripota ses lunettes de soleil puis les enleva et les frotta contre sa chemise. Plus du tout à l'aise.

Elle avait tout foiré et bien. Si seulement ses amis avaient été là… songea-t-elle avec regret, tout ça ne serait jamais arrivé. Dakota aurait débarqué au sommet de cet Empire State Building à la noix et l'aurait neutralisée avant qu'elle enchaîne toutes ces gaffes. Pourquoi ses amis étaient-ils partis ? Dès qu'ils étaient absents, elle perdait ses moyens.

Il ne lui restait plus qu'une solution : fuir de l'avion en feu. Prendre son parachute. Sauter. Sauver sa peau. Jouer le tout pour le tout.

– Oh, mon Dieu ! s'exclama-t-elle. J'avais complètement oublié. Il faut que je rentre… préparer une des chambres. On a un nouveau client.

Éric réagit courtoisement, lui déposant un dernier baiser sur la joue avant qu'elle ne s'échappe. Un doux baiser qui n'eut pas l'effet handicapant du précédent.

Le lendemain matin, Scarlett découvrit les murs de la suite Empire tapissés de mots, et Mrs Amberson d'une humeur de dogue.

– La presse ! s'écria-t-elle en joignant les mains. Nous sommes à moins d'une semaine de la générale. Je n'y crois pas, la compagnie n'a pas l'ombre d'un plan de communication. Mais tant pis, j'ai décidé de prendre les choses en main. Tu vois ces notes au mur ? Ça fait plusieurs jours que j'essaie de reprendre contact avec tous les gens du milieu que j'ai connus : des agents, des directeurs de casting, des critiques, des producteurs. J'ai une idée...

Scarlett secoua la tête en se dirigeant vers le coin où elle rangeait les produits d'entretien bio. Elle n'était plus d'humeur à répondre à des questions dans le seul but d'éviter les silences.

– Nous allons organiser une première. Une soirée de lancement, avec un traiteur.

Scarlett aspergea la coiffeuse de produit parfumé à l'ylang-ylang.

– Tu ne dis rien ? Pourquoi fais-tu une tête pareille ? lança Mrs Amberson.

– Quelle tête ?

– Une tête à faire peur. Tu as vu tout le travail que j'ai fourni ? Tu sais ce que ça signifie pour le spectacle ?

– C'est super.

Voyant qu'elle n'arrivait pas à susciter son enthousiasme, Mrs Amberson se rassit sur son lit.

– Je n'irai pas à la répétition ce soir, annonça-t-elle. Mais j'ai besoin que tu y sois. C'est la première fois qu'on joue en costumes. Tu seras mon regard critique. Mais pour l'amour de Dieu, souris ! C'est toi qui me représentes et il faut que tu transmettes une énergie positive.

Il faut admettre que Mrs Amberson avait trouvé des costumes magnifiques. La métamorphose qui s'opérait dès que les acteurs les revêtaient, en plus du maquillage, était époustouflante.

L'idée de base étant de s'inspirer des films muets, tous avaient un léger fond de teint blanc, les yeux cerclés de noir, et les lèvres peintes. Les femmes portaient des robes à sequins, les hommes des costumes très élégants. Le galon argenté que Scarlett avait cousu sur la tenue de Hamlet était particulièrement bienvenu. Spencer et Éric avaient droit à une couche de blanc plus épaisse et des traits plus soulignés. Ils portaient aussi de vrais costumes, mais mal ajustés, trop grands, dont le pantalon remontait assez haut, non seulement pour produire un effet comique, mais pour plus de sécurité lors de leurs cascades.

Scarlett était la seule habillée normalement (jupe d'été et T-shirt). Elle avait l'impression d'avoir le visage à nu. (Heureusement, vu la chaleur. Du reste, les acteurs transpiraient beaucoup plus que les autres.) Elle fit l'effort d'afficher le sourire requis, jusqu'au moment où Ophélie lui demanda si elle s'était déboîté la mâchoire.

Le filage connut pas mal de ratés. Certains eurent des trous (dont Éric, trois fois). La rampe de la scène tomba quand Spencer passa par-dessus, et il chuta lourdement sur la scène. Gertrude eut une crise de panique de dix minutes avant d'arriver à maîtriser l'une de ses scènes principales. Hamlet tordit le bout de son épée en la cognant contre le mur.

Paulette, la régisseuse, était là pour résoudre les problèmes, mais Scarlett nota tout par écrit pour Mrs Amberson, omettant volontairement l'incident de la rampe (c'était la faute de Spencer, et Paulette était déjà en train de la remettre en place) et les trous d'Éric. À la fin de la journée, la compagnie était épuisée, et reconnaissante envers Scarlett qui les aida à se changer et à ranger les accessoires. Les costumes étaient déjà endommagés et elle eut peur de l'état dans lequel ils seraient une semaine plus tard.

Elle avait soigneusement évité de s'approcher trop près de son frère pendant toute la soirée mais, au moment où il s'assit près d'elle pour se démaquiller, elle se dit que c'était l'occasion de renouer la conversation, naturellement.

– Ça va ? demanda-t-elle. Le problème de la rampe…

– Oui, oui. Je ne suis pas vraiment tombé.

– Je sais, mais…

Rien. De fait, il n'était pas vraiment tombé.

– Ma proposition de dîner ensemble est toujours valable.

– Vraiment ? répliqua-t-il en frottant vigoureusement son front couvert de blanc. Tu n'as pas de plans ce soir ?

– Non. Alors viens !

– Je ne peux pas. On va tous chez Leroy. Histoire de souder l'équipe. Tu pourras prévenir les parents que je rentrerai tard ?

Scarlett fut troublée de ne pas avoir été conviée. D'accord, elle ne faisait pas vraiment partie de la troupe, mais dans les faits, oui. Elle les avait aidés à s'habiller, puis à enlever leurs costumes.

– D'accord.

Sa voix avait baissé d'un ton et il ne pouvait pas ne pas l'avoir remarqué.

Soit il lui en voulait toujours, soit il culpabilisait. Quoi qu'il en soit, il plia bagage et partit sans avoir fini de se démaquiller.

Elle était à bout. Ça ne pouvait plus durer. Elle le suivit dehors, où il s'arrêta pour papoter avec Claudius.

– Il faut que je te parle, dit-elle en le prenant par le bras.

Il n'offrit aucune résistance et se laissa entraîner un peu plus loin, devant l'entrée d'une onglerie.

– Et moi, qu'est-ce que je suis censée faire? demanda-t-elle. Quand est-ce que le malaise va s'arrêter entre nous?

Silence.

– Aucune idée, lâcha-t-il enfin.

– Je ne comprends pas. Tu aimes bien Éric, non? demanda Scarlett. Vous êtes copains.

– Je travaille avec lui.

– Donc ça n'est pas un copain?

– Mettons les choses au point. Je suis un pro, OK? Et il faut que je m'entende avec lui, quoi qu'il arrive.

– C'est justement pour ça qu'il pensait que ça serait mieux de...

– Il pensait? Il t'a demandé de ne rien me dire?

– Ne lui en veux pas. Je suis désolée. Désolée depuis le début.

Spencer secouait la tête avec un sourire sinistre, prêt à éclater de rire.

– Quoi? demanda-t-elle.

– Rien. (Il retira le reste de son maquillage blanc.) Je n'ai rien à ajouter.

Elle était furieuse. Elle comprit ce sentiment de frustration que Lola éprouvait si souvent face à Spencer.

– Il est amoureux de moi, dit-elle. Pourquoi est-ce que ça te gêne tant que ce soit quelqu'un que tu connais? Ça n'enlèvera rien au spectacle. J'ai le droit d'être heureuse, non?

Son étrange sourire disparut.

– Tu n'as pas vraiment l'air heureuse.

Bon point. Du moins pas pour l'instant. Ni avec Éric, ni avec sa vie en général. Ni avec son frère. Par miracle, les membres de la troupe commençaient à les rejoindre, sinon elle se serait mise à hurler. Elle tourna les talons et fila du côté de l'église-théâtre.

Les derniers comédiens lui dirent au revoir mais personne ne lui proposa de les accompagner, apparemment sans lui cacher quoi que ce soit d'ailleurs. Sans doute pensaient-ils qu'elle viendrait avec Spencer.

Éric était encore là, emballant ses dernières affaires et son maquillage. Il s'était un peu mieux débrouillé que Spencer pour retirer le blanc de son visage. Il agita une main amicale en la voyant s'approcher.

– Il paraît que vous avez organisé un truc ce soir, bafouilla-t-elle.

Elle fit semblant d'avoir un reste de toux, mais l'effet fut un peu étrange.

– Ah! répondit-il.

Et ce fut un long, très long «Aaha!» comme une excuse bien appuyée.

– Oui, c'est un dîner d'équipe.

Suivit un silence qui aurait pu donner lieu à une invitation.

– Je t'appelle demain, d'accord ?

– Oui. Super.

Deux mots qui furent l'affirmation la plus creuse jamais prononcée en langue anglaise.

Ils partirent, Scarlett d'un côté, Éric et les derniers acteurs de l'autre.

Et elle rentra chez elle.

La fille la plus seule de New York

Toujours en campagne pour être élue la femme la plus efficace du monde, Lola récurait le bureau de la réception tout en réfléchissant à son orientation professionnelle. Elle consultait un énorme classeur qui débordait de brochures sur toutes sortes d'écoles et d'entreprises tout en naviguant sur l'Internet de l'ordinateur de la réception.

– Tu restes ici ce soir ? lui demanda Scarlett.

– Non, je sors avec des amies qui rentrent de Smith. Tu te rappelles, Ash et Meg ?

– Ah, oui.

– Si tu es libre, il y a un énorme mailing : il faut remplir les adresses et timbrer les enveloppes. Tu nous rendrais un immense service.

Elle indiqua un énorme carton à ses pieds rempli de brochures toutes fraîches sur l'hôtel Hopewell.

– On a décidé d'en envoyer à toutes les agences de voyage qui proposent des séjours à New York cet automne. Tu verras, j'ai rangé la liste et les timbres dans le carton.

Scarlett souleva le carton, épouvantablement lourd, pour l'emporter dans l'ascenseur. Elle arriva dans sa chambre, où il faisait chaud à mourir et beaucoup trop sombre. Elle ouvrit les rideaux mauves et alluma, mais l'atmosphère était toujours aussi triste et décourageante. Elle alla à la fenêtre pour observer ce samedi soir à New York.

La voisine qui ne savait jamais comment s'habiller était là, impeccable, prête à sortir. Mr Tout-Pour-Mon-Petit-Déjeuner déballait des packs de six bouteilles de bière sur le comptoir de sa cuisine. Même la femme nue (à présent vêtue) fit une apparition, avec une espèce d'ensemble pantalon-chemisier couvert de perles. Elle aussi s'apprêtait à passer la soirée dehors. Scarlett était la seule à ne pas sortir, condamnée à recopier des adresses et à timbrer des enveloppes.

Elle s'écroula sur son lit, suffoquant sous la chaleur. Pourquoi ne vivaient-ils pas dans une banlieue où il suffisait de prendre sa voiture et d'aller au centre commercial comme tout le monde ? Certes, elle n'aurait pas tenu très longtemps. Une fois, elle avait passé deux semaines chez ses grands-parents en Floride, mais après la découverte du soleil merveilleux, de Disneyworld et des lamantins, il n'y avait rien à faire sinon aller dans un restaurant de poisson ou dans une boutique d'accessoires pour animaux domestiques.

Au fond, elle n'avait envie d'aller nulle part. Sauf avec Éric. Éric... le parfum et le poison de sa nouvelle vie.

Elle se leva, prit le carton et le traîna jusqu'à la suite Jazz, la seule chambre du sixième qui avait une climatisation en état. Elle alluma la télé et plongea dans la série *Crime et Châtiment.*

Crime et Châtiment était la série la plus prévisible qui soit. Dix premières minutes : un meurtre. Dix minutes suivantes : une enquête policière. À la demie, un mauvais suspect était relâché. À moins le quart, le bon coupable était jugé. Un ultime rebondissement avait lieu huit minutes avant la fin, et tout était résolu. Scarlett avait besoin de ça, un navet sans surprise mais efficace. Suspects visqueux et flics avec sens de la repartie. Un baume pour le cœur. Enfin... jusqu'à ce que Marlène débarque, toujours aussi amène, alors qu'on venait d'identifier le meurtrier.

– Moi, j'ai la télé dans ma chambre, annonça-t-elle. J'ai demandé qu'on me la monte.

– Comment ça « qu'on me la monte » ? À qui ? Y aurait-il un comité spécial télé qui m'aurait échappé ?

Marlène ignora sa sœur, saisit la télécommande et zappa.

– Arrête, j'étais en train de regarder *Crime et Châtiment* !

– Pourquoi tu ne sors pas ? répondit Marlène en la toisant du regard. Il est où, ton copain ? Il t'a déjà larguée ?

Dans la vie, il y a une limite à tout, que Marlène venait de franchir.

– Tu veux que je te dise ? s'écria Scarlett. Ça ne va pas marcher éternellement, ton petit chantage. Tout le monde ne va pas, et jusqu'à la fin de tes jours, essayer de t'épargner parce que mademoiselle a été malade. Un jour, il faudra que tu apprennes à te comporter comme tout le monde. Sinon les autres te trouveront toujours méchante et pathétique. Et ils n'auront pas tort.

Scarlett regrettait déjà ses paroles. Qui tombèrent comme un couperet. Les traits du visage de Marlène, d'habitude légèrement méprisants, s'affaissèrent. Elle éclata en sanglots. Scarlett demeura immmobile. Puis se leva pour aller passer le bras autour de l'épaule de sa petite sœur.

– Pardon, chuchota-t-elle. Mais essaie de comprendre, Marlène…

Celle-ci la repoussa violemment et brailla de plus belle.

Scarlett retourna dans sa chambre et s'assit sur son lit, où gisait son portable, l'écran désespérément vide. Pas d'appel, pas d'Éric.

Quinze minutes plus tard, l'alarme de la maison retentit, soit le martèlement des pas de sa mère qui frappa et entra.

– Qu'est-ce que tu viens de dire à Marlène? Qu'elle était méchante?

Pourquoi lui posait-elle la question puisqu'elle savait?

– Scarlett?

– J'ai dit tout haut ce que tout le monde pense tout bas. Qu'elle se tient mal. Que son attitude empoisonne la vie des autres. Elle a onze ans. Jamais on ne m'aurait laissée me comporter comme ça à cet âge.

– Rien à voir avec toi. Tu crois que la solution c'est de l'accuser d'être méchante?

– C'est sorti tout seul.

– Tu sais ce qu'elle a traversé.

– C'était il y a quatre ans. D'abord pourquoi... pourquoi personne n'a jamais le droit de lui dire qu'elle a tort ? Les gens se fichent de savoir qu'elle a été gravement malade. Personne ne pourra jamais la supporter si elle continue comme ça.

Scarlett était trop... trop proche de la vérité qui blesse et qui, en l'occurrence, était difficile à nier. Sa mère ne lui fit pas même grâce d'un « Je suis extrêmement déçue, Scarlett », signal d'adieu parental insignifiant mais glaçant. Elle tourna les talons et quitta la chambre.

Quelques instants plus tard, Lola remonta, déjà au courant de tous les détails du drame. Une rage profonde affleurait derrière son masque de placidité vertueuse.

– Non ! se défendit Scarlett.

– Quoi, non ? répliqua Lola en se dirigeant vers la coiffeuse pour retirer ses diamants roses.

Elle remonta ses cheveux en chignon, se déshabilla, enfila son pyjama-short, s'assit et prit le temps de s'appliquer toute la gamme de soins pour le visage, crèmes hydratantes, lotions toniques, jusqu'à ce que sa sœur craque.

– J'ai compris, lâcha-t-elle. Je lui ai tout balancé, et tu vas me répondre qu'elle m'adore, qu'elle m'admire, alors que je viens de l'agresser.

– Pas du tout, répondit Lola en opérant de petits massages circulaires sur son visage pour faire pénétrer une mystérieuse crème. Je ne pense pas qu'elle te déteste, d'un autre côté il est clair qu'elle ne t'aime pas.

Peut-être que quand elle aura, je ne sais pas… une vingtaine d'années, ça changera, mais je n'en suis pas sûre.
Il y a des frères et sœurs qui se haïssent toute leur vie.

Lola s'allongea sur son lit et se plongea dans une des
brochures.

– Spencer vient de rentrer, ajouta-t-elle. Il a l'air à
peu près aussi en forme que toi.

– Rien à foutre.

– Je t'en prie! Depuis que tu traînes avec ces théâtreux, tu as l'air pitoyable. Vas-y, va dans sa chambre
et discutez tous les deux jusqu'à ce qu'il crache le
morceau.

– Il a sûrement fermé à double tour.

– Tu n'as qu'à frapper.

— Et si…

– Vas-y! répéta Lola. Tu ne peux pas te fâcher avec
nous trois en même temps, non? Je t'interdis de revenir
tant que vous ne vous serez pas réconciliés.

Son ton était suffisamment impérieux pour que Scarlett s'exécute et se dirige comme un robot vers la suite
Maxwell. Tel était le pouvoir de Lola, dont elle savait
user quand il le fallait, et qui lui avait permis d'être élue
meilleure vendeuse du rayon maquillage de chez Henri
Bendel, avant de se faire renvoyer.

La porte de Spencer était fermée, mais un rai de
lumière filtrait au sol. Scarlett frappa, ou plutôt allait
frapper, quand l'étrange réaction de son frère cet après-
midi-là lui revint en mémoire. Son regard suffisant, son
rire bizarre… et sa colère à elle, son malaise.

Elle fit demi-tour mais la porte de sa chambre était
fermée à clé elle aussi.

– Déjà ? Impossible ! s'écria Lola de l'intérieur. Sérieux. Retente ta chance.

Elle n'en pouvait plus, elle se cassait le nez sur chaque porte ! Elle était tellement découragée, tellement désespérée qu'elle abandonna et descendit au cinquième, direction la chambre du bout du couloir. Elle frappa, une fois, et la porte s'ouvrit.

– Enfin ! lança Mrs Amberson. Comme je ne t'ai pas vue au dîner d'équipe…

– Vous y étiez ?

– Respire un grand coup, O'Hara. Tout peut être surmonté à partir du moment où l'on respire comme il faut. Mon petit doigt me dit que tu as quelques petits soucis personnels.

– Plus ou moins, oui.

– Dans ce cas-là, tu as bien fait de venir me voir. Rendez-vous en bas dans cinq minutes. Je t'emmène dans un endroit exceptionnel.

L'endroit exceptionnel n'était autre qu'un restaurant du nom de *Raw Deal*, où rien n'était cuit et tout avait une apparence trompeuse. Les steaks étaient préparés à base de graines de sésame et de farine de millet. La sauce tomate à partir de betteraves. Le Coca était un mélange sirupeux de sève d'arbre et de misère humaine.

Elles s'installèrent dehors, afin que Mrs Amberson puisse fumer, au grand dam du personnel et des autres clients.

– Depuis une semaine, commença-t-elle en crachant un long ruban de fumée du côté d'un pauvre type à l'air grognon dévorant une pyramide de lentilles, tu as la mine de quelqu'un qu'on enverrait au fond de la fosse des Mariannes dans une vieille Citroën. Si tu ne m'avoues pas ce qu'il se passe, je serai obligée de mener mon enquête, et ça risque d'être désagréable pour toi.

Un serveur arriva, sûrement pour lui demander d'éviter de souffler comme un dragon vers les tables voisines, mais Mrs Amberson lui coupa l'herbe sous le pied en commandant une crème de haricots *adzuki* aux miettes d'algues bleues, le tout avec un sourire synonyme de « Évitez de me contrarier sinon je vous crame sur place ».

Il ne manquait plus que ça dans la vie de Scarlett, une enquête fouillée de Mrs Amberson. Elle n'avait pas le choix. Autant lui avouer tout de suite.

– Je suis… enfin, disons… avec un des acteurs de la troupe.

– Ah, le fameux verbe manquant. C'est comme la corde manquante. Et comment les choses se passent-elles avec Éric ?

– Euh… ça va.

– Ça va, pas plus ? Je vous enferme tous les deux dans une ravissante église désaffectée, j'organise une fête, je distrais ton frère pendant que vous prenez la fuite… Tout juste si je ne vous envoie pas dans une barque à deux sur la mer. Quel est le problème ?

– Je ne sais pas. Il y a lui, il y a Spencer…

– Explique-moi. Ne fais pas ta chochotte. Je ne peux pas t'aider si tu ne me donnes pas plus de détails.

C'est ainsi que Scarlett raconta toute son histoire, et depuis le début. Mrs Amberson l'écoutait, très concentrée. À la fin, elle ouvrit et referma son étui à cigarettes plusieurs fois.

– Je compatis, conclut-elle. Tout s'explique.

– C'est vrai ?

– Commençons par Spencer. Il est vexé pour deux raisons ; la première superficielle, la seconde plus profonde. Je suis sûre que tu as deviné la première. Il a peur que vous rompiez, auquel cas il en voudrait à mort à Éric, et il aurait du mal à continuer à travailler avec lui. La seconde raison, c'est qu'il est jaloux.

– Jaloux ?

– Je l'observe sur scène depuis des jours. Tu sais où il regarde quand il répète ? Pas vers moi, ni vers Trevor, ni vers cette greluche qui lui court après depuis plus d'une semaine. Son public, c'est toi, Scarlett. Un seul avis lui importe, le tien. Que tu ries, que tu sois impressionnée, voilà tout ce qui compte à ses yeux. Or Éric lui a volé la priorité. C'est à lui que tu risques de confier tes secrets et à lui que tu risques de faire part de tes plaisanteries. C'est là que le bât blesse, Scarlett.

Elle avait diablement raison.

– Spencer ne se rend sûrement pas compte de la violence de sa réaction. Sauf qu'un jour il faudra que cela change entre vous deux. Il va vous quitter. Tu vas retourner au lycée. L'occasion se présentera. N'essaie pas de lutter contre le changement de situation, au contraire, accepte-le.

– J'essaie. Mais il ne m'adresse quasiment plus la parole.

– Et Éric ? Tout ça est lié. Ce sont deux comédiens, et je connais les comédiens. C'est un sujet que j'ai retourné dans tous les sens, crois-moi.

Elle fit une longue pause, songeuse, tripotant son

briquet qui cliqueta et crachota quand elle essaya d'allumer une nouvelle cigarette. Scarlett l'observait, muette, jusqu'à ce qu'elle l'allume et tire une première bouffée.

– Un comédien de dix-huit ans, c'est dangereux. Surtout à New York. Les acteurs crèvent tous de faim. Ils se démènent, travaillent énormément, tout ça pour se faire aimer. Éric est pareil.

– Il est du Sud.

– Le Sud, c'est son fonds de commerce. Ce qui n'a rien de mauvais en soi, tous les acteurs ont leur petit fonds de commerce. Mais ça ne change rien au profil de base. Comprends-moi, beaucoup de comédiens sont persuadés que, pour attirer la demande, il faut avoir l'air disponible en permanence. C'est une question de travail, pas de flirt.

– Si je comprends bien, il n'avouera jamais qu'il sort avec moi parce qu'il cherche à séduire tout le monde?

– Non. Simplement, le fait qu'il soit du Sud n'a rien à voir avec son comportement. Remarque, répondre qu'il est incapable de te dire si vous sortez ensemble est un tour de passe-passe assez habile. « Je sais ce que tu penses, les choses ne se passent pas comme ça à New York » : c'est grandiose!

– Je n'aurais jamais dû lui poser la question? demanda Scarlett dont la voix chutait vertigineusement.

Mrs Amberson chassa la fumée d'un geste de la main.

– Ne t'inquiète pas pour ça en particulier, ni parce qu'il ne t'a pas répondu. Ils évitent tous de répondre, aussi longtemps que possible. Bienvenue dans le monde de la vie amoureuse, O'Hara. Mais il faut que tu apprennes à être plus stratège. Éric l'est sûrement. Il te flatte en jouant sur le fait que tu es de New York, que tu as beaucoup plus d'expérience, tout ça pour éviter de répondre... pas parce qu'il ne t'aime pas, mais parce que les règles du jeu sont ainsi.

Scarlett commençait à avoir mal à la tête.

– Je croyais qu'être avec quelqu'un c'était pouvoir lui faire entièrement confiance, dit-elle. Je n'imaginais pas ça comme un jeu.

Qu'elle était niaise d'avouer une chose pareille! Mrs Amberson lui coula un regard protecteur à hurler, comme sur un chiot un peu lent à la détente qui se serait coincé le museau dans une chaussure.

– Toi, tu mérites qu'on te fasse confiance, reprit-elle. Mais tu as aussi ta façon de présenter la vérité. La vie est un art, O'Hara, et chacun de nous doit cultiver son image. Ne t'inquiète pas, c'est un art qui s'apprend et tu es futée. En tout cas, pour l'instant, j'ai une mission pour toi qui va résoudre tes problèmes.

Elle prit un peu de crème de haricots *adzuki* avec son doigt et poursuivit :

– Demain après-midi, environ trois heures avant la répétition, tu apporteras ce livre à Éric. (Elle sortit de son sac un ouvrage intitulé *Tactiques de « théâtre viral » chez Shakespeare*.) Je l'appellerai pour le prévenir de ta venue. Tu mettras cette robe, donc évite de la salir ce soir.

– Je l'ai portée toute la journée, se défendit Scarlett avec une pensée pour Lola. Il ne vaudrait pas mieux que je change?

– Peu importe ce que tu mets, les hommes – sauf s'ils sont *gay* – ne remarquent rien. Sans compter que cette robe est parfaite, classique. Personnellement, je préfère une tenue simple et bien coupée à une garde-robe pleine de tenues nazes.

C'était réconfortant à entendre. Mrs Amberson n'appartenait pas au club des odieuses snobinardes folles de fringues.

– Dis-lui que je voudrais qu'il lise le chapitre quatre, non pas que je sache de quoi il cause, note bien. Évidemment, comme tu auras pris la peine de descendre jusque chez lui, il te proposera de rester jusqu'à la répétition. Et tu refuseras.

– Je refuserai ?

– Oui. Tu iras t'installer dans le petit café au coin, celui qui a une bôme rouge. Il y a un très bon éclairage. Quant au bouquin sur Shakespeare, je ne l'ai pas vraiment lu, mais suffisamment pour voir qu'il est ennuyeux à mourir. Éric craquera très vite et sortira de chez lui. Toi, tu seras assise, ravissante, devant la fenêtre, en train d'écrire. Débrouille-toi pour avoir une place près de la vitre. Tu ne le verras pas, sauf s'il se plante devant toi et s'assoit à ta table. Tâche de rester concentrée, comme si tu l'avais oublié.

« C'est pas mal comme plan, songeait Scarlett, pas mal du tout. »

– Pendant ce temps-là, je serai en répétition avec ton frère, un peu en avance, pour discuter de la scène de la bagarre. Je lui confierai mes inquiétudes, depuis quelques jours tu as l'air triste, etc., sauf quand tu le regardes jouer. Spencer se sentira à la fois flatté et coupable, il voudra te parler. De son côté, Éric sera impressionné de voir ta capacité de travail, ton indépendance, ta fermeté. En plus, tu seras toute mignonne.

Il comprendra qu'il faut qu'il rehausse un peu le niveau. Si tu ne les as pas dans la poche tous les deux à la fin de la soirée, je m'inflige un *Happy Meal*.

Le menace n'était pas rien dans la bouche de Mrs Amberson.

– Attends, la cerise sur le gâteau, ajouta-t-elle en souriant. Je te demanderai de monter sur la scène pour remplacer Hamlet pendant la séquence de la bagarre. Tu n'auras rien à faire, juste rester là, immobile. Ça permettra à Hamlet de relire son texte, et toi, tu seras sur le devant de la scène, dans tous les sens du terme.

Elle claqua des doigts pour demander l'addition, que le serveur contrarié fut ravi d'apporter.

– Allez, il faut que tu dormes une bonne nuit. Je t'enverrai Charlie pour te couvrir les yeux. Ça évite de gonfler.

– De gonfler?

– Autre règle dans la vie, O'Hara, précisa-t-elle en balançant une poignée de billets au serveur. Sache qu'on est toujours un peu gonflé. Lola a très bien compris ça, je te le garantis. Toute l'industrie cosmétique est fondée sur cette vérité.

Mrs Amberson semblait toujours au courant de certaines « vérités » qui flottaient sous la surface de la réalité quotidienne. À l'écouter, Scarlett ne comprenait jamais ce qu'il se tramait autour d'elle.

C'était assez angoissant, mais ça expliquait beaucoup de choses.

Exécution du plan

Pour quelqu'un qui dormit avec un furet mort sur le visage, Scarlett passa une très bonne nuit. Charlie lui fut en effet très utile car il masqua entièrement la lumière. Pour la première fois depuis le début de la semaine, elle se sentait reposée.

Lola, fidèle à elle-même, ne fit aucun commentaire sur le furet mort. Elle le ramassa alors qu'il venait de tomber entre leurs lits, le renifla et précisa :

– Essence de lavande. Pas n'importe quoi. Je m'en doutais. Ça fait toute la différence.

– Il s'appelle Charlie.

– Peu importe son nom, tu as l'air beaucoup mieux ce matin. Un peu moins gonflée.

– Parce que j'étais gonflée ? répondit sa sœur en se tâtant le visage.

C'était la preuve troublante que Mrs Amberson avait raison.

– À cause du stress de ta brouille avec Spencer. Ça a été ?

– Euh… oui ?

– Il y a trop longtemps que tu n'as pas le moral. Je suis contente que aies rattrapé le coup. C'était insupportable.

– Pour moi la première.

Si elle lui disait que ce n'était pas vrai, qu'elle se préparait à rattraper le coup dans la journée? Serait-ce un mensonge?

Elle suivit les instructions de Mrs Amberson à la lettre. Elle enfila la robe noire, coiffa ses boucles folles et s'autorisa un léger rouge à lèvres. Elle se permit même un raid sur le tiroir aux mystères de Lola au cas où elle trouverait un accessoire.

Mrs Amberson l'appela pour lui annoncer qu'elle avait eu Éric au téléphone et qu'il attendait le livre. Scarlett emporta son ordinateur. Tout était sous contrôle.

Elle arriva au pied de chez lui et dut sonner trois fois avant qu'il ne réponde. Plutôt que d'utiliser l'interphone, il proposa de descendre lui ouvrir – ce n'était pas rien. *Dont acte*. Il bloqua la porte avec son corps, pieds nus, les cheveux en pétard.

Elle en était au moment où il était censé l'inviter à monter et lui offrir un abri contre le soleil brûlant. Au lieu de quoi, il saisit le livre. Scarlett, obnubilée par cette histoire de gonflement, ne voyait plus que ça. Éric avait les yeux légèrement bouffis, et beaucoup plus rouges que d'habitude.

– Alors… on se voit à la répétition? demanda-t-il.

Qu'elle était naïve! Pourquoi s'étonner que le plan de Mrs Amberson ne fonctionne pas dès la première seconde et à la virgule près?

– En fait, bredouilla-t-elle, je préfère rester dans le coin pour écrire.

Elle indiqua le café à la bôme rouge en tapotant sur son ordinateur sous son bras.

– Ah, je vois. Je passerai te prendre en sortant, d'accord?

Pourquoi Éric, monsieur Bonnes Manières du Sud version 1877, ne lui avait-il pas proposé de monter?

Plusieurs raisons étaient possibles. Ou bien son studio était trop en désordre. Ou il était malade. Ou encore un documentaire sur la guerre de Sécession passait à la télé, et sa grand-mère lui avait interdit de regarder toute émission sur le sujet avec une fille de Yankees.

Le café était plein, comme par hasard. Les tables situées près des fenêtres étaient occupées.

Il y avait en face un traiteur. Du moment qu'aucun camion ne lui cachait la vue, elle pourrait surveiller les marches de l'immeuble d'Éric. Elle traversa, s'installa, et ouvrit son ordinateur avec une tasse de café « bouillu ». Bon, c'est vrai, ça faisait un peu espionnage, mais il n'aurait pas dû se la jouer capitaine Mystère depuis le début de la semaine.

Deux heures à attendre que quelqu'un sorte de chez lui, c'est long! Enfin elle comprenait pourquoi les flics de la série *Crime et Châtiment* avaient toujours l'air de s'ennuyer à mourir. Heureusement, sa patience et sa décision de relever le niveau question comportement furent récompensés. Vingt minutes avant l'heure de la répétition, Éric apparut, se tourna vers le café, chaussa ses lunettes et s'assit sur les marches.

– Qu'est-ce qu'il fabrique ? demanda Scarlett à voix haute.

Jusqu'au moment où elle se douta qu'il l'attendait. Elle referma son ordinateur et le fourra dans son sac.

Elle quittait le traiteur quand elle vit une fille avec un sac de voyage matelassé sortir de l'immeuble d'Éric. La fille était menue, dorée comme un pruneau, avec une jupe en jean, un joli débardeur et d'immenses lunettes de soleil. Elle s'arrêta et échangea quelques mots avec Éric. Ou contre Éric. Qui ne répondit rien.

Scarlett s'attendait à tout sauf à une fille.

Elle se précipita derrière une voiture garée et se jeta sur sa chaussure comme pour la réparer. Accroupie, elle put observer la scène, le cœur battant la chamade. Ils discutaient ensemble, mais un espace correct les séparait, et Éric avait les bras croisés, tranquillement, comme s'il réfléchissait. La fille avait l'air contrariée et agitait les bras. Elle arrêta brutalement de gesticuler et décampa. Éric ne fit pas un geste. La moutarde qui lui montait au nez depuis l'apparition de Miss Pruneau McBigLunettes se tassa.

Un incident avait dû avoir lieu dans l'immeuble, mais quoi ? La fille avait dû s'arrêter pour signaler ou se plaindre de quelque chose. Rien à craindre de ce côté.

« Que je suis bête ! » songea Scarlett. Elle recula, rampa jusqu'au coin de la rue de façon à ce qu'Éric ne la voie pas se redresser. Le coup de la chaussure ne pouvait pas durer. Il lui fallait un nouveau prétexte pour bouger.

Elle attendit une minute ou deux, prenant le temps de caresser un labrador attaché à un panneau « stop », dont le propriétaire venait d'entrer dans une boulangerie. Le pauvre chien, perdu et penaud, semblait ravi de cette compagnie.

– Attendre, c'est ce qu'il y a de pire, lui confia Scarlett, je te comprends.

Le chien agita la queue en signe d'acquiescement.

Scarlett l'abandonna et contourna le coin de la rue. Éric était toujours là, les yeux levés vers la fenêtre de son studio. Elle secoua ses boucles, se redressa et afficha son air de « Je passais dans le coin, quelle coïncidence ! » qui, au fond, n'était pas très loin de son air normal, les yeux un peu plus écarquillés.

– Salut, lança-t-elle, je passais par là.

– Salut… répondit-il avec un accent du Sud à couper au couteau, allongeant chaque syllabe à l'infini. C'est l'heure, non ?

Il se leva, lentement, comme s'il se demandait ce qu'il fichait là, et la suivit.

– Tu as l'air fatigué, dit-il.

– Oui. Je n'ai pas beaucoup dormi la nuit dernière.

La conversation s'arrêta là, le temps de remonter quelques pâtés de maisons. Scarlett essaya de combler le silence en lui racontant comment Lola présentait les rouleaux de papier toilette, déposait des gouttes de lavande ou préparait la table pour le petit-déjeuner. Ne sachant pas s'il écoutait, elle se tut à quelques dizaines de mètres de l'église.

– Arrête-toi, deux secondes, dit-il en ralentissant. J'ai repensé à ta question. Tu as raison, il faut qu'on réfléchisse.

Bien. Très bien… Soudain, Scarlett bénit le soleil sur sa peau, l'odeur de détergent de la laverie voisine et les passants qui les bousculaient, accrochés à leur portable. Ça marchait, sa vie marchait! Et tout le monde était heureux. Éric réfléchissait. Le plan de Mrs Amberson ne se déroulait pas exactement comme prévu, mais quand même…

– Je ne suis pas sûr de pouvoir assumer ce rôle, ajouta-t-il.

– Quel rôle?

Pause. Longue, terrible pause.

– De petit ami. (Il jouait avec ses lunettes de soleil.) Et si je n'assume pas, je ne sais pas si tu as intérêt à ce que ça continue.

– Si c'est à cause de Spencer, je viens de parler avec lui. Je sais que son comportement est un peu bizarre, mais ça n'a rien à voir avec toi. C'est parce que je lui ai tout caché.

– Tu ne comprends pas. C'est ma faute. Je n'ai aucune envie de te perdre, ni toi, ni ton frère…

Scarlett n'entendit pas la suite. Il était absolument sincère. Elle le savait, dans sa chair, son sang, son cœur, son esprit. Il était en train de la larguer. L'odeur de détergent la prit à la gorge, les passants au téléphone se firent assourdissants, la lumière éblouissante. Le sol se déroba sous ses pieds.

Elle eut vaguement conscience qu'ils se dirigeaient vers l'église et que plusieurs comédiens étaient déjà là.

– Excuse-moi, dit-elle en entrant tout à coup dans l'église en bousculant tout le monde.

Il y faisait une chaleur étouffante. Elle laissa tomber bruyamment son sac sur le sol, oubliant qu'il contenait son ordinateur, mais elle s'en fichait. Les acteurs s'activaient et commençaient à se costumer. On lui disait bonjour, on engageait la conversation, mais elle était incapable de réagir. Elle se glissa derrière la scène.

Mrs Amberson était occupée à discuter, et Spencer, déjà habillé, tournoyait autour la scène sur son monocycle. Elle ne voyait rien, n'entendait rien. Elle appuya la tête contre le mur et essaya de respirer profondément.

– En scène! s'écria Mrs Amberson. Nous allons commencer par la bagarre entre Éric et Spencer pour nous mettre en jambes. Vous pouvez leur laisser un peu d'espace?

Pitié! Le plan se déroulait et se dirigeait vers sa conclusion atroce.

– Scarlett! Scarlett, où es-tu? J'ai besoin que tu viennes remplacer Hamlet pendant qu'il se change.

À peine consciente, elle monta sur la scène et prit le scénario que lui tendait Paulette. Spencer la fixait, immobile, les sourcils froncés. Elle se détourna quand Éric fit son apparition en boutonnant sa chemise à la hâte et en remontant ses manches. Sans un regard pour elle.

– C'est bon, lança Mrs Amberson avec un subtil clin d'œil à son adresse. Nous allons travailler la technique.

Scarlett alla se planquer là où Mrs Amberson le lui indiqua. Éric et Spencer se placèrent derrière elle. Spencer ne la quittait pas des yeux, il avait compris que ça n'allait pas, elle paniquait d'autant plus.

– Action! lança Trevor.

Éric se jeta sur Spencer et le prit par le cou en le traînant vers Scarlett. Spencer se dégagea en roulant sur le côté, parfait, et balança un croche-pied expert à Éric qui tomba et atterrit à ses pieds. Éric à ses pieds! Ses oreilles tintaient.

– Monseigneur, qu'avez-vous fait du corps ? demanda-t-il.

Scarlett se rappela vaguement qu'il fallait qu'elle réplique. Les mots valsaient sous ses yeux.

– Repétri dans la poussière d'où il est issu.

Sa voix n'était qu'un faible filet.

– Plus fort, la somma Mrs Amberson.

– Repétri dans la poussière d'où il est issu, lut-elle à nouveau.

Spencer tenta une feinte mais Éric se précipita sur lui et le rattrapa, et tous deux se mirent à se taper dessus en s'éloignant. Scarlett retrouva un peu d'équilibre. Plus que quelques minutes…

Nouvelle claque.

Spencer était à plat ventre, face contre terre, pour la énième fois. Tout le monde dans la salle éclata de rire.

– Relève-toi, Spencer, et tout de suite, s'écria Trevor. Viens ici, tourne-toi et frappe-le.

C'était nouveau, mais pourquoi pas ? Vite, après elle pourrait partir, vomir, se rouler en boule et mourir.

Spencer se redressa et s'exécuta. Il bondit sur Éric qui pivota pour faire face, tel un partenaire de danse. Il brandit le bras en reculant, prêt à assener son coup de poing, le clou de son numéro, quand Scarlett vit une étrange expression passer sur le visage de son frère, qu'elle ne lui avait vue que très rarement.

Spencer ne sut retenir son poing à temps, un bruit sourd retentit, qui n'avait rien d'un faux coup. Éric vacilla, vacilla pour de bon, perdit l'équilibre, s'écroula, et atterrit sur le dos avec une violence inouïe.

Il était temps qu'elle parte.

Mlle Calculs

Toutes les têtes se détournèrent du carnage pour suivre des yeux Scarlett qui sortit en chancelant, quittant l'obscurité pour déboucher sous le soleil aveuglant. Elle ne suivait plus que ses jambes, contourna l'église à l'aveuglette et se dirigea vers un terrain de jeux voisin. Elle repéra un petit mur de briques, fonça dessus et plongea son visage entre ses genoux.

Elle était seule, à part deux ou trois pigeons que rien n'effrayait, pas même un être humain qui les aurait pourchassés en agitant les bras comme un moulin. Elle ferma les yeux pour tout effacer. En vain. La fille. Le regard sur son visage. Éric gisant sur la scène.

Peu à peu, elle sentit une présence, mais elle n'avait pas le courage de lever les yeux. La présence glissa le long du muret et s'assit à côté d'elle.

– Tu te rappelles quand j'ai failli m'immoler ?

Elle releva la tête, juste assez pour reconnaître les chaussures de son frère.

– J'avais vu ça à la télé, les types des effets spéciaux expliquaient comment ils procèdent quand ils n'ont plus rien à faire exploser. J'ai aspergé mon pantalon de laque et j'ai allumé. J'ai maîtrisé la situation environ trente secondes. C'était spectaculaire. Sauf que je n'avais pas prévu la sortie. Enchaîner arrêt, chute et roulade, ça prend plus longtemps qu'on ne le pense.

Scarlett se souvenait très bien de l'épisode, mais elle demeura muette. Une boule insupportable lui nouait la gorge. Elle luttait pour reprendre ses esprits et retrouver un peu de dignité.

– Je ne te demande rien, reprit Spencer. Mais tu as remarqué à quel point je peux m'enfoncer dans la nullité? Tu prétends ne rien voir, mais tu vois tout, non?

Elle ne le trouvait pas nul du tout, la nullité était son privilège à elle. Trop bête de croire qu'elle pouvait sortir avec Éric, suivre les conseils de Mrs Amberson, ne pas écouter son frère dès le début. Elle aurait voulu lui demander pardon, mais ne réussit à émettre qu'un cri assez proche du coin-coin.

– C'est bien ce que je pensais, approuva Spencer en passant le bras autour de ses épaules.

Un torrent de larmes jaillit d'un réservoir inconnu enfoui en elle. Elle plongea le visage dans les plis de la veste de son frère et sanglota, sanglota, sanglota si violemment que les oiseaux prirent peur et s'envolèrent. Elle se vida entièrement, jusqu'au moment où elle fut à sec.

Combien de temps la crise dura-t-elle? Quelques minutes, mais elle avait l'impression d'avoir pleuré des heures. Elle s'efforça de maîtriser sa respiration, mais son souffle tremblait, vacillait, trébuchait, et elle avait le hoquet. Jamais elle ne s'était mise dans un tel état depuis qu'elle était petite, à l'époque où elle courait se réfugier dans les bras de son frère quand elle était blessée ou vexée. La régression était grave.

Il releva son menton pour observer son visage. Elle se sentait bouffie, laide comme un pou, la lumière du soleil l'aveuglait. La veste de Spencer était trempée et un long truc visqueux pendouillait entre son nez et le haut de son col. Il le retira avec sa manche.

– Ça va mieux ? demanda-t-il.

– Oui, merci.

– Non... ça ne va pas. (Il essuya son visage et dégagea une boucle sur sa joue.) Quand je pense que je viens de cogner mon partenaire en pleine figure.

– Je suis désolée...

– Ce n'est pas ta faute. C'est moi. D'ailleurs, il va falloir que j'y retourne et que je m'explique.

Il se redressa et lui tendit la main pour l'aider.

– Tiens, qui vois-je ?

À l'autre bout du terrain de jeux se tenait Mrs Amberson, jouant nerveusement avec son étui à cigarettes.

– Tu ferais mieux d'y retourner, annonça-t-elle.

Spencer jeta un regard sur sa sœur pour voir comment elle allait. Pas terrible.

– Je reste, dit Scarlett. On se voit à la maison.

– D'accord... répondit-il à contrecœur et il s'éloigna en traînant les pieds.

– Mon plan n'a pas tout à fait fonctionné comme je l'avais prévu, admit Mrs Amberson en se rapprochant.

Scarlett n'avait pas le courage de commenter. Le fait est que...

– Vous croyez qu'ils ont remarqué ? bredouilla-t-elle.

– Ne t'inquiète pas. Les comédiens adorent le drame, par définition. Ils en ont eu un bel exemple ce soir.

– Spencer a glissé.

– Je sais. Les accidents, ça arrive. Ce n'est rien, juste un contretemps, O'Hara... et encore. Les scènes font partie de la vie amoureuse. La réconciliation est ce qu'il y a de meilleur. Dis-moi ce qu'il s'est passé exactement et je vais réfléchir à une solution.

– Non, je vous en supplie, arrêtez d'essayer de me repêcher.

– Trop tôt. Allez, prends ton après-midi. Tiens, ajouta-t-elle en lui tendant un peu d'argent. On en reparlera plus tard.

Lola, infatigable, était encore à la réception quand Scarlett rentra. Elle cachetait et recopiait les adresses sur les enveloppes que sa sœur avait dû abandonner.

– Quelqu'un a laissé un message pour toi, annonça-t-elle en lui tendant un bout de papier. Mrs Amberson, je parie. Ça va ? Tu as les yeux gonflés.

– Hum... problème d'allergie.

– Tu es sûre ?

Scarlett prit le bout de papier.

– La femme voulait une réponse rapide. Tu es sûre que tu es sujette aux allergies ?

– Non, mais ça va, répondit Scarlett en s'échappant vers l'ascenseur. Je vais rappeler. Merci.

Elle entra dans sa chambre et ferma les rideaux mauves. Elle entendit ses parents hurler contre les pigeons (« les rats volants ») de leur fenêtre à l'étage inférieur. Elle s'écroula sur son lit et se laissa engourdir par la chaleur.

Quelques heures plus tard, la porte grinça et Spencer pointa son nez avec un sachet en papier à la main.

– Je t'ai apporté une petite surprise, de la soupe aux raviolis de chez *Joe's Shangai*. Pas mal, non ?

C'était le plat préféré de Scarlett. Des raviolis chinois avec une petite boulette de viande flottant dans la meilleure soupe du monde.

– Je n'ai pas très faim.

– Allez. Je suis descendu jusqu'au restaurant pour toi. Une bouchée ?

Scarlett prit le sachet et en sortit la boîte de soupe fumante. Elle scruta les irrésistibles petites boules flottantes qui lui mettaient systématiquement l'eau à la bouche. Non… elle ne pouvait pas, elle avait la nausée.

Spencer se laissa choir à ses pieds.

– Comment va-t-il ? demanda-t-elle, incapable de prononcer le nom d'Éric.

– Blessé. Mais ça va. J'espérais lui avoir fichu un œil au beurre noir, au point où j'en étais, heureusement non. S'il avait réagi, ça aurait pu être pire.

– Tu n'es pas trop dans la mouise ?

– Non. Lui aussi avait envie d'en découdre, répondit Spencer. Quelqu'un lui a apporté de la glace, il a balancé une vanne, moi une autre. On a attendu une demi-heure et on a recommencé la scène. Allez, mange.

Elle grignota un bout de pâte de riz pour faire plaisir à son frère, puis abandonna et reposa la soupe.

– Qu'est-ce qu'il t'a pris ?

– Tu aimes bien la soupe, non ?

– Réponds-moi.

– Tout ce que je sais, répondit-il en prenant le bol de soupe, c'est qu'Amy est passée nous voir dans l'après-midi et elle n'a pas arrêté de me bassiner comme quoi tu avais l'air trop triste.

Ah, oui! Son fameux plan.

– Ensuite tu as débarqué avec Éric. Jamais je ne t'avais vue tirer une tronche pareille. On répétait, on était sur la scène, tout allait vite, quelqu'un m'a demandé de frapper. Mon cerveau a obéi, automatique-ment, j'ai frappé. Je me suis presque dédoublé. J'ai vu le moment où mon poing aurait dû s'arrêter… sauf qu'il a percuté.

Il fourra un ravioli dans sa bouche, oubliant de per-cer un petit trou pour évacuer la chaleur, et se brûla en hurlant. Scarlett se demanda si ce n'était pas de l'auto-flagellation.

– Tu étais au courant pour l'autre fille? ajouta-t-elle.

Il la fixa en agitant la main devant sa bouche grande ouverte. Pas vraiment surpris par l'apparition de la fille.

– Non, répondit-il quelques secondes plus tard. Mais ça ne m'étonne pas.

– Ah, bon, pourquoi?

– Chaque fois qu'on lui demande s'il sort avec quel-qu'un, il élude la question, en tout cas quand je suis dans les parages. En plus, tu m'as dit qu'il voulait que rien ne filtre de votre histoire…

– Pourquoi tu ne m'en as pas parlé?

– Je ne l'ai jamais vue. Je le sentais mal, c'est tout.

– Oui, conclut-elle en reniflant, c'est toi qui avais rai-son.

Un épuisement soudain l'assaillit – c'était le moment ou jamais d'en finir.

– Je n'ai qu'une envie, dormir, dit-elle, et ne plus jamais revenir.

Elle roula pour s'allonger sur le ventre et Spencer ne put s'empêcher de passer la main sur ses boucles en attendant qu'elle se calme – nouveau retour à leur complicité d'enfants. Elle l'entendit ramasser le sachet de raviolis et fermer la porte. Une seule chose lui échappa : le bras de Spencer effleura le bureau et fit tomber un bout de papier. Qui atterrit au pied du bureau, où il était difficile à repérer.

De l'importance des serviettes de bain

– Il faut que je t'explique le problème des serviettes de bain, annonça Lola en entrant dans la suite de l'Orchidée le lendemain matin.

– Quelle heure est-il ? demanda Scarlett en jetant un regard soupçonneux au ras de ses draps.

– Onze heures. Spencer m'a demandé de te laisser dormir. Tu devais être vraiment mal. Tu te sens mieux ?

Elle fit un effort pour rassembler ses esprits. Elle avait dormi près de quatorze heures. Elle avait la bouche sèche, la tête qui tournait, et elle mourait de faim. Ah… et Éric l'avait larguée.

– Bof, répondit-elle.

– Tu veux que j'aille te chercher ton petit-déjeuner ou tu préfères te lever ?

– Me lever. (Elle n'en pouvait plus d'être dans son lit.) Je vais prendre une douche.

– Les serviettes de bain, reprit Lola qui avait trouvé la devise de la journée. C'est à ça que tu distingues les bons hôtels. À la qualité et à la quantité de serviettes.

Autant que le client en réclame. À mon avis, c'est une des choses que les gens préfèrent dans les hôtels. Tu les utilises une fois, tu les balances par terre...

Comme Scarlett. Utilisée. Balancée. Elle commençait à regretter Chip. Jamais elle n'avait eu droit à ce type de réveil.

–... et quelqu'un passe derrière pour les ramasser et les remplacer. Les serviettes peuvent avoir une vraie sensualité. Tu les frottes contre ta peau nue. Beaucoup d'hôtels proposent des serviettes fines et rugueuses. Mais imagine, une vraie belle serviette, épaisse, moelleuse, tu as l'impression qu'on t'aime. Alors, n'oublie jamais, et leur cousin germain, le peignoir.

Scarlett prit ses affaires de toilette en jetant un œil atterré sur sa sœur.

– Pourquoi cette fixette sur les serviettes? osa-t-elle demander.

Lola lui tendit une photo d'un catalogue de luxe en guise de réponse. On y voyait une femme qui sortait d'une baignoire de la taille d'un 4x4, enroulée dans une immense serviette douce comme un plaid.

– Coton égyptien, précisa Lola. C'est ce qu'il y a de plus cher mais, une fois que tu y as goûté...

– Elles sont très bien, nos serviettes.

– Nulles, achetées dans un magasin de déstockage.

– Mais avec le monogramme de l'hôtel.

– Elles grattent. Ça fait des lustres que j'essaie de l'expliquer à papa et maman. Les clients ne reviendront jamais si les serviettes grattent.

– Mais non, s'ils ne reviennent pas, c'est pour mille autres raisons. Les pigeons dans les chambres ou les toilettes qui ne marchent pas. Tu crois vraiment que les serviettes de luxe, c'est la solution ?

– J'essaie de trouver des solutions concrètes.

– Je ne vois pas en quoi des serviettes hors de prix pour des clients absents résoudraient quoi que ce soit.

Lola eut l'air profondément attristée par l'absence de soutien de sa sœur sur ce point clé. Elle était la seule à essayer de proposer des solutions pour améliorer la situation, non ? Scarlett aurait pu montrer un peu plus d'enthousiasme, même si le cœur n'y était pas.

– Spencer rentrera vers six heures, il m'a demandé de te prévenir, conclut-elle en refermant son catalogue. Ce soir on a un dîner de famille. Les parents sont sortis acheter des tuyaux ou je ne sais trop quoi, il y a une fuite dans la cuisine. Il faut que je retourne à la réception.

– D'accord. Je prendrai le relais après ma douche. De toute façon je ne sors pas.

Le bureau de la réception n'était pas le meilleur endroit pour se distraire. Mais c'était un lieu assez idéal pour y laisser s'épancher sa solitude et son chagrin.

Lola était partie à la recherche de serviettes de luxe au meilleur rapport qualité-prix. Ses parents toujours à la recherche de tuyaux. Et Marlène chez une amie. Les trois clients étaient sortis.

Scarlett était seule, seule à New York, une ville qui accordait rarement un vrai moment de solitude. Elle se changeait les idées en parcourant les e-mails de ses amis dont elle se sentait plus éloignée que jamais, avec une vie minable à côté de la leur. Elle luttait contre la tentation de se repasser le film de la semaine précédente.

Surtout, elle luttait, de toutes ses forces, pour ne pas regarder la publicité avec Éric sur Internet...

Elle l'avait vue sept fois quand elle s'écroula en sanglots sur le bureau. Pour le coup, heureusement qu'elle était seule.

C'en était trop, elle se leva, accrocha le panneau d'absence et sortit s'acheter un café glacé. Elle fermait la porte à double tour quand elle entendit une voix.

– Tara ? Ou plutôt Lola ?

– Scarlett, corrigea-t-elle en se frottant les yeux, discrètement, pour effacer toute trace de larmes.

Puis elle se retourna, et se retrouva nez à nez avec une femme aux cheveux argent, très courts.

– Pardon, j'avais mal compris. Joli prénom, Scarlett.

Donna Spendler avait une allure très différente avec ses cheveux en brosse.

– Tu sors ?

– J'allais m'acheter un café.

Et m... encore cette boule dans la gorge. Ce nœud, l'angoisse, la panique.

– Je ne dirais pas non à un café. Je peux t'accompagner ?

Scarlett pouvait difficilement refuser et c'est ainsi que toutes deux descendirent au coin de la rue. Donna était à l'aise, offrant même son café à Scarlett, avant qu'elle puisse refuser.

– Je suis passée déposer un message pour toi hier, expliqua-t-elle en s'asseyant. Je ne suis pas sûre qu'on te l'ait donné.

– Je suis désolée.

– Je parie que tu te demandes comment je t'ai retrouvée.

Effectivement. Elle tournait et retournait la question dans son esprit depuis le début.

– J'ai mis un certain temps à comprendre qu'il y avait un truc qui clochait dans cette audition. J'étais tellement contente qu'on m'appelle pour la télé que j'ai laissé passer plusieurs détails qui auraient dû m'alerter. Comme je n'ai eu aucune nouvelle du scénario, que mon agent était incapable de me confirmer le moindre accord… parfois ça arrive, remarque. Je lui ai demandé de se renseigner. Personne n'avait jamais entendu parler du *Cœur de l'empire*. Le scénario semblait ne jamais avoir existé. En plus, il y avait ce Paul. Sa tête me disait quelque chose. Je me demandais où je l'avais vu. Jusqu'au moment où je me suis rappelé : dans une publicité.

La fameuse publicité! Mrs Amberson n'avait aucune idée de son impact, elle était en Thaïlande quand elle passait sur les écrans.

– Je n'ai pas eu beaucoup de mal à le retrouver sur Internet. Il y a mis son CV. À partir de là, j'ai appelé son agent et j'ai trouvé le spectacle qu'il préparait. Tu savais que l'un des membres de la troupe tient un blog où il commente les répétitions, photos à l'appui? Tu imagines ma stupeur quand j'ai découvert qu'il y avait aussi son assistant. J'ai fait deux ou trois recherches sur ton frère et hop! je suis tombée sur votre photo à chacun, sur le site de l'hôtel. On ne dira jamais assez de bien d'Internet.

La photo où elle souriait, avec son appareil dentaire, en plein soleil. Elle n'avait donc pas tant changé…

– J'ai commencé à avoir des doutes, poursuivit Donna en ouvrant une dosette de faux sucre. Pourquoi une troupe inconnue qui répétait *Hamlet* dans un théâtre du fin fond de l'East Village m'en voulait-elle ainsi? Comprends-moi, cette petite plaisanterie m'a coûté un rôle de premier plan dans une comédie musicale. J'ai du mal à croire que ce soit une coïncidence.

Scarlett regarda par la fenêtre, au-delà de la brosse de Donna.

– Je suis sûre que la clé de cette mascarade n'est pas piquée des vers. Alors, ma chérie, tu peux m'aider?

– Aucune idée.

– Aucune idée sur quoi? Sur les raisons de ce guet-apens? Sur le coupable? Parce que je suis persuadée que ça n'est ni toi, ni ton frère, ni vos amis.

Scarlett suçait frénétiquement sa paille. Que répondre?

Donna sortit un étui recouvert de cuir, l'ouvrit et nota un numéro sur un bout de papier qu'elle détacha.

– Sache que je travaille à la fois dans le milieu du théâtre et dans le tourisme. Rien de plus facile que de ruiner une réputation dans le théâtre, pareil pour l'hôtellerie, il suffit de saboter la communication dès le début. Je suis extrêmement sérieuse, Scarlett, même si je ne hurle pas. Quel que ce soit le ou la responsable, voilà où l'on peut me joindre. Et le plus vite possible.

Elle se leva et s'éclipsa, abandonnant son café intact. Scarlett plongea la tête entre ses mains, paniquée. Spencer était menacé. Le spectacle était menacé. L'hôtel...

Et son frère ne savait même pas à quoi il avait accepté de participer.

– Mon Dieu! murmura-t-elle. C'est trop... trop atroce.

Un dîner chaleureux

Une odeur épouvantable empestait la réception où Scarlett faisait les cent pas, collant çà et là son nez contre la lucarne en forme de diamant pour voir ce qui se passait du côté de la salle à manger. Elle eut la nausée en comprenant que l'odeur venait d'un essai de pizza maison. La croûte avait dû brûler, d'où cette odeur âcre, ces effluves amers et mordants de fromage transformé en caoutchouc.

Elle venait de recevoir deux messages, de Mrs Amberson et de Spencer, pour la prévenir qu'ils étaient de retour. Ils venaient de quitter le garage, là où ils répétaient la pièce à l'origine, et là où elle se jouerait finalement.

– Le chauffeur a refusé de prendre le vélo de ton frère, expliqua Mrs Amberson qui arriva la première. Il nous rejoint en métro. Tu as l'air plus en forme que ce que je craignais. Tu as une sacrée capacité de résistance, O'Hara. Je pensais prendre un rendez-vous pour toi avec une fille formidable, Katiya…

– Donna est passée.

Ces trois mots ne produisirent pas l'effet glaçant que Scarlett avait escompté. Mrs Amberson usa deux allumettes avant d'arriver à allumer une cigarette, mais elle avait l'air relativement placide.

– Passée où ?

– Ici !

– Quelle nouvelle coiffure, cette fois-ci ? Toujours aussi jolie ?

– Vous m'avez entendue, oui ou non ?

– Tu radotes, O'Hara. Comment a-t-elle trouvé l'hôtel ?

– Elle s'est débrouillée. Aucun rapport avec vous. Elle a reconnu Éric et elle a remonté le fil jusqu'à Spencer et moi.

– Bien, bien. Elle est plus maligne que dans mon souvenir. J'espère que tu as été aimable. Tu as vu son visage ? On dirait de la peau d'écureuil.

– Elle est prête à mettre des bâtons dans les roues à Spencer et Éric. Et à colporter des rumeurs sur l'hôtel.

Mrs Amberson scruta Scarlett un long moment.

– Elle n'en aura jamais le courage. Ni l'intelligence.

– En êtes-vous sûre ? Elle a bien réussi à nous retrouver.

– Elle a eu de la chance.

– Vous ne pensez pas que vous auriez intérêt à lui parler ? Elle m'a laissé un numéro de téléphone.

Que Scarlett montra, et Mrs Amberson trahit une certaine irritation.

– Écoute, Scarlett. Elle a une dent contre moi, alors elle a essayé de t'impressionner en la jouant femme d'influence. Rappelle-toi Billy… lui, il est capable de faire et de défaire une carrière. Mais Donna Spendler? Oublie.

– Mais…

– Comment pourrait-elle s'en prendre à Spencer? Et à l'hôtel? Dans deux jours, nous jouons la pièce devant cinquante personnes parmi les plus influentes du monde du théâtre à New York. Voilà ce qui compte. Allez, je vais me débarbouiller avant le dîner.

Mrs Amberson monta dans l'ascenseur et croisa Marlène qui en sortait. Celle-ci n'avait pas adressé la parole à Scarlett depuis leur dispute, cependant elle semblait avoir abandonné le combat. Du moins, le combat au sens habituel. Elle traitait Scarlett comme un guerrier, d'égal à égal, avec une sorte de respect teinté de rancœur.

– Il faut commencer à mettre le couvert, c'est maman qui le demande, dit-elle.

L'odeur de brûlé était encore plus forte dans la salle à manger. Scarlett et Marlène échangèrent un regard dégoûté en s'attelant à la tâche. Elles étaient presque rabibochées quand une voiture noire se gara devant l'hôtel.

– Il revient! s'exclama Marlène en se précipitant dehors.

– Mon Dieu!

C'est ainsi que Chip descendit de sa Mercedes avec une gigantesque composition florale, un mélange d'orchidées blanches et roses, au moment même où Spencer arrivait sur son vélo.

– Ce n'est pas vrai! s'exclama Scarlett qui faillit laisser tomber une pile d'assiettes avant de les rejoindre.

Chip et Spencer se regardaient comme deux chiens de faïence, ou deux chats se demandant s'il valait mieux qu'ils se griffent et se déchirent, ou se caressent jusqu'à ce que l'un étouffe l'autre. Spencer avait d'imperceptibles mouvements convulsifs tant il était tendu. Marlène, minaudant à outrance, virevoltait autour de Chip en battant des paupières.

Le bouquet – haut d'un mètre au bas mot – était particulièrement raffiné, d'inspiration vaguement asiatique, et planté dans un vase carré serti de fibres de bambou. Il avait dû coûter une fortune.

– Superbe ! s'écria Scarlett en s'interposant entre le regard d'acier de Spencer et la parade amoureuse de Marlène.

– Ah, oui ! lâcha Chip en regardant les fleurs, comme s'il les avait oubliées. J'ai choisi ça parce Lo adore le blanc, et ce rose allait bien avec. Je passais juste pour les déposer.

Il avait une expression que Scarlett lui connaissait, où se mêlaient le chagrin et l'espoir.

– Entre, l'invita-t-elle.

Spencer émit un léger et très courtois toussotement.

– Oui, entre, insista Marlène en le tirant par la manche.

De toute évidence, Chip avait prévu de déposer son bouquet en toute discrétion. Hélas pour lui, il était tombé sur trois enfants Martin en même temps.

– Tant pis, dit-il avec une infinie tristesse, en tendant les fleurs à Scarlett. Si elle n'en veut pas, tu n'as qu'à les garder.

Pauvre Chip, avec son compte en banque inépuisable,

son classement à la quatre-vingt-dix-huitième place et ses amis si antipathiques.

– Salut, Chip, lâcha Spencer, mais après un temps si long qu'il en était menaçant.

Marlène, elle, insistait, l'invitait, demandait s'il pouvait l'emmener dans sa voiture ou sur son bateau…

– Arrête, Marlène, la gourmanda sa sœur.

Voilà qui n'allait pas améliorer les relations entre elles… Cependant, Chip finit par s'éloigner et Marlène rentra comme une furie dans l'hôtel.

– C'était sympa de le voir, dit Spencer en regardant s'éloigner sa voiture. Je te promets. Il me manque.

– J'ai mal pour lui.

– Il peut toujours se consoler en faisant joujou avec sa carte de crédit.

Scarlett admira le bouquet. Chip avait eu la délicatesse de choisir les fleurs préférées de Lola, qui lui allaient à la perfection.

– Pardon, se reprit Spencer en passant le bras autour des épaules de sa sœur. J'avais oublié.

– Tu ne lui as jamais cassé la gueule, à Chip.

– Non, mais j'en viens à regretter de ne pas avoir découvert cette fibre violente en moi plus tôt.

Il attacha son vélo et tous deux rentrèrent. Scarlett déposa les fleurs sur le bureau. Quelques minutes plus tard, Lola descendit et faillit s'évanouir en découvrant le bouquet. Elle resta un peu en retrait, comme si elle avait peur que les fleurs l'agressent.

– Chip est passé.

– Pourquoi ne m'as-tu pas appelée ?

– Il ne voulait pas rester.

Lola jeta un regard accusateur sur son frère.

– Je n'ai rien fait, se défendit-il, les mains en l'air. De toute façon, à quoi bon le voir ? Tu as rompu.

– Aucun rapport, rétorqua Lola.

– Non ?

– Juste... Oh, laisse tomber.

Elle tourna les talons et fila dans la salle à manger, exaspérée.

– J'en connais une qui m'en veut, et depuis toujours, lâcha-t-il.

À l'instant même, l'ascenseur ouvrit ses portes et Mrs Amberson apparut. Elle portait, chose rare, un jean et un débardeur ajusté.

– Quelles superbes fleurs ! s'exclama-t-elle avec une chiquenaude contre un pétale.

Scarlett était écœurée par sa désinvolture, surtout que son frère lui emboîta le pas jusqu'à la salle à manger...

Une tension palpable flottait autour de la table ce soir, qui n'était pas seulement due à la pizza brûlée. Lola était toujours fâchée, car soi-disant offensée. Marlène toujours vexée, à cause de Chip. Scarlett malade, pour plusieurs raisons. Et Mrs Amberson ne tenait pas en place.

– Pardonnez-moi, se justifia-t-elle, mais je donnerais n'importe quoi pour un verre. Je ne sais pas si c'est possible, mais...

– Nous n'avons pas la licence requise pour servir de l'alcool, répondit le père de Scarlett. Mais vous êtes notre invitée d'honneur, alors je suis prêt à vous offrir ce que vous voulez.

– Un double whisky serait le bienvenu, insista-t-elle avec son sourire de loup. Je sais que c'est un peu fort en plein été, mais c'est un alccol fabriqué à base de graines, donc très bon pour la santé. En outre, aujourd'hui est un grand jour, nous sommes l'avant-veille de la première de notre spectacle.

– Comment cela se passe-t-il? J'allais vous le demander, répondit sa mère qui s'escrimait à couper la pizza. Aurons-nous le plaisir d'avoir des billets?

– Bien entendu! Je réserve les meilleures places pour la famille. Spencer est merveilleux, c'est notre jeune premier.

Peu après, le père de Scarlett revenait avec une bouteille de whisky et un seau de glace. Mrs Amberson laissa tomber quelques glaçons dans son verre et se servit une bonne rasade de whisky qu'elle avala cul sec.

Spencer donna un coup de pied à Scarlett sous la table, mais celle-ci était fort inquiète. L'attitude de Mrs Amberson augurait très mal de leur affaire.

– Vous deviez mourir de soif, commenta son père en évitant de regarder le verre vide.

– Oui, ça m'arrive! Mais j'insiste, Spencer est un comédien formidable. N'est-ce pas, mon cher Spencer? Quel effet cela te fait-il?

– L'effet d'avoir tout le monde à mes pieds, comme le type dans *Titanic*, en plus vivant.

Mrs Amberson éclata d'un rire sonore et argenté, et les six membres de la famille Martin reculèrent de concert sur leur chaise.

– Je peux vous en demander un second? reprit-elle en retirant les glaçons de son verre vide. Pour faire passer le premier.

Elle siffla un second verre de la mort. Scarlett était

tétanisée. Elle avait sûrement découvert la vérité au sujet de Donna.

– J'ai connu un comédien merveilleux, dit-elle en reposant son verre. Oh, il y a un bail. Un acteur qui réservait son talent pour les comédies musicales. Il était d'origine italienne. Ses parents ont un restaurant dans le Queens. C'est là que j'ai appris à préparer la pizza. C'était à la fois un très bon danseur et un excellent acteur. Quand il était sur scène, on sentait son désir de voir les spectateurs applaudir et l'admirer, mais surtout que le public passe le meilleur moment possible. Et c'était toujours le cas. C'est le propre des grands artistes. Tu as compris, Spencer ? Alors, je lève mon verre en l'honneur des comédiens !

– Votre ami est toujours dans le spectacle ? demanda la mère de Scarlett.

– Oh, oui. Toujours aussi exceptionnel. Mais je ne l'ai pas vu depuis des années, il vit à Hollywood.

– C'est intéressant.

Mrs Amberson se leva, vacillant légèrement.

– Veuillez m'excuser, je vous remercie pour cet excellent dîner, mais il faut que je monte. Spencer... ce soir on se couche tôt ! Rendez-vous à huit heures pétantes demain matin.

Le comportement de Mrs Amberson avait un peu refroidi le dîner. Très vite les uns et les autres se dispersèrent, et Scarlett prit son frère par le bras en rassemblant les assiettes.

– Je viens avec toi demain.

– Tu es sûre que c'est une bonne idée ?

Peu importait ce que pensait Spencer, peu importait

ce qu'elle pensait… quelque chose de très grave se tramait. Dont il n'avait pas conscience. Dont il préférait
sans doute ne pas avoir conscience.

– Je viens, répéta-t-elle.

Quelque chose est pourri au Danemark

Le parking était une masse de béton à plusieurs niveaux, en spirale, qui donnait sur une rue de l'East Village. La scène devait être installée au deuxième niveau pour la première partie du spectacle, après quoi l'on demanderait au public de se déplacer au troisième, à l'air libre, pour le dernier acte. Toutes les niches du parking étant utilisées, des affaires traînaient un peu partout et l'on s'agitait dans tous les coins. La troupe travaillait depuis plusieurs heures.

Scarlett s'était fixé comme règle de ne pas quitter son frère d'une semelle – ou l'inverse. Difficile à dire. Il y avait entre eux comme une attraction magnétique, sans doute due à leur volonté mutuelle de s'épargner tout chagrin et toute violence supplémentaires. Pour le moment, Scarlett ne voyait de lui que ses pieds. Le reste de son corps était caché sous l'estrade en cours de montage : il était en train de fixer un pied à la perceuse. Elle était assise à côté de lui, une lampe à la main pour l'éclairer, ce qui lui permettait d'avoir une vue parfaite sur Éric, qui sortait des projecteurs du coffre d'une camionnette. Il portait un de ses T-shirts moulants.

Elle se pinça pour ne pas craquer.

– Hé ho !

Ce n'était pas elle, c'était Spencer. Elle venait de lâcher la lampe et la perceuse s'était arrêtée.

– Ça va ? demanda-t-elle en regardant dans le vide.

Elle avait à peine compris ce qui se passait, quand elle vit Mrs Amberson foncer sur elle avec une poignée de billets de vingt dollars.

– O'Hara, descends dans la boutique en bas et passe-leur une commande de pizzas et de boissons. Il y a un magasin diététique en face, tu pourrais m'acheter un jus de carotte. Donne-moi ça.

Elle prit la lampe et se mit à la place de Scarlett, en se penchant consciencieusement pour observer Spencer sous l'estrade.

– On t'a déjà dit que tu avais de particulièrement belles articulations aux genoux, Spencer ? demanda-t-elle. Je connais plusieurs professeurs de danse qui adoreraient les voir.

Comme elle voulait éviter les escaliers extérieurs qui sentaient mauvais, Scarlett descendit les deux étages au milieu du parking. Elle ne vit pas que quelqu'un la suivait jusqu'au moment où elle allait déboucher dans la rue.

– Salut, lança Éric en courant jusqu'à elle.

La bosse verdâtre sur sa pommette était encore très visible, même dans l'obscurité du parking.

Elle était là, face à lui, mais ce n'était plus comme avant. C'était la rencontre la plus douloureuse, la plus folle, la plus excitante et la plus troublante. Une insulte à cette partie d'elle-même qui avait été si heureuse auparavant.

– Comment va ta…? demanda-t-elle en indiquant sa blessure.

– Ça va, répondit-il en l'effleurant de la main. Un accident, c'est rien. Heureusement, on est tous les deux maquillés en blanc pour la pièce.

– Oui, heureusement.

Bon, jusqu'ici, rien de trop bizarre.

– Je voulais te parler, dit-il, en tête à tête.

– De quoi?

– Tu as vu Sarah qui sortait de chez moi.

Miss Pruneau McBigLunettes avait donc un prénom.

– C'était ma petite amie en Caroline du Nord. Quand tu nous as vus, on venait de rompre.

– Tu avais une petite amie? Alors qu'on…?

Elle fit un geste de la main qui signifiait à la fois leur baiser et tous les moments qu'ils avaient passés ensemble. Voilà ce qui arrivait quand on n'était pas clair dès le début. On en était réduit à s'exprimer avec des gestes nuls.

– Crois-moi, ce n'est pas facile à avouer, reprit Éric. Je voudrais que tu saches comment j'en suis arrivé là. Je peux t'expliquer?

Bonne question. Il s'assit sur une rampe de béton et l'invita à le rejoindre. Elle préféra rester debout.

– Chez moi, dit-il, beaucoup de gens s'installent à peine sortis du lycée. J'ai toujours trouvé ça flippant, l'idée de s'installer pour la vie dans la même ville, sans autre ambition. Moi, je rêvais d'aller à New York. J'avais envie de rencontrer du monde. J'ai déménagé et, très vite, j'ai compris que je ne pourrais plus revenir en arrière. Sarah est une fille super, mais elle était prête à... euh, pas à se marier tout de suite, mais à vivre avec moi pour le restant de ses jours. Ce n'était pas ce que je voulais.

– Pourquoi n'as-tu pas rompu avant ? Avant moi ?

– J'aurais dû, mais on sortait ensemble depuis... deux ans. Je ne pouvais pas me contenter de l'appeler ou de lui envoyer un mot. Il fallait que je la voie. Je lui devais au moins ça. Crois-moi ou non, j'ai essayé d'être réglo.

– Grand seigneur ?

– À ce moment-là, ça voulait dire quelque chose pour moi. J'avais prévu de le lui dire en rentrant chez moi après le spectacle. Sauf que ça n'est pas pour tout de suite. Alors je t'ai embrassée. J'ai pensé que si je ne faisais rien, tu rencontrerais quelqu'un d'autre.

En temps normal, Scarlett aurait réagi par un fou rire, mais l'humeur n'était pas vraiment à la légèreté. Sa boule d'angoisse revenait. Éric noua les mains derrière sa nuque et poussa un long soupir triste.

– Jusqu'au jour où Sarah a débarqué. Elle est montée en voiture de Caroline du Nord. Je n'étais pas au courant. Elle s'est présentée à ma porte à une heure du matin, épuisée. Quand tu m'as vu, le lendemain, on venait de commencer à parler. La discussion s'est tout de suite envenimée.

Scarlett était mal à l'aise à l'idée qu'il avait une petite copine – menue, bronzée et mignonne – depuis le début, depuis deux ans même. Cependant, il avait voulu faire les choses bien. Certes, avec une certaine maladresse, mais l'intention y était. Et il avait rompu avec elle alors qu'il était sous pression. Un filet d'espoir s'insinuait derrière la conviction qu'elle n'avait plus aucune chance.

– J'ai tout à fait conscience de l'image que tout ça donne de moi, poursuivit-il de sa voix douce à l'accent traînant. Je n'en veux pas à Spencer. C'est ton frère. J'aurais réagi de la même façon. J'ai essayé d'épargner tout le monde, résultat, j'ai fini par vous blesser tous les deux. Je comprends très bien qu'il m'ait cassé la gueule. D'ailleurs, j'aime bien, cette blessure me donne un côté dur à cuire.

Il eut un petit rire et effleura son bleu.

– Si je comprends bien, répondit Scarlett, les choses sont à égalité entre nous. Enfin, si tu as vraiment rompu ?

Éric se leva et fit les cent pas, les mains au fond des poches.

– Je ne sais plus où j'en suis, Scarlett. Depuis que je vis à New York, je suis dépassé. Dans quelques semaines, je commence les cours à NYU. Je vais être archi occupé, je vais rencontrer des tonnes de gens. J'ai peur de me retrouver dans la même situation. Sarah a été profondément blessée. Et si je te blesse, toi aussi ? J'ai trop d'estime pour toi pour être faux.

– Je ne comprends pas.

– Moi non plus. C'est bien là le problème.

Ils étaient tellement préoccupés par leur conversation que ni l'un ni l'autre n'avaient remarqué que quelqu'un s'était approché d'eux.

– Excusez-moi, fit une voix.

Scarlett savait qu'elle connaissait cette voix, mais les

neurones de son cerveau ne transmirent pas l'information à temps. Elle ne détourna pas le regard.

– Le parking est fermé, répondit Éric, sans détourner
le regard lui non plus. Désolé.

– Il faut absolument que je parle à la personne responsable.

Dans le coin de son champ de vision, Scarlett vit
briller des cheveux en brosse argentés.

Combustion

Donna Spendler ayant reconnu ses partenaires Tara et Paul dès l'entrée, elle n'eut pas besoin de confirmation supplémentaire. Elle entra et monta le long de la rampe. Scarlett et Éric la suivirent.

– C'est la femme qui était avec nous à l'audition, murmura Éric. Je me demande ce qu'elle fiche ici et pourquoi elle a l'air aussi furieuse.

– Laisse tomber.

Soudain, elle s'arrêta net, face à Mrs Amberson, appuyée contre le mur, une cigarette aux lèvres, qui donnait des instructions aux comédiens pour leur placement sur la scène.

– Je me demande si on ne ferait pas mieux de tout avancer d'un mètre et demi environ. Ça permettrait d'avoir une diffusion d'énergie plus égale dans l'espace, une sorte de mouvement circulaire, comme si la tragédie tournoyait.

– Amy? interrompit Donna. Ça fait tellement longtemps! Ton lifting est superbe. J'ai entendu dire qu'il y

311

avait d'excellentes promotions de l'autre côté de l'Atlantique.

Ce fut assez pour attirer l'attention de la moitié au moins de la troupe. Mrs Amberson ne cilla pas.

– Salut, Donna, répondit-elle, raide. Je ne pensais pas que tu pouvais encore te présenter à la lumière du jour.

Après cet échange d'amabilités, les deux femmes demeurèrent dans un long silence embarrassé et grimaçant.

Spencer se dégagea en roulant de sous l'estrade où il essayait de fixer un crochet sur une des barres des monocycles.

– Comme le monde est petit ! s'exclama Donna.

– En effet, confirma Mrs Amberson.

Tous avaient compris et observaient les deux femmes.

– Si nous allions prendre un café ? proposa Donna. Il faut que je te parle.

Mrs Amberson souriait toujours, mais elle avait un regard dur et déterminé. Elle était campée dans cette attitude d'héroïne invincible qu'elle avait la première fois que Scarlett l'avait vue.

– J'ai peur que ce ne soit pas le moment, nous sommes en pleine répétition, répondit-elle. Plus tard, si tu veux. D'ailleurs, tu sais quoi ? Je t'appellerai.

Elle souligna ces deux derniers mots, comme s'ils étaient particulièrement blessants.

– J'ai de mauvaises nouvelles pour toi, reprit Donna. Dans quelques heures, le parking fermera. Je suis venue vous prévenir de dégager les lieux au plus vite.

– Qu'est-ce que c'est que cette histoire ? s'interposa Trevor.

– Tu te trompes de cible, ma chère, répliqua Mrs Amberson en tirant lentement sur sa cigarette. Nous avons l'autorisation officielle du propriétaire.

– Sauf que le propriétaire n'a pas lu assez attentivement les règlements d'occupation des sols. Vous ne pouvez pas donner de représentation ici. Ça va à l'encontre de plusieurs règlements urbains.

– Il y a déjà eu des spectacles ici, se défendit Trevor. Nous sommes le troisième.

– Ils auraient été expulsés s'ils avaient eu le moindre écho.

– Pas du tout, dit Trevor, la ville n'a pas le droit de nous expulser deux fois de suite.

Mrs Amberson laissa tomber son mégot et le repoussa du bout du pied avant de s'approcher de Donna – d'un air assez menaçant, il faut bien l'avouer.

– Si tu tiens à chercher noise à quelqu'un, à moi, OK ! lança-t-elle. On s'expliquera plus tard en tête à tête. Épargne les autres. Ils n'y sont pour rien.

– Il ne s'agit pas de moi, répondit Donna. Tu aurais dû être plus vigilante, beaucoup plus vigilante. Tu as raison, il faut que nous parlions, Amy. Passe-moi un coup de fil dès que tu auras fini. Tu as mon numéro.

Elle s'éclipsa en faisant claquer ses chaussures dans le parking sonore.

– Je peux savoir ce que c'est que ce cinéma ? demanda Trevor.

Mrs Amberson sortit une nouvelle cigarette.

– Écoute, dit-elle en tripatouillant son briquet. Il va falloir se montrer particulièrement débrouillards. Dans vingt-quatre heures exactement, une foule de critiques, d'agents et de producteurs doit débarquer pour assister ici à notre mise en scène exceptionnelle de *Hamlet*, et crois-moi, ils ne seront pas déçus.

On entendait une mouche voler. Seuls résonnaient quelques frottements de pieds et la sirène d'une ambulance bloquée dans un embouteillage à l'extérieur. Le charisme de Mrs Amberson, qui lui avait permis de tenir toute la troupe pendant plusieurs semaines, commençait à faiblir. La moitié de l'équipe avait l'air furieux. L'autre regardait par terre.

– Impossible de trouver un lieu en vingt-quatre heures, reprit Trevor. Si c'était dans quelques semaines, oui, mais d'ici à demain...

– Et l'ancienne église? suggéra quelqu'un.

– Déjà prise par une autre troupe, répondit Éric.

Scarlett se retourna pour observer son frère, mais il s'était glissé sous l'estrade pour échapper au malaise.

– Je vous ai déjà dépannés une fois, dit Mrs Amberson.

– Mais nous avons réservé cet espace, répondit Trevor. Nous avons organisé la promotion autour de ce lieu. Nous n'avons ni le temps ni l'argent pour changer. Les projecteurs vont bientôt arriver, les accessoires...

Peu à peu, tous prenaient conscience de la gravité de la situation. Les visages s'allongeaient. Stéphanie se mit à pleurer en silence. Pour la première fois depuis que Scarlett la connaissait, Mrs Amberson avait l'air désemparée. Elle s'éloigna de l'autre côté du parking.

Peu après Scarlett la rejoignit et la trouva appuyée contre une colonne en ciment, une cigarette se consumant entre ses doigts. Chez Mrs Amberson, c'était le signe qu'elle s'avouait vaincue et honteuse.

– Il faut absolument qu'ils jouent cette pièce, dit-elle. J'ai réussi à convaincre des gens extrêmement difficiles à déplacer. C'est vraiment dans leur intérêt que la représentation ait lieu. Mais plus personne ne me fait confiance.

Mrs Amberson sourit – pas un sourire de publicité pour dentifrice. Un sourire à la fois sec et doux.

– Que puis-je faire? dit-elle. Cette fois-ci j'y étais presque.

– Peut-être que c'était du bluff, répondit Scarlett.

– Je ne pense pas. À mon avis, elle était sérieuse. Non, c'est la Berezina, O'Hara. Et tout est de ma faute.

Scarlett était sur le point de répondre que non, c'était de sa faute à elle. Enfin, plus ou moins. Peut-être pas pour ces histoires de réglementations urbaines, mais le fait que Donna se soit immiscée dans leur histoire.

– Qu'est-ce qu'on va faire? demanda-t-elle.

– Écoute, je crois que je suis assez intervenue, non? Je n'ai plus qu'à rentrer et à plier bagage.

– Vous partez? Tout de suite?

– Une actrice doit savoir tirer sa révérence. Quant à vous, je pense que ça vaut mieux pour vous.

Elle parut vouloir se reprendre, adressa un dernier sourire à Scarlett et s'éloigna le long de la rampe, abandonnant le spectacle en chantier derrière elle.

ACTE IV

En 1931, au plus fort de la Prohibition, Lily Vauxhall, dite Honey, et Murray Rule, surnommé Jinx, mirent au point un gin fait maison dont la qualité était si bonne que l'on dit qu'il était servi au prestigieux Club 21.

Honey et Jinx avaient dissimulé leurs produits dans deux chambres voisines de l'élégant hôtel Hopewell, situé dans l'Upper East Side. Les clients étaient rares pendant la Grande Dépression, et le gin de bonne qualité plus rare encore. Le propriétaire de l'hôtel, Charlie Martin, n'admit jamais ouvertement avoir eu vent de quoi que ce soit. Néanmoins, il avait fait installer une sorte de « conduit pour le linge » qui reliait la suite baptisée suite du Diamant à la cave. Il faut bien admettre que le conduit pour le linge est un accessoire assez rare dans une chambre d'hôtel, et, chose plus étrange encore, dans une seule chambre, qui ne disposait d'aucune ouverture la reliant aux autres étages. Il est également difficile d'expliquer comment ce conduit avait été fixé à l'aide d'un système de poulies parfait pour acheminer des bouteilles de gin vers des mains avides attendant plusieurs étages en dessous.

Comment en vouloir à Charlie Martin d'avoir couvert ce trafic ? C'était un geste de survie, voire – ajouteraient certains – une façon de rendre service à la nation.

L'opération prit fin en 1933. Honey et Jinx disparurent de la circulation. L'hôtel Hopewell retrouva son calme. L'établissement n'a plus jamais abrité de « Jinx », sobre ou non...

« Chambre avec distillerie », extrait du *Guide du New York clandestin*

Un moment de désespoir

– Bon, lâcha Spencer un peu plus tard après avoir transvasé tous les bagages de Mrs Amberson au Saint Regis en taxi. Et maintenant ? Tu n'as plus de boulot. Je n'ai plus de boulot. Si on jouait au Jenga ?

Scarlett ne répondit rien. Elle était étalée sur son lit et scrutait le plafond jaunissant. Son frère était allongé par terre à ses pieds, dans le même état.

– Impossible, reprit Spencer. On n'a pas de Jenga. Tu veux t'amuser à dépiauter les tiroirs de ta commode jusqu'à ce qu'elle tombe en miettes ? Ça revient au même, non ?

– Je n'en reviens pas.

– Je sais. Le monde entier est un Jenga.

– Pourquoi est-elle partie ?

– Parce que tout ce qu'on monte s'écroule à peine on y touche. Comme au Jenga.

– Si tu prononces encore une fois le nom de ce jeu, je te dénonce à papa et maman : tu te rappelles le jour où tu es soi-disant allé suivre ce stage de chant lyrique un week-end ? Tu étais à une fête dans les montagnes Vertes du Vermont, pour draguer une certaine Anika. Ce n'est pas là que tu as passé le week-end à dormir dans la voiture parce que tu t'étais fait jeter ?

Ce n'était pas la première fois que sa sœur lui remémorait cet épisode cuisant, si bien qu'il savait se défendre.

– C'est son copain qui a refusé que j'entre. Nuance.

– Tu parles ! Il t'a balancé dans le lac. L'eau était froide ?

– Il me semble me souvenir qu'elle était un peu frisquette, oui. C'était en janvier, et dans le Vermont. J'ai eu de la chance que la couche de glace soit encore très fine.

– Une sacrée chance, oui.

– Je me disais que j'avais du pot alors que je nageais pour ressortir, et même après, quand j'ai dû marcher, trempé, dans les bois en pleine nuit, plus de six cents mètres, jusque chez elle.

– Ils t'ont laissé entrer ?

– Pour la seule et unique raison que sinon je serais mort de froid. Anika m'a envoyé direct à la salle de bains pour que je me change ; en attendant, elle voulait mettre mes vêtements dans le séchoir. Elle m'avait promis qu'elle m'apporterait des habits de rechange. Le froid avait dû me rendre débile pour que je commette une erreur aussi grossière.

– Elle ne t'a jamais apporté de vêtements, c'est ça ?

– À ma grande surprise... non. En tout cas, pas les miens, ou rien qui y ressemble. Quelqu'un a fini par m'apporter un vague pyjama de fille – un truc rose avec des motifs de baiser partout. Le pantalon m'arrivait aux genoux et je n'entrais pas dans le haut, mais au moins je n'étais pas à poil. Sauf que ça craignait de rentrer à la maison avec un truc pareil.

– J'adore ce pyjama.

– Je t'ai toujours rapporté un petit cadeau quand je pars. Tu veux que je t'avoue le clou de l'histoire ? La fille qui m'a donné le pyjama, ou plutôt qui te l'a donné à toi...

– Je sais, je sais. Elle t'a demandé de sortir avec elle le lundi suivant au lycée.

C'était une de leurs histoires préférées quand ils étaient angoissés. Une histoire qui les avait distraits deux longues nuits consécutives à l'hôpital. Une histoire qui leur apportait un peu de réconfort.

– Devine quoi ? interrogea Spencer. À mon avis Mrs Amberson et cette femme se connaissent.

Heureusement, Scarlett ne fut pas obligée de débiter une nouvelle série de mensonges car la porte s'ouvrit et Lola apparut.

– J'ai de mauvaises nouvelles, annonça-t-elle.

– Quoi encore ? répondit Spencer. Pas maintenant, s'il te plaît, pas le jour où tout se passe déjà tellement bien.

Lola n'était pas au courant du drame de la matinée. Elle enjamba le corps de son frère et s'assit sur son lit.

– L'hôtel est vide.

– Vide ? répéta Spencer. Je croyais qu'il y avait des clients qui arrivaient de Tokyo ?

— Ils ont annulé tôt ce matin. On n'a plus la cote avec l'agence de voyage. Je suis sûre que le type qui était dans la suite Sterling il y a trois semaines s'est plaint de l'état des toilettes.

– Ça me fait déjà ça en moins à réparer, même si j'adore cette corvée.

Lola s'écroula de tout son long sur son lit. Elle avait fait tout son possible : présenter le papier toilette comme il faut, acheter de nouvelles serviettes, passer des nuits blanches à travailler. Pour elle, c'était un échec personnel.

– Ce n'est pas de ta faute, Lo, la rassura son frère. Ça va s'arranger. Il y aura toujours un crétin pour nous trouver.

– La situation est grave, dit-elle. Gravissime. Je ne suis pas sûre que l'hôtel ait déjà été entièrement vide.

– Entièrement vide, répéta Scarlett.

Le petit vélo dans sa tête, que les nombreux obstacles rencontrés depuis le début de la journée avaient forcé à marquer l'arrêt, commença lentement à se remettre en route... Et soudain, c'est tout un plan qui se déroula face à elle, un enchaînement d'idées qui s'associèrent librement. Tous les fruits de l'été tombèrent en même temps dans le panier.

– Ne bougez pas, dit-elle en se redressant et en enjambant son frère.

– Où vas-tu ? demanda Lola.

– Je vous interdis de sortir, répondit-elle en attrapant son sac et son portable. Je reviens dans une ou deux heures.

Le Saint Regis était un des plus grands hôtels de New York, avec une immense réception blanc et or où s'affairait une myriade d'employés, et de vrais lustres, parfaitement propres et en état. Scarlett entra, demanda la chambre de Mrs Amberson, et se dirigea directement vers la suite aux murs capitonnés, couleur crème, où elle trouva Mrs Amberson allongée sur son lit. Celle-ci portait un peignoir en tissu pelucheux, mais toutes les parties visibles de son corps étaient recouvertes d'une substance brunâtre visqueuse, protégée par un film plastique. Elle avait noué un turban rose autour de sa chevelure couleur écureuil tamia. À côté d'elle, une femme vêtue d'une tunique à manches amples et d'un pantalon de yoga très large lui enfonçait le pouce dans l'oreille droite.

– Scarlett! Ma chérie, sers-toi dans le minibar, et mets de l'eau à bouillir, veux-tu, j'ai besoin d'un thé brûlant au sirop d'églantine. Il y a des sachets sur le guéridon.

« Si tu savais, Katiya, tu viens de dénouer tous les nœuds qui me viennent d'une vie antérieure... Katiya est venue tout de suite, bénie soit-elle, pour libérer mes chakras.

Scarlett sentait la tension sourdre derrière cette crise de chakras. Elle remplit la petite bouilloire d'eau de source et sortit un soda du minibar.

– Soin complet du corps au gingembre, expliqua Mrs Amberson. J'adore le gingembre, mais j'avoue que ça...

– Pique, non?

Katiya grimpa sur le lit, écrasant au passage les oreillers ventrus, et se planta au-dessus de Mrs Amberson, jambes écartées, tel un guerrier triomphant.

– Tu veux aussi que je libère tes chakras? proposa-t-elle à Scarlett. Tu as l'air déphasée.

Scarlett regarda Katiya vriller son coude au sommet du crâne de Mrs Amberson avec un grand sourire.

– Ça va, répondit Scarlett. Je pourrais vous parler ? ajouta-t-elle à l'adresse de Mrs Amberson.

Celle-ci jeta un regard entendu à Katiya, qui ne remarqua rien ; elle avait fermé les yeux, et s'était mise à faire vibrer sa mâchoire, émettant un grincement sourd.

– Bien sûr, répondit Mrs Amberson en tirant sur sa longue manche. Katiya, ma chérie ? Je ne voudrais pas interrompre ta méditation… mais je crois que ça suffit pour la journée. Je vais me lever et prendre un bain. Je te remercie. Même heure vendredi ?

Katiya souriait, muette. Elle oscilla légèrement, leva les mains, très haut, puis s'inclina vers Mrs Amberson et Scarlett.

– Elle vient de faire vœu de silence et ne communique qu'à travers la danse interprétative jusqu'au prochain cycle de la lune, expliqua Mrs Amberson alors que Katiya venait de se faufiler hors de la chambre. Crois-moi, je suis soulagée qu'elle ne parle plus. Je ne suis pas sûre que je supporterais une énième analyse de mon aura sans avoir envie de la trucider. C'est une gentille fille, remarque. Elle a des doigts en or. Viens t'asseoir à côté de moi, ma chérie. Je ne peux pas bouger.

Scarlett s'approcha de l'immense lit blanc et plongea dans le matelas d'un moelleux et d'une qualité exceptionnels.

– Pourquoi avez-vous tout planté ?

– Je te l'ai dit, O'Hara. Je ne m'impose pas quand je sens que je ne suis plus la bienvenue. Allez, il faut que je me débarrasse de mes toxines avec une bonne douche.

Je les sens qui envahissent tous les pores de ma peau. Tu peux m'aider à me dégager, s'il te plaît?

Elle tendit un bras enveloppé dans un film mais Scarlett ne fit pas un geste.

– Je ne rigole pas, Scarlett. Les toxines envahissent mon corps à travers les pores de ma peau grands ouverts. J'ai besoin que tu m'aides à sortir de ce lit.

Elle avait toujours le bras tendu, et mit une bonne minute avant de comprendre qu'il n'y avait personne en face.

– Tu ne trouves pas que je vous ai assez causé d'ennuis? lâcha Mrs Amberson en se laissant retomber dans ses oreillers. Le spectacle, toi et Éric, ton frère? En plus, nous n'avons nulle part où monter la pièce d'ici vingt-quatre heures.

– Ce n'est pas vrai, nous jouerons comme prévu, demain. D'ici là, il faut que vous ayez une explication avec Donna pour crever l'abcès qui vous ronge depuis je ne sais combien de temps.

– Si seulement c'était aussi simple.

Quelqu'un frappa à la porte.

– Justement, répondit Scarlett.

L'ultime bataille

— Tu es trop mignonne, Amy! s'exclama Donna.
C'est tellement sympa de se voir deux fois dans la
même journée.

Mrs Amberson était littéralement pétrifiée.

— Ma petite O'Hara, lâcha-t-elle d'un ton sombre,
j'avoue que je m'attendais à tout sauf à ça. Je n'aurais
peut-être pas dû me confier.

— En effet, Amy, répondit Donna en prenant place
sur une bergère bleue face au lit. Je suis sûre que c'est à
toi que revient tout le mérite de cette rencontre.

La bouilloire siffla. Scarlett prépara un thé et servit
deux tasses pour chacune. Ni l'une ni l'autre ne pipait
mot. Les deux ennemies se regardaient comme deux
chiens de faïence : Donna, avec ses cheveux en brosse,
Mrs Amberson, saucissonnée dans le film plastique.
Enfin face à face.

— Je peux savoir pourquoi tu as mis si longtemps?
demanda enfin Donna.

— Je suis partie vivre à l'étranger.

– Tu ne m'as jamais appelée. Jamais écrit. Depuis des années. Et maintenant, voilà.

– Maintenant voilà, oui.

– Tant que vous n'aurez pas crevé votre abcès, d'autres autour de vous en prendront plein la figure, inervint Scarlett. Je peux savoir ce qu'il s'est passé de si grave pour que vous cherchiez à vous nuire à ce point-là?

– Je n'ai nui à personne, se défendit Donna.

Un long grognement vibra au bout du lit.

– Tu as raison, O'Hara.

Scarlett s'installa entre les deux femmes de façon à pouvoir s'interposer si elles en venaient aux mains.

– Je commence, si tu permets, Donna.

– Je t'en prie. Je meurs d'envie d'entendre ta version des faits.

– Tout se passe il y a quelques années, une époque fabuleuse à New York. Je vivais ici depuis quelque temps, j'avais des petits boulots, je passais des auditions... Je venais d'être chassée de mon appartement et je recherchais un nouvel endroit où vivre, quand je suis tombée sur celle qui est assise en face de toi.

– Nous nous sommes rencontrées au cours d'une audition pour la comédie musicale *Annie*. Pour le même rôle, Grace Farrell, la secrétaire de Daddy Warbuck.

– Qu'aucune de nous n'a obtenu, coupa Mrs Amberson. Mais au cours de la même audition, j'ai rencontré un certain Rick, comédien, qui auditionnait pour le rôle de Rooster. Jamais je n'avais rencontré un type aussi doué, drôle, avec un tel talent comique. Le genre de personne née pour être star. Nous sommes allés manger un

morceau tous les trois après l'audition, et je suis reve-
nue avec, d'une part, un endroit où loger, de l'autre,
l'homme de ma vie.

– Ma coloc venait de partir en tournée, précisa
Donna. Amy arrivait donc à point nommé.

– C'était une période bénie. Rick et moi, nous étions
fous amoureux, j'avais rencontré une amie merveilleuse
et trouvé un joli petit appartement sur la Soixante-Dix-
Septième. On était à l'étroit mais on s'en fichait. Jamais
je ne m'étais entendue aussi bien avec quelqu'un.
On était les meilleurs amis du monde, on allait aux
auditions ensemble. Tout le monde faisait des commentaires sur nous, notre entente, cette rencontre
incroyable à trois. Jusqu'au jour où un spectacle s'est
présenté...

Scarlett tournait la tête de l'une à l'autre pour suivre
leur histoire qui jusque-là était exactement la même.

– C'était une bande de types d'Hollywood, ajouta
Donna. Ils voulaient monter un spectacle de fin de soirée. Un truc très enlevé, très branché. Ils avaient besoin
de dix comédiens – dix acteurs parmi les plus réactifs,
les plus comiques et les plus souples de New York. Nous
avons tous les trois été sélectionnés pour la première
audition, où trois cents personnes avaient été retenues.

– Nous avons franchi neuf étapes, et ainsi de suite
jusqu'à la vingtième. Les producteurs avaient l'air ravis
de l'alchimie qui se produisait entre nous, et nous
étions convaincus que nous étions bons pour rejoindre
la petite bande destinée à partir en Californie. Ils
devaient nous appeler la semaine suivante. C'était un
samedi.

Toutes deux s'arrêtèrent au même moment, comme lors d'une épreuve de force.

– Tu veux continuer, Donna? Je suis sûre que tu te rappelles la suite.

– D'accord. Donc… Rick a reçu un appel le lundi soir. Je m'en souviens très bien, on était assis tous les trois autour de la table de la cuisine, trop conscients de ce qui était en train de se jouer. Persuadés que nous irions ensemble en Californie, en route pour la gloire. Sauf que toi et moi, on a attendu, attendu, attendu…

– C'était avant les portables, O'Hara. Et avant les répondeurs. Pour être sûr de ne pas rater un appel, il fallait que quelqu'un reste à la maison. Le mercredi, nous étions toujours sans nouvelles, je me sentais très mal, presque malade, et Rick est sorti et revenu avec ça.

Elle fit un geste en direction de son étui à cigarettes.

– Tu te souviens? Je t'ai dit qu'une seule personne savait que c'était un objet fait pour moi, comme s'il avait lu dans mes pensées. Rick avait deviné que cet étui, et pas un autre, m'était destiné. J'ai été tellement abasourdie, et j'étais tellement amoureuse, que j'ai repris espoir.

– Ça? demanda Donna. Tu…?

– Si tu permets, je continue, fit Mrs Amberson qui avait repris toutes ses forces et semblait ravie. Donna a reçu son appel le jeudi après-midi. Il restait un jour. J'ai attendu, je n'ai pas quitté l'appartement, l'appel n'est jamais arrivé. Trois jours plus tard, alors qu'il faisait un froid de canard, ils sont partis tous les deux, direction la Californie, pour la dernière audition. Mon amoureux et ma meilleure amie. Je me vois encore les accompagnant en taxi à l'aéroport sous la neige; j'ai pleuré toutes les larmes de mon corps en voyant l'avion décoller. J'étais à la fois trop heureuse pour eux et désespérée pour moi.

– Nous sommes arrivés en Californie, reprit Donna, et tout de suite nous avons appelé Amy. Au moindre événement, nous l'appelions. La semaine qui a suivi notre arrivée, on nous a fait passer une série d'improvisations, d'entretiens, de tests à l'écran. Ils nous ont examinés sous toutes les coutures pour ainsi dire. Moi, j'estimais que sans Amy, ça ne marchait pas.

– Épargne-moi ça…

– Rick s'est très bien débrouillé, continua Donna, moi non. À l'époque, remarque, je ne comprenais pas pourquoi ça n'allait pas.

– Manque de talent. J'étais tellement fière de Rick. J'avais prévu d'aller le rejoindre en Californie et de poursuivre ma carrière là-bas. Entre-temps, comme par hasard, j'ai reçu un appel pour me proposer un nouveau rôle. À Broadway. Pas un premier rôle, mais un truc solide, sûr. Les comédiens sont condamnés à accepter les offres quand elles se présentent, et j'ai accepté. J'ai promis à Rick que je le rejoindrais à L.A. le plus vite posible.

– Attendez, intervint Scarlett. Ni l'une ni l'autre, vous n'aviez obtenu le rôle que vous vouliez. Seul Rick avait été pris. Où est le problème?

– Bonne question, O'Hara. Les semaines ont passé. Je pensais que Donna rentrerait. Elle disait qu'elle aimait le climat, la chaleur – cet hiver à New York a été épouvantable –, mais qu'elle serait bientôt de retour. Rick s'est lié à sa nouvelle troupe, ils travaillaient leurs personnages, L.A. était sympa. Lui m'appelait tout le temps pour me dire que je lui manquais. Puis, un jour, deux semaines avant la grande première, il m'a téléphoné en larmes, il était désolé. Lui et Donna avait décidé qu'ils aimaient la Californie, et qu'ils s'aimaient.

– On m'avait dit que que vous étiez depuis longtemps au bord de la rupture.

– De la rupture ? On avait l'air au bord de la rupture ?

– Si je comprends bien, c'est la faute de Rick, dit Scarlett. Vous vous êtes brouillées à cause d'un homme.

Donna hocha la tête, mais Mrs Amberson se défendit par un non.

– Non ? répéta Donna.

– Non. J'ai découvert la vérité.

– Quelle vérité ?

– Des actes répréhensibles, expliqua Mrs Amberson. Qui te hanteront toute ta vie. Trois ans plus tard, je déjeunais avec un ami commun, qui avait été lié au spectacle.

– Qui n'a jamais eu lieu, précisa Donna. Au dernier moment, un des producteurs a changé d'avis et tout est tombé à l'eau.

– C'est vrai. Mon ami m'a dit : « Tu as eu l'intelligence de refuser ce spectacle, ça a été un désastre. » Naturellement, je ne comprenais pas de quoi il parlait. En fait le directeur de casting m'avait appelée.

Donna faillit renverser sa tasse de thé.

– J'avais obtenu le rôle, Scarlett, ajouta Mrs Amberson en appuyant sur ces mots si bien qu'une partie du film plastique autour de son corps se mit à se craqueler. Ils avaient appelé pour m'annoncer que j'étais la prochaine

Gilda Radner, mais une femme qui s'est fait passer pour moi a répondu que je n'étais pas intéressée parce que j'avais trop peur du direct à la télévision.

– Tu crois que c'était moi ? se défendit Donna. C'est la première fois que j'entends ça. Enfin, je comprends ta réaction ! Sauf que tu te trompes.

– Je ne sais pas si je me trompe, mais je suis enveloppée dans du plastique et je ne peux pas venir te retirer tes poils au menton.

Scarlett eut peur que Mrs Amberson se redresse et projette son corps enduit de boue séchée sur Donna. Elle essaya de bouger mais Katiya l'avait littéralement saucissonnée.

– Je n'ai jamais répondu à cet appel, reprit Donna en se levant. Si tu avais obtenu le rôle, je t'aurais prévenue, Amy. Tu étais ma meilleure amie et ma partenaire de jeu privilégiée. Sans toi, je n'aurais jamais franchi les dernières étapes. À L.A., je n'arrivais plus à suivre Rick, à tel point qu'il a commencé à se tourner vers d'autres acteurs et actrices.

– Ne te défile pas, Donna. La personne au bout du fil était une femme. Qui d'autre aurait pu répondre ? Il n'y avait que nous trois dans l'appartement.

Donna demeura muette.

– Tu ne t'en sortiras pas comme ça, lança Mrs Amberson avec un regard triomphal.

Donna semblait ailleurs. Elle pianotait du bout des ongles sur le bras de son fauteuil.

– Je commence à comprendre, lâcha-t-elle au bout d'un moment.

– Sans blague ?

– Il y avait quelqu'un d'autre, Amy, ajouta Donna. Un jour, tu étais sortie et c'est Rick qui surveillait le téléphone, je suis rentrée sans prévenir et je suis tombée sur une fille assise avec lui. Alice. La fille rousse de l'audition. Tu t'en souviens?

Difficile de déchiffrer l'expression du visage de Mrs Amberson, qui hocha légèrement la tête.

– Rick s'est justifié en disant que la fille était venue pour le soutenir moralement. Aussitôt, elle a filé d'ailleurs. J'ai eu des doutes, comme si je l'avais pris en flagrant délit de je ne sais quoi.

– Si c'est vrai, pourquoi ne m'as-tu pas prévenue?

– Il n'y avait rien à dire. Je ne voulais pas que tu te mettes à le soupçonner. J'avais des doutes, mais rien pour les étayer. Rick m'a avoué qu'il voulait t'offrir un cadeau très spécial pour fêter la semaine extraordinaire qui s'annonçait. J'ai suggéré l'étui…

– Toi? Comment as-tu…?

– Tu n'arrêtais pas d'en parler, dès que tu rentrais un peu tard d'une fête, quand tu avais un peu bu. Tu l'adorais, tu en rêvais, tu l'achèterais dès que tu aurais percé. Rick m'a demandé de te cacher que la suggestion venait de moi. Tu croyais à ces histoires mystico-vaseuses de coïncidences. Il pensait que tu interpréterais comme un bon augure le fait qu'il avait lu dans tes pensées. Il avait l'air tellement préoccupé par toi!

– C'est Alice qui a répondu pour vous, conclut Scarlett. Rick vous a menti, il vous ment depuis le début.

– Tout s'explique, reprit Donna. Il n'y avait que dix rôles dans le casting. Rick m'a avoué un jour, alors qu'on ne s'entendait déjà plus très bien, qu'il n'avait jamais considéré que j'étais menaçante. Je n'étais pas assez bonne. En revanche, il se méfiait de toi. C'est lui qui t'a éliminée, Amy. Lui qui t'a volé le rôle, pas moi.

Mrs Amberson enregistrait petit à petit la nouvelle version des faits – réécriture de l'histoire de la dernière moitié de sa vie.

– Sauf que la production n'a jamais eu lieu, fit Scarlett. Tout s'est cassé la figure.

– Oui, mais Rick a obtenu ce qu'il voulait, répondit Donna. Il a commencé à faire son trou à Hollywood, jusqu'au jour où il a compris qu'il n'avait plus besoin de moi. Je ne peux plus allumer la télé sans tomber sur sa tronche pleine de suffisance. Il a fini par épouser deux ou trois de ses partenaires.

Mrs Amberson revenait peu à peu à la vie en se craquelant, puis finit par réussir à s'agenouiller.

– Le salaud! hurla-t-elle. Le salaud absolu! Donna, ma chérie!

Donna se jeta dans les bras de Mrs Amberson, boue et plastique compris... Scarlett se détourna pour aller chiper un bout de chocolat dans le minibar et échapper à ces effusions dramatiques.

– Maintenant, reprit Donna quelques instants plus tard, les yeux secs, tu comprends ma réaction. Tu viens de m'entourlouper pour m'empêcher d'avoir un rôle. Tu as envoyé quelqu'un me raser les cheveux. Je voulais savoir qui était assez dingue pour me tendre un tel piège. Tu aurais réagi pareil, non?

« Oui, répondit Scarlett en silence. J'aurais réagi pareil. » Trop embarrassée pour lever le regard, elle fourra un gros morceau de chocolat dans sa bouche.

– Mais tu as fichu notre *Hamlet* à l'eau, ajouta Mrs Amberson.

– Pas du tout ! Ça n'a jamais été mon intention. Je travaille pour le bureau du tourisme de New York, section théâtre. Je connais beaucoup de monde. J'étais en train de passer des appels pour savoir qui m'avait fait un coup pareil. Il se trouve que le propriétaire du parking avait déjà eu des ennuis. Il continue à le louer pour des événements qui n'ont pas le droit de s'y dérouler, à cause des réglementations de la ville ou des risques d'incendie. Je suis venue vous prévenir et tu es partie comme une furie.

– Parlons de la pièce, les interrompit Scarlett, contente qu'elles en soient enfin revenues au vif du sujet. Il faut qu'on s'en occupe, et dès maintenant. Vous pourrez discuter ensemble aussi longtemps que vous voudrez après.

– Je ne peux rien faire pour vous, répondit Donna. C'est hors de ma portée. Je suis désolée.

– O'Hara, cela me coûte de te l'avouer, mais je ne crois pas que nous puissions trouver un...

Scarlett leva une main pour demander le silence et annonça :

– Je sais où. La seule question, c'est comment. C'est là que vous intervenez toutes les deux...

Les liens de famille se resserrent

Son plan était si audacieux, si ridicule en un sens, que Scarlett fut obligée de bouleverser de fond en comble les règles de sa vie en famille. Ainsi passa-t-elle devant la suite de l'Orchidée sans s'arrêter et alla-t-elle directement dans la suite Jazz, où elle trouva Marlène scotchée devant une émission de télévision consacrée à un lycée où chacun exprimait ses sentiments envers autrui en chantant. Elle s'affala sur le sofa à côté de sa petite sœur.

– Ça te dirait de descendre pour participer à une réunion secrète avec Lola, Spencer et moi ?

– Quoi ? répondit Marlène avec un regard suspicieux.

– Tu veux descendre et discuter avec nous ? On a un plan et on a besoin de toi.

– Quel plan ?

– Le spectacle de Spencer est menacé. Il faut qu'on le monte ici. Mais si les parents découvrent le pot aux roses, ils nous tuent, d'abord un par un, puis tous les quatre ensemble.

– Qu'est-ce que vous m'offrez en échange ?

– Je n'ai rien à t'offrir. Je te demande de coopérer parce qu'on a besoin de toi.

Marlène fit grincer ses mâchoires avant de répondre.

– Tu ne me proposes jamais de partager quoi que ce soit avec toi.

– Justement, j'ai décidé que ça doit changer, et tout de suite. Soit tu viens avec moi, soit tu caftes, à toi de choisir. La porte est ouverte.

Marlène se retourna face à la télévision et demeura de marbre. Scarlett se leva et remonta dans sa chambre. Ou bien Marlène mordait à l'appât, ou bien Scarlett venait de tout foutre en l'air et la vie de Spencer était compromise.

Non pas que celui-ci ait l'air tellement préoccupé. Ni lui ni Lola n'avaient l'air soucieux du reste : ils étaient tous les deux assis mollement par terre dans la suite de l'Orchidée. Les vêtements de Scarlett jonchaient le sol et les tiroirs de la commode de Lola étaient grands ouverts. La commode elle-même penchait dangereusement vers la gauche.

– C'est le contraire du Jenga, expliqua Spencer. Tu empiles les objets jusqu'à ce que tout s'écroule.

– Il faut qu'on réfléchisse au spectacle, dit Scarlett.

– Oui, oui, répondit Lola en rangeant soigneusement une poignée de petites culottes de sa sœur dans le tiroir du milieu. C'est pour ça que la commode Jenga paraissait adéquate. Aujourd'hui, c'est le jour où tout s'écroule.

– Jamais je n'aurais cru qu'elle accepterait, fit Spencer que ses soucis semblaient avoir rendu un peu ivre. Regarde, j'arrive encore à empiler ce truc au sommet...

Il tendit la main pour prendre le pyjama de Scarlett, qui, soudain, le lui arracha.

– Toi, sur mon lit, et tout de suite. Et toi, Lola, sur le tien. Écoutez-moi, c'est urgent.

Ils furent tellement surpris par le changement de ton de Scarlett qu'ils obtempérèrent sur-le-champ.

– *Hamlet* aura lieu, c'est clair ? La mise en scène est au point. On attend plus d'une cinquantaine d'agents, d'écrivains et de producteurs. Tout ce qu'il nous manque, c'est un lieu, et dans vingt-quatre heures. Je vous interdis de m'interrompre, je vous explique. La salle à manger de l'hôtel peut contenir une centaine de personnes, un peu serrées, mais ça tient.

Spencer leva le doigt comme à l'école, mais Scarlett n'y prêta pas attention.

– On divise la pièce en deux, une moitié pour le public, une moitié pour la scène. Le reste de l'hôtel est à vous, pour les coulisses. Il est vide.

Spencer agita une main impatiente.

– D'accord, dit-il. C'est sympa. Mais, et là-dessus je pense que tu seras d'accord avec moi, si je demande aux parents la permission, vu les scènes de bagarre et les monocycles tournicotant sur le beau parquet bien ciré...

– Pas si bien ciré que ça...

–... ils me riront au nez. Un rire jaune, tu piges ?

– Jamais ils ne nous donneront l'autorisation, renchérit Lola.

– Bien sûr que non, approuva Scarlett. Ils n'y verront que du feu.

– On leur a déjà fait le coup, rappela Spencer. Dans la

cave. Tu te rappelles comme on s'est fait avoir ? Autant monter la pièce dans la réception sous leurs yeux.

– Ils ne seront pas là, ajouta Scarlett en se jetant sur le côté de la commode de Lola prête à s'écrouler.

– Ils seront où ? demanda Lola. Ils ne sortent jamais.

– En congé, répondit Scarlett en coinçant une de ses baskets sous le pied de la commode.

– En congé ? répéta Spencer. Où ? En Floride ? Dans les Alpes ? Au Grand Canyon ?

– Non.

– D'accord, alors, où ? demanda Spencer.

– Tu te rappelles ce que tu m'as promis ? continua Scarlett en se tournant vers Lola avec un sourire-dents-blanches-parfaites.

La porte de la suite de l'Orchidée grinça et Marlène pointa son nez.

– Oh, Mar... s'exclama Lola. Ce n'est pas le...

– C'est moi qui lui ai demandé de venir.

Spencer essaya de cacher son inquiétude en voyant sa petite sœur s'installer près de Lola, très fière.

– Je vous demande un vrai grand service, répondit Scarlett. Qui vous concerne toutes les deux, toi et Marlène. Il faut éloigner papa et maman pendant douze heures au moins. La seule façon, c'est de les envoyer dans un endroit dont ils ne pourront pas revenir, genre, un bateau...

– Chip a un bateau... ajouta aussitôt Marlène. Il m'a promis qu'il m'y emmènerait.

– Chip le skipper, dit Spencer.

– Tu es dingue ! s'écria Lola.

– Tu n'as pas besoin de les accompagner.

– Je veux bien, mais pourquoi Chip emmènerait-il Marlène sans moi? Et papa et maman, encore moins?

– Bien vu, l'aveugle, fit Spencer. Tu adores le bateau, non?

– J'ai horreur de ça. J'ai le mal de mer.

– L'amour, la haine... commenta Spencer, deux émotions liées.

– Je ne t'ai pas vue vomir sur un bateau depuis que tu as douze ans, objecta Scarlett. C'était sur le *Circle Line*.

– Je me souviens.

– Chip a une très jolie vedette, précisa Spencer. Et il a promis un tour à Marlène.

– Je vous rappelle que vous êtes en train de parler de mon ex.

– J'ai conscience de te demander une immense faveur, répondit Scarlett. Mais tu n'as pas besoin de retourner avec lui...

– Surtout pas, renchérit Spencer.

– Simplement, s'il pouvait les emmener faire un tour, reprit Scarlett.

– C'est de l'exploitaiton pure et simple.

– Arrête, intervint Spencer. Je t'aime de plus en plus.

– Écoute, répliqua Lola, ce n'est pas parce que je viens de rompre avec lui que tu peux continuer à être vache.

– Vache? Depuis quand je suis vache?

– Avec moi, depuis toujours. Tu veux savoir à quel point Chip avait les jetons de venir ici?

Spencer semblait au bord de l'évanouissement tant il était comblé.

– Je suis sérieuse, reprit Lola. Tu m'as blessée, pronfondément. Toutes ces horreurs que tu débitais sur lui.

Toi et Scarlett, vous avez toujours trouvé ça hilarant, sauf que ça ne l'était pas. Jamais je ne me permettrais de déblatérer avec une telle violence sur une de tes copines, et pourtant tu en as ramené des gratinées!

Lola avait ça sur le cœur depuis longtemps, et tous furent saisis par tant de véhémence. Non seulement Scarlett, qui était en pleine réflexion pour mettre au point son plan, mais Marlène, blottie contre sa grande sœur qu'elle tenait par la taille.

– Si j'ai rompu avec lui, c'est aussi parce que vous ne pouviez pas l'encadrer. Toi surtout, Spence. Tu ne lui as jamais donné la moindre chance. Jamais tu ne harcèlerais Scarlett comme ça si elle sortait avec un type que tu ne pouvais pas piffer.

– Pas si sûr, répondit-il en baissant les yeux.

– Je l'aimais bien, Chip, dit Marlène.

– Je sais, Mar. Lui aussi, il t'aimait bien.

– Pardonne-moi, bredouilla Spencer. C'est vrai, je ne l'aimais pas beaucoup, mais je n'ai jamais voulu te déstabiliser. J'étais persuadé que tu n'y faisais pas attention.

– Pas attention? Comment j'aurais pu t'ignorer?

– Parce que tu me méprises. Sérieusement. J'ai toujours pensé que tu te foutais de ce que je pensais.

Lola remua la tête, incrédule.

– Spencer, tu es mon frère aîné.

Le rappel de cette évidence atterrit sur le crâne de Spencer comme une grosse bûche. Les trois sœurs l'observaient d'un même regard.

– Ah! lâcha-t-il.

Il tendit une main, et soudain, Lola le prit dans ses bras.

Scarlett se cacha les yeux. C'était la seconde crise cathartique qu'elle provoquait cet après-midi, alors qu'elle voulait simplement réconcilier les gens pour monter une pièce dans laquelle elle n'avait pas le moindre rôle.

– Oh, non, pas vous! soupira-t-elle.

Mais pour une fois, Lola avait le droit de pleurer. Marlène s'accrochait à la fois à son frère et à sa sœur. Et Spencer implorait Scarlett du regard, désemparé, coincé au milieu de cette petite mêlée.

Scarlett se leva et commença à tournoyer dans sa chambre. Elle eut le malheur de heurter du pied la basket coincée sous le pied de la commode de Lola, qui vacilla dangereusement. Le temps qu'elle la redresse, Lola avait repris la maîtrise de soi et s'était redressée.

– Si vous avez besoin d'aide, dit-elle en s'essuyant les yeux, je suis avec vous. Je vais appeler Chip.

– D'accord, répondit Scarlett, rassurée. Je compte sur vous deux pour organiser l'excursion en bateau, aussi loin et aussi longtemps que possible. La pièce dure trois bonnes heures, et il faut compter une heure pour tout débarrasser, au bas mot.

– Plus, ajouta Spencer. Si c'est nous qui montons la scène, compte deux heures au minimum.

– Le spectacle commence à sept heures, il finit à dix. On besoin d'être libres jusqu'à minuit au moins.

– Descendre à la marina prend vingt minutes minimum, ajouta Lola. On peut traîner un peu et retarder le moment de monter dans la voiture.

– N'hésite pas à demander à Chip de dire que la préparation de la vedette a pris plus de temps que prévu ou je ne sais quoi. Tâche de la maintenir à quai le plus longtemps possible.

Lola semblait perdre confiance. Spencer la prit par les épaules pour lui remonter le moral.

– Quant aux parents, ajouta Scarlett, tout dépend de toi, Marlène. Il faut qu'ils disparaissent tous les deux. On leur expliquera qu'on leur a organisé une espèce de pause, très brève, que pour toi c'est important.

– Une virée avec l'ex de Lola… fit remarquer Spencer. Pas génial. Il faut trouver mieux.

– Pas de problème pour qu'ils viennent avec moi, répondit Marlène sans hésiter. À quelle heure on est censés partir ?

– Dix heures du matin, répondit Scarlett. Ça nous laisse neuf heures pour prévenir tout le monde et vous, les comédiens, vous aurez le temps de répéter sur place. Qu'en penses-tu, Spence ?

– Ça me semble dingue, mais neuf heures, oui, peut-être, on peut tout monter, fixer l'estrade, répéter une dernière fois. Ça ne sera pas de tout repos mais c'est possible.

– D'accord, approuva Scarlett. Lola, le premier rôle, c'est toi.

Lola se leva en vacillant.

– Je veux bien, mais… dit-elle en s'adressant à son frère, zéro remarque sur Chip, c'est clair ?

– Promis, répondit-il très sérieusement. Zéro remarque sur Chip à vie.

Elle prit son téléphone dans la commode bringuebalante et sortit. Marlène, curieuse, la suivit.

– Je tombe des nues, avoua Spencer. Jamais je n'aurais

pensé que je l'avais blessée à ce point-là. Tu n'as jamais cru toutes les horreurs que je t'ai sorties, à toi, non ?

– Bien sûr que non. Je te connais trop bien. Et je n'ai aucune envie de me prendre un coup de poing dans la figure !

Il brandit le poing vers elle, pivota et se fit tomber sur le lit en se frappant.

– Bon, c'est d'accord, de toute façon on n'a pas le choix. C'est ça ou rien, dit-il. Sauf que je doute que ça marche.

– Ça peut marcher. Combien de fois je t'ai entendu te plaindre de ne pas pouvoir organiser de fête à la maison ! C'est l'occasion ou jamais.

– C'est vrai.

L'appel de Lola avait été étonnamment bref.

– J'ai l'impression qu'il attendait mon coup de fil, expliqua-t-elle. Il a accepté. Il nous emmène où on veut, quand on veut, et aussi longtemps que nécessaire. Il va commander de quoi déjeuner et dîner. On pique-niquera au bord de l'Hudson. Franchement, il a décroché tout de suite, ça a sonné à peine une fois…

Elle était anxieuse. Elle s'assit sur son lit en nouant ses mains.

– Très bien, approuva Scarlett. À toi de jouer, Marlène. Il faut que tu persuades les parents que vous avez besoin d'une journée en famille. Comme ni Spencer ni moi, on ne viendra, n'insiste pas trop sur le côté famille au complet.

– Fastoche, dit-elle en faisant craquer ses articulations.

343

Scarlett était un peu désemparée par l'assurance de sa petite sœur – mais au moins elle jouait le jeu.

– Je descends avec elle, intervint Lola. On va réfléchir aux détails.

Marlène se pavanait, ravie d'être mise à contribution ; Lola, elle, incarnait plutôt l'armée défaite.

– Si je comprends bien, mon avenir est entre les mains de Marlène, lâcha Spencer.

– Notre avenir.

– Je suis curieux de voir comment ça va se goupiller. J'ai l'impression de chercher à savoir comment je vais mourir.

Les comédiens arrivent

À dix heures le lendemain matin, Scarlett dit au revoir à Lola, Marlène et leurs deux parents... qui avaient accepté, non sans résistance, leur proposition. De toute évidence ils se demandaient pourquoi leur fille aînée tenait tant à les emmener en bateau une journée entière avec son ex, mais l'habileté et la capacité de harcèlement de Marlène avaient achevé de les convaincre. En outre, la perspective de passer une journée au soleil avec un pique-nique préparé par un traiteur était assez alléchante.

– Tu es sûre que tu ne veux pas venir ? demanda son père à Scarlett en montant dans le taxi.

– Sans façons, répondit-elle. J'ai des entrées scolaires pour les musées. J'irai peut-être avec Spencer.

Mais Spencer avait déjà disparu sous prétexte de travailler. En réalité, il avait pris sa journée et était chez Trevor avec qui il préparait les accessoires et les outils à transporter en camionnette.

Mrs Amberson attendait devant le pâté de maisons voisin dans un taxi. À peine celui des parents de Scarlett s'éloigna-t-il qu'elle débarqua.

– O'Hara ! Quelle journée sublime pour un tel subterfuge ! Mais j'ai peur qu'il ne se mette à flotter dans la soirée. Parfait pour le royaume du Danemark, remarque. J'ai passé la nuit à discuter avec Donna, on avait tellement de choses à se raconter et d'amis en commun à évoquer...

– Rick ?

– Oui. Tu piges vite ce genre de choses, dis-moi. Mais ce n'est plus le problème. Aujourd'hui, le but est que le spectacle ait lieu ce soir.

À dix heures et demie, la troupe commença à arriver : Paulette et Leroy, plongés dans une discussion à propos d'une des répliques de Hamlet, puis les autres, un par un, remplissant peu à peu l'entrée avec les sacs de costumes et d'accessoires. Éric fut un des derniers, il était dans la camionnette qui transportait de quoi monter la scène. Scarlett les escorta dans la salle à manger où attendait Mrs Amberson.

– Parfait ! lança-t-elle en applaudissant. Nous avons très peu de temps, donc voilà comment les choses vont se dérouler, sous la responsabilité de Scarlett.

Scarlett leva les yeux et vit quinze visages l'observer, prêts à suivre ses instructions. Quinze comédiens et techniciens, alors qu'elle n'avait aucune expérience théâtrale, et pas d'idée très claire sur la façon de procéder... Il ne lui restait plus qu'à prendre la parole.

– Pour les loges, le mieux serait d'utiliser les chambres du troisième étage, ce sont les plus accessibles. Il y a deux chambres en particulier : les suites Métro et Sterling.

– Évitez d'utiliser la salle de bains de la suite Sterling, précisa Spencer. Sans blague. Je vous interdis d'y jeter le moindre coup d'œil.

– Vous avez deux façons de monter et descendre vos affaires, par l'ascenseur, qui est très lent, ou par les escaliers à l'arrière. Quant aux coulisses, vous pouvez utiliser la cuisine, ici.

Elle ouvrit la porte et découvrit la caverne familiale aux équipements obsolètes.

– On peut descendre les tables à la cave et utiliser les chaises pour le public. Voilà... bon... on n'a qu'à s'y mettre tout de suite.

Personne ne fit un geste.

– Vous avez entendu ? hurla Mrs Amberson. Il faut débarrasser la cuisine.

Finalement, tout le monde mit la main à la pâte, mais l'installation prit la journée entière.

Il fallut d'abord retirer les tables et les transporter à travers la réception jusqu'à la cave. Puis vider la camionnette et répartir tous les objets au bon endroit. La scène était un assemblage d'une douzaine de mini-estrades, dont chacune avait à peine un ou deux mètres carrés de surface, qu'il fallait fixer sur des solives. Dix personnes durent s'y mettre pour arriver à monter l'ensemble correctement. Pendant ce temps-là, Scarlett aida à monter les sacs et les costumes au troisième étage où elle avait aménagé une pièce pour les filles, et une pour les garçons.

Le temps qu'elle finisse de tout répartir, les comédiens avaient commencé à répéter pour peaufiner les derniers déplacements sur scène. Elle pouvait difficilement intervenir. Elle remonta de la cave les tapis de sol prévus en cas de pluie et de neige, ils seraient utiles pour protéger le parquet, à cause des monocycles. Elle reçut une dizaine d'appels d'invités qui se renseignaient sur l'adresse et l'heure exactes de la représentation. Les comédiens et les techniciens n'arrêtaient pas de lui demander tel objet ou tel outil : un marteau, un verre d'eau, un morceau de ficelle… Elle ne vit pas le temps passer jusqu'au moment où l'on vint livrer un énorme bouquet. Une heure plus tard, un camion vint stationner devant l'hôtel et deux serveurs en sortirent avec des caisses de champagne et de verres.

– De quoi détendre l'atmosphère, expliqua Mrs Amberson en leur faisant signe d'entrer. Peu de problèmes dans ce bas monde ne peuvent être résolus avec un petit verre de champagne.

Scarlett tâcha de ne pas intervenir en la voyant diriger les serveurs vers la cuisine avec un nombre incalculable de caisses d'alcool et de glace.

– On n'attend qu'une cinquantaine de personnes… finit-elle par faire remarquer. Ça n'est pas trop ?

– Je compte une bouteille par personne. Plus une, en extra. J'ai aussi invité deux ou trois amis à qui j'ai pensé au dernier moment. Ne t'inquiète pas. La pièce contient largement cent personnes…

– Soixante-quinze, plus la scène.

– Bien vu. Allez, il est temps de se changer, O'Hara. Si tu mettais ta jolie petite robe noire ? C'est toi qui reçois ce soir. Vite. Tu as vingt minutes.

Scarlett se dirigea vers l'ascenseur tandis que Mrs Amberson aboyait ses ordres aux serveurs.

– Vous pouvez installer le bar ici, sachant que la règle est la suivante : pas le moindre verre vide. C'est moi qui ai tout commandé, alors hors de question qu'il en reste une goutte. Je ne veux pas voir un verre à moitié plein...

Puis elle suivit la troupe qui était montée au troisième pour vérifier que chacun avait ce dont il avait besoin. Tous se maquillaient et se coiffaient; il n'y avait plus un centimètre carré de miroir libre.

Le sixième étage était très silencieux à côté. Scarlett enfila sa robe, se passa un peu de rouge à lèvres et ébouriffa ses boucles pour leur donner un peu de volume. Elle entendit du bruit dans la chambre de son frère puis le vit apparaître, retirant du maquillage du bout de ses doigts. Il était méconnaissable, le visage entièrement blanc et le contour des yeux souligné en noir.

– C'est un maquillage de cinéma muet. Rien à voir avec le mime. Il a fallu appliquer une couche un peu plus épaisse parce que la lumière est différente dans la salle à manger.

– Je comprends, répondit Scarlett.

Peu après apparut Éric, grimé de la même façon. Le blanc mettait en valeur la forme idéale de son visage et ses yeux, plus sombres encore. Scarlett sentit la petite boule monter dans sa gorge, cette exquise douleur qu'elle éprouvait chaque fois qu'elle était frappée par sa beauté.

– Je descends donner un dernier coup de main, dit-elle en l'effleurant. Et merde !

Elle eut la surprise de voir que le bureau de la réception avait été transformé en bar, au milieu duquel trônait une sculpture de glace en forme de livre – qui commençait déjà à fondre en gouttant sur le parquet. Des bouteilles de champagne étaient alignées des deux côtés, ainsi que deux pyramides de verres.

– Parfait, conclut Mrs Amberson. Je vais rassembler la troupe. À toi de surveiller l'entrée. La liste des invités est derrière le bureau. Quand tout le monde sera là, vers sept heures moins le quart, tu peux monter et nous prévenir dans ma chambre.

Les invités commencèrent à arriver avec une bonne demi-heure d'avance. La plupart étaient des gens normaux, pas particulièrement habillés. Ils semblaient ravis d'être accueillis par un verre de champagne, de traîner un peu avant le début de la pièce, de passer un coup de fil, et de discuter. À moins le quart, Scarlett monta dans la suite Empire. Tous les comédiens étaient là, serrés les uns contre les autres en se tenant par la main ; ils récitaient une sorte de prière incantatoire qui devait favoriser la concentration. Mrs Amberson attendait sur son perchoir habituel, vêtue d'une robe longue noire moulante. Éric était assis sur la coiffeuse.

– Les invités sont là, annonça Scarlett.

Mrs Amberson hocha la tête et lâcha sa cigarette, peut-être sur une des personnalités attendues...

– C'est bon, dit-elle. Spencer et Éric, prenez votre monocycle, descendez et commencez à rouler au milieu des gens pour les distraire.

Ce fut un drôle de voyage en ascenseur : Scarlett était coincée entre son frère qui portait un costume trop grand pour lui et son monocycle à la main, et son ex-non-petit-ami, muni du même accoutrement... Et tous trois descendaient pour aller distraire une centaine de personnes qui, la veille encore, n'auraient jamais dû être là! Comme par hasard, l'ascenseur fut particulièrement lent et peu coopératif, ralentissant dangereusement entre le cinquième et le quatrième étage.

Spencer arrêta l'ascenseur au troisième.

– Tu pourrais descendre ici, s'il te plaît? demanda-t-il à sa sœur. On voudrait faire une entrée spectaculaire au rez-de-chaussée, mais j'ai peur qu'on te blesse avec les monocycles.

Scarlett se précipita dans les escaliers et arriva juste à temps pour les voir exécuter leur entrée. D'abord Éric, qui jaillit de l'ascenseur et se lança en vacillant entre les invités. « C'est du pipeau, songea Scarlett, il maîtrise parfaitement le monocycle. » Les gens s'écartèrent pour le laisser passer en riant aux éclats. Quelques secondes plus tard, ce fut au tour de Spencer, qui fendit la foule et se dirigea droit sur la double porte de la salle à manger. Atterrée, Scarlett le regarda foncer, s'écrouler au milieu du public et retomber sur ses pieds après un salto arrière. Un concert d'applaudissements et de rires retentit. Scarlett n'avait jamais vu ce numéro, qui devait être improvisé.

Peu après, Éric roula jusqu'à elle et s'attarda un court instant à ses côtés. Il se pencha vers elle et elle sentit son souffle contre son cou.

– Ton frère est un gros frimeur, murmura-t-il avec un clin d'œil, avant d'aller se mêler au public.

La porte de l'ascenseur s'ouvrit à nouveau et la moitié de la troupe sortit; la seconde moitié arriva par l'escalier arrière. Tous se dirigèrent vers la cuisine, en ordre et déjà dans leur rôle, saluant au passage les uns et les autres. Mrs Amberson fermait la marche, vêtue de sa belle robe noire mise en valeur par un petit bouquet de violettes fraîches sur l'épaule.

— Mesdames et messieurs, annonça-t-elle, je vous souhaite la bienvenue.

Les portes de la salle à manger s'ouvrirent comme par enchantement. La pièce était plongée dans une semi-obscurité, éclairée çà et là à la chandelle.

— Veuillez vous asseoir, dit-elle. Le placement est libre.

Elle accrocha son bras à celui de Scarlett.

— C'est ton spectacle, O'Hara, viens, regarde.

Pendant ce temps-là, au Danemark...

La salle à manger était métamorphosée, méconnaissable.

Les chaises avaient été disposées en rangées arrondies face aux fenêtres elles-mêmes, recouvertes d'un drapé rose et argent que Scarlett mit quelques instants à identifier : c'était le couvre-lit de la suite Empire.

Toutes les lumières du plafond étaient éteintes, sauf le lustre en cristal, drapé lui aussi pour adoucir l'éclairage. Scarlett reconnut tout de suite ses rideaux mauves. L'effet produit était époustouflant. L'étoffe, suspendue tel un spectre royal, retombait en effleurant le haut du dossier des chaises en dessous. Des lampes avaient été fixées sur des chaises, des rideaux, des supports variés, de façon stratégique. Une bonne douzaine de bougies avaient été disposées autour de la pièce – en violation totale des règles de sécurité. L'air embaumait un mélange de cire, de soufre et du parfum sucré, légèrement écœurant, du champagne.

Dehors, un éclair zébra le ciel et un coup de tonnerre retentit, comme si la nature sonnait le début du spectacle. La pluie se mit à battre contre les vitres.

La version cinéma muet de *Hamlet* commença. Les messagers arpentaient la scène en attendant le spectre du roi mort. Hamlet était un étudiant révolté qui rentrait chez lui pour les funérailles de son père et les noces de sa mère, vêtu du costume que Scarlett avait ajusté. Tous les adultes conspiraient contre lui; il séduisait et tourmentait sa fiancée, Ophélie. Plus tard arrivaient ses deux amis bouffons, en monocycle, apportant à la fois une note comique et une curieuse ombre de menace. Éric et Spencer articulaient tous deux très bien.

Scarlett perdit peu à peu la notion du temps. Elle avait complètement oublié que ses parents étaient partis en excursion. Elle était au Danemark... un pays étrange, brillant, bruissant de meurtres et de conspirations. Elle mit quelques secondes à revenir sur terre quand les lumières s'éteignirent, et que l'un des techniciens apparut sur scène avec un clap de tournage pour annoncer un entracte. Le public applaudit à tout rompre et les portes s'ouvrirent.

– Pour l'amour de Dieu, servez-leur à boire, murmura Mrs Amberson.

Scarlett se faufila jusqu'à la cuisine et tomba sur Spencer et Éric, affalés par terre, en train de boire de l'eau.

– Ça va? demanda-t-elle en évitant de croiser le regard d'Éric. Tu m'as fait peur avec ton entrée.

– Je m'en doutais, répondit Spencer. J'ai plus ou moins improvisé. Heureusement que ça a marché. Sinon, je me retrouvais à l'hosto. Les gens ont l'air comment?

Scarlett entendait la voix de fumeuse de Mrs Amberson au fond de la réception.

– En fait, racontait-elle, ils ne l'ont pas utilisé le jour de la représentation. Je vous dirai plus tard ce que c'était exactement. Ça n'est pas pour toutes les oreilles...

– Contents, répondit Scarlett. Ils s'amusent. J'ai l'impression que Mrs Amberson est en train de leur raconter son histoire de *Chorus Line* pour la centième fois.

– Il faut qu'on y retourne, l'interrompit Éric en se redressant.

– On y va, répondit Spencer en empoignant son monocycle.

Éric lui emboîta le pas, effleurant – à peine – Scarlett en passant. C'eût été un autre, elle aurait pensé que c'était un hasard. Mais elle les connaissait assez, lui et son frère, le moindre de leurs gestes était calculé.

– Oublie, murmura-t-elle. Ou-blie.

Mrs Amberson, légèrement ivre, lui tomba dessus et la prit par la main pour la présenter à ses amis. Éric et Spencer amusèrent la galerie en feignant la bagarre, avant d'augmenter la tension en se giflant, et le public leur fit spontanément de la place pour les laisser se défouler. C'était un prélude à ce qu'ils allaient voir sur scène quelques instants plus tard.

Soudain, Scarlett eut des scrupules et sortit son portable. Elle avait trois appels – dont un de Lola. Mais pas de messages. Elle rappela, personne ne répondit. Bizarre...

– Le spectacle reprend, s'écria Mrs Amberson. Emportez votre verre plein avec vous et allez vous asseoir. Une bouteille entière si vous le souhaitez!

Spencer s'approcha de sa sœur en boitant.

– Que se passe-t-il? Pourquoi est-ce que tu zieutes ton portable?

Elle le referma sur-le-champ.

– Ce n'est rien.

– Sérieux?

– Sérieux. Tout va bien.

Il n'eut pas le temps de répondre, Éric le prit par le col et le balança dans la salle à manger. Vite, il ferma un de deux battants et se planta devant, hors de vue du public. Il fixa Scarlett quelques instants, jusqu'au moment où Mrs Amberson passa comme une furie.

– Tu viens, O'Hara?

– Je crois qu'il vaut mieux que… répondit-elle en jetant un œil sur son téléphone, que je reste ici.

– Tu es sûre?

– Sûre et certaine.

Elle fit signe à Éric d'entrer et referma le deuxième battant.

Elle resta assise derrière le bureau une heure, écoutant la pièce dans la salle voisine, les yeux rivés sur son portable. Elle rata la grande bagarre, mais de toute évidence le public apprécia. Ils enterraient Ophélie quand Lola appela à nouveau.

– Où étais-tu? J'ai essayé de t'appeler.

– Je suis en pleine représentation. Que se passe-t-il?

– On est sur le chemin du retour, répondit-elle d'une voix enjouée. (Il y avait sûrement quelqu'un à côté d'elle.) Oui, oui, sans doute, dans une demi-heure.

– Une demi-heure! siffla Scarlett entre ses dents, le cœur battant la chamade.

– C'est cela, oui! Environ une demi-heure. La journée

était splendide. Malheureusement, il pleut. Ça nous oblige à rentrer plus tôt.

– La représentation n'est pas finie. Lola, je t'en supplie, fais quelque chose.

– Tu as raison... Oui... enfin, je ne sais pas.

– Il y a une centaine de personnes dans l'hôtel, Lola. Et une sculpture de glace sur le bureau de la réception, transformé en bar.

Silence de mort au bout du fil.

– Je comprends, répondit-elle enfin, toujours avec la même voix faussement enjouée, mais avec un soupçon de tension. Je vais réfléchir. D'accord. À tout de suite. N'oublie pas de passer un coup de balai une fois que votre méga fête sera terminée.

Un petit rire forcé suivit et elle raccrocha.

– J'ai compris, dit-elle en jetant un œil sur les deux serveurs affalés chacun dans un fauteuil. Les gars, s'il vous plaît, j'ai besoin de vous pour débarrasser la réception, tout de suite. Ça urge.

– D'accord, mais il faut que j'aille chercher la camionnette et que je trouve une place pour me garer le plus près possible. Ça me prendra un quart d'heure au moins, répondit l'un d'eux.

– Peu importe. Vite!

Tous deux lui jetèrent un regard béat, la bouche grande ouverte. Scarlett faillit leur demander de lui exploser la sculpture de glace sur la figure. Que ferait Mrs Amberson face à une situation pareille? Elle les soudoierait.

– Si vous y arrivez, je vous propose un petit extra... cinquante dollars chacun.

Aussitôt, la donne changea. Ils remuèrent leur gros popotin.

– Et le champagne ? La dame a déjà tout payé.

– Euh… oui. Au cinquième étage. Suite Empire. La porte est ouverte. Vous pouvez également monter les fleurs ?

Pas le temps de prendre des pincettes. Elle-même se précipita sur le moindre objet qu'elle pouvait ranger. Elle attrapa les tapis de sol et les jeta dans les escaliers de la cave. Elle entendit les applaudissements et les comédiens qui quittaient la scène pour se diriger vers la cuisine, alors elle fonça sur Mrs Amberson qui discutait avec ses voisins.

– O'Hara, qu'est-ce qui te prend ?

– Il faut absolument que vous chassiez tout le monde de l'hôtel, illico. Ils rentrent.

– Je demande l'attention de tout le monde, s'exclama aussitôt Mrs Amberson en grimpant sur une chaise. En raison des contraintes dues à l'espace choisi pour la représentation, je suis obligée de vous demander de quitter les lieux dès maintenant. Je propose que nous nous retrouvions au bar du Saint Regis.

Sa déclaration eut peu d'effet. Chacun papotait dans son coin. Scarlett fut obligée de commencer à retirer les chaises vides et de les empiler pour que les gens comprennent. Plus de quinze minutes passèrent avant que la salle se vide, et quelques retardataires traînaient encore dans l'entrée. Scarlett referma les portes de la salle à manger et jeta un œil sur la scène. L'estrade, les rideaux, le couvre-lit, les bougies, les rampes… impossible de tout dissimuler à temps.

Les premiers comédiens sortirent, la bouche en cœur.

Scarlett se précipita dans la cuisine pour alerter son frère. Il était assis sur la table, démaquillé à la va-vite, et flirtait avec Stéphanie.

– Il faut que tu m'aides, murmura-t-elle en l'attrapant violemment.

– Quoi? dit-il quand Scarlett eut réussi à le coincer.

– Ils arrivent.

– On a encore deux heures!

– Oui, sauf qu'il flotte. Ils sont en chemin.

– Tu veux dire, en ce moment?

– On a dix minutes maximum.

Spencer pivota et observa la scène, les accessoires, les rampes...

– Impossible de dégager tout ça en dix minutes.

– Je sais, mais rameute tes potes et explique-leur la situation. Surtout, interdis-leur de monter.

Mrs Amberson s'était débrouillée pour chasser les derniers spectateurs en douceur. Elle était en train de presser trois retardataires d'une main ferme. Scarlett se retrouva seule un instant dans l'entrée, avec la tête qui tournait. Un filet d'eau avait coulé sous le livre de glace. Le parquet avait des traces de monocycle là où il n'était pas protégé. Elle attrapa un verre de champagne oublié sous un fauteuil et une bouteille à peine entamée. La réception était sens dessus dessous.

– Ils sont tous là, annonça Spencer en revenant de la salle à manger. Qu'est-ce que je leur dis?

– De... dégager.

– Tu penses que les parents ne remarqueront rien?

– Chaque chose en son temps! D'abord, on leur demande de décamper, ensuite...

Elle n'en avait pas la moindre idée. Elle tourna les talons et vit la réponse face à elle, derrière le bureau de la réception. Un verre de champagne. Elle le cacha dans une des armoires à dossiers.

– Pas de panique, la rassura son frère.

– Tu me fais rire !

– La Mercedes de Chip vient d'arriver. Ils sont en train de sortir. C'est le moment d'annoncer : « Les jeux sont faits. »

Elle courut dans la salle à manger et hurla :

– Écoutez-moi bien ! Éteignez tout, plus un mot et plus un geste !

Elle se plaqua contre la porte au moment où ses parents entrèrent.

– Bonsoir ! lança-t-elle en retirant des yeux ses boucles. C'était sympa ?

Le plus beau spectacle de tous les temps

Lola était pâle comme un cachet d'aspirine; elle avait dû vomir plus d'une fois au cours de la journée. Elle jeta un œil circonspect autour de la réception désertée.

– Tout s'est bien passé, mais il s'est mis à pleuvoir en début de soirée, expliqua leur père.

Spencer se serra contre Scarlett devant la porte de la salle à manger.

– Tu es rentré sans te changer? l'interrogea sa mère en découvrant le costume trop grand. Et à peine démaquillé?

– Oui. La journée a été longue, alors j'ai... je suis... je suis rentré directement à la maison. Ça permet au moins d'avoir une place assise dans le métro.

Il en fallait beaucoup pour surprendre leurs parents, surtout venant de la part de Spencer. Ne l'avaient-ils pas déjà vu rentrer d'un stage de chant lyrique vêtu d'un pyjama de fille rose trop petit? Ils hochèrent la tête d'un air distrait et allèrent derrière le bureau de la réception pour jeter un coup d'œil sur les e-mails et voir s'il y avait des messages sur le répondeur. Spencer en profita pour entrouvrir les portes de la salle à manger et brandir son pouce en articulant : « Ils sont toujours là. » Lola faillit s'évanouir et se mordit la langue.

– Pourquoi le bureau est-il collant ? s'exclama leur père en retirant un coude.

– C'est moi, répondit Scarlett. J'ai renversé du... Coca. Désolée. Je vais nettoyer.

Un bruit sec retentit dans la salle à manger. Un bout de scène s'était-il écroulé ? Une épée avait-elle heurté un mur ? Un monocycle venait-il de tomber ? Puis un soupçon de rire, très, très discret. Spencer eut sur-le-champ une énorme crise de toux.

– Ouh ! s'écria-t-il en se frappant la poitrine. Il y a tellement de fumeurs dans cette maudite troupe ! J'ai peur d'être victime de la fumée des autres.

Ses parents le dévisagèrent un instant, avant d'abandonner. Sans doute pensaient-ils que leur fils cherchait à couvrir une énième bêtise dont ils aimaient autant ne rien savoir.

– J'ai posé des pièges à souris dans la cuisine il y a peu de temps, poursuivit leur père en se dirigeant vers la porte. Je vais voir où ils en sont, après je monte me coucher.

Spencer et Scarlett se rapprochèrent instinctivement pour bloquer l'entrée. Leur père avançait d'un pas déterminé, quand soudain, Marlène...

– Il y a un truc dans ma chambre, lança-t-elle, je crois que c'est une souris. Tu ne pourrais pas y monter en premier ?

– Dans ta chambre ? Pourquoi ne m'as-tu rien dit plus tôt ?

– Ne t'inquiète pas pour la cuisine, renchérit Spencer. J'y vais. J'ai des envies de meurtre. Pourquoi vous n'allez pas vous coucher directement? Vous avez l'air crevés.

– Tu as raison, répondit sa mère en bâillant. De toute façon, s'il y en a, les souris seront toujours là demain matin.

Et tous trois se dririgèrent vers l'ascenseur en abandonnant Lola, Scarlett et Spencer. Dès que le terrain fut dégagé et sûr, ils ouvrirent les portes et relâchèrent la troupe.

Ils avaient décidé de ne garder avec eux qu'un nombre minimum de personnes afin de réduire les risques d'être entendus ou pris. Seuls Trevor et Éric étaient donc restés sur place.

Lola et Scarlett remirent en ordre les suites Métro et Empire ; les trois garçons, eux, passèrent la nuit à démonter la scène. À quatre heures et demie du matin, ils formèrent une chaîne pour se passer tous les éléments jusqu'à la camionnette stationnée sur un emplacement interdit. Les couvre-lits et les rideaux furent remis en place dans leur chambre respective.

Peu après cinq heures, Scarlett commençait à se sentir dans un état quasi comateux à force de monter et descendre les escaliers de la cave pour remonter les tables. Trevor l'aidait depuis un moment, mais cette fois-ci c'était Éric qui avait pris le relais. Soudain, elle se retrouva nez à nez avec lui.

– Salut, lança-t-il, d'une voix aussi épuisée que la sienne.

– Salut.

Ils travaillaient côte à côte depuis plus de dix-huit heures, si bien que l'échange tomba un peu à plat. Éric s'assit sur un coin de table et frotta les dernières traces de blanc autour de son menton. Sa blessure se voyait à peine dans la pénombre.

– J'ai l'impression que je discutais avec toi il y a deux secondes, dit-il. J'essayais de me justifier, quand tout a explosé autour de nous. Rien ne se passe jamais normalement chez vous, non ?

– Ça dépend de ce que tu appelles normalement, répondit Scarlett sans lever les yeux – ce qui eût été catastrophique.

Au lieu de quoi, elle se mit à contempler avec intérêt le contenu d'une bassine de dégivreur chimique à ses pieds. Le phénomène de dégivrage peut se révéler fort intéressant quand on y pense, non ?

Cela lui permit en outre de ne pas s'évanouir en entendant la proposition suivante d'Éric :

– Je meurs d'envie de t'embrasser.

Elle crut entendre le grésillement d'un court-circuit dans son cerveau, qui diminua jusqu'à l'extinction complète.

– Qu'est-ce qui te retient ?

– Je ne suis pas sûr que tu en aies envie. Tu veux ?

« J'en rêve. Plus que tout. »

– Tu penses que tu me largueras dès que tu commenceras tes cours à NYU ?

– Là, tout de suite, je ne pense pas. Mais je ne sais pas si je serai le même une fois sur le campus. Tu comprends ? Tu crois vraiment que je suis la personne la moins fiable du monde ?

Elle avait l'impression d'entendre un de ces manuels de psychologie débiles qui recommandent d'être le plus honnête possible, parce que c'est si sain et si vertueux ! Si elle avait eu le bouquin sous la main, elle l'aurait déchiré en morceaux et bouffé.

– D'une certaine manière, j'ai horreur que tu dises la vérité, murmura-t-elle, la voix légèrement tremblante.

– Moi aussi.

– Éric ? appela Spencer du haut de l'escalier. Tu es là ? Il faudrait que tu dégages la camionnette avec Trevor.

– OK.

– Il vaut mieux que tu y ailles. Tu m'aides à remonter la table ?

– D'accord.

Il fit un geste pour l'embrasser. Tous deux se tenaient de part et d'autre de la table en s'observant fixement.

– Tout dépendra de toi, précisa-t-il.

Un bruit de pas lourds résonna et Spencer apparut. Il leur jeta un regard soupçonneux, mais il avait d'autres chats à fouetter.

– Les flics sont à deux doigts de débarquer ; on va se choper une contravention pour la camionnette. C'est toi qui as les clés. Passe-moi la table.

– J'y vais. Salut, tous les deux.

Scarlett aimait autant que tout finisse brutalement. Spencer dut lui arracher la table des mains.

– Tu crois que ça m'intéresse ? lança-t-il.

Incapable de trouver une réponse à la mesure, elle resta sans voix.

La chose dans la boîte

Scarlett fut réveillée par un coup de tonnerre. Derrière la fenêtre nue (le rideau avait été remonté mais pas raccroché), le ciel avait viré au vert. Lola était déjà debout, devant son bureau, en train de détacher un mystérieux objet de son poignet.

– C'est quoi? demanda Scarlett.

– Rien, répondit Lola en fourrant la main dans le tiroir aux mystères.

Elle le referma énergiquement, à tel point que sa sœur crut qu'elle cachait un objet vivant particulièrement convoité.

– Je me demandais à quelle heure tu te réveillerais! fit Lola. Il est presque une heure de l'après-midi.

Scarlett s'étira et observa le ciel. Les nuages étaient bas et lourds. La femme nue était penchée à sa fenêtre pour remettre en place ses plants de tomate qui menaçaient de tomber, offrant une perspective fort intéressante sur son arrière-train.

– Je suis sûre qu'elle le fait exprès, dit Scarlett. Personne n'a idée de se pencher comme ça.

Du coin de l'œil, elle vit sa sœur rouvrir son tiroir. Que cachait-il donc? Elle commençait à se sentir mal.

– Ça va? demanda Lola. Je pensais que tu te réveillerais en pleine forme. Tu as l'air contrariée.

– Tu as déjà eu le sentiment que ta vie était… disons, compliquée?

Lola appliqua un peu de lotion tonique sur son visage et vint s'asseoir sur le lit de sa sœur.

– C'est à cause d'Éric?

– Ça se voit tant que ça?

– Ben oui. J'ai remarqué qu'il te dévisageait le soir où il est venu dîner, et hier soir. J'attendais que tu m'en parles. Alors, que se passe-t-il?

– Je ne sais pas.

– Tu l'as déjà embrassé?

– Oui.

– Plus d'une fois?

Scarlett hocha la tête.

– C'est pour ça que Spencer se comportait bizarrement il y a quelques jours?

– Plus ou moins. Il lui a cassé la gueule.

– Cassé la gueule? Notre frère? À Éric?

– Ouais.

– Mon Dieu! Qu'est-ce qu'Éric a bien pu te faire?

– Rien. Je n'étais pas très bien et Spencer a… c'est un accident. Enfin, genre. C'est compliqué.

– Ça a l'air, oui.

– Je croyais qu'Éric était amoureux de moi, mais il a rompu avec moi parce qu'il rompait avec sa petite amie…

C'est là que Spencer lui a collé son poing en pleine figure... Maintenant, Éric veut qu'on se remette ensemble... sauf qu'il n'est pas vraiment sûr. Il a peur de rencontrer une autre fille à NYU et de me blesser. Du coup, il pense que ça dépend de moi, qu'on sorte ensemble ou non. Tu n'as rien dans ton tiroir magique pour résoudre ce genre de dilemme ?

Scarlett était à bout de souffle. Elle aussi avait débité son histoire d'une traite.

– Hélas, non, répondit Lola en serrant la main de sa sœur. L'avantage, c'est qu'il a l'air honnête, et ça, on aime. Il t'a avoué qu'il ne sait plus très bien où il en est.

– Il devrait savoir, quand même. Je sais que je l'aime, moi. Pourquoi est-ce si difficile ?

– Écoute, tu as vu Spencer au lycée ? Il avait des tonnes de copines, elles étaient toutes folles de lui, passionnées, et dans la semaine c'était fini. Toutes les histoires ne démarrent pas au quart de tour. Parfois, il faut donner du temps au temps, apprendre à connaître l'autre, savoir ce qu'on veut exactement.

C'était typique chez Lola : elle prenait toujours Spencer comme contre-exemple, soulignant les erreurs qu'il avait commises. Néanmoins – une fois n'était pas coutume –, sa voix ne trahit aucun jugement de sa part. Scarlett comprit qu'elle ne parlait pas vraiment de son frère, ni d'Éric, mais de Chip.

– Que penses-tu faire ? demanda-t-elle d'une voix douce.

Un coup sec retentit à la porte et Spencer débaula. La question de Lola demeura en suspens. C'était à croire qu'il savait que Scarlett avait besoin d'aide. Il avait passé une nuit blanche, enchaînant le petit-déjeuner au rangement, et il avait les traits tirés. En dépit des commentaires qu'elle venait de faire sur sa vie amoureuse, Lola lui accorda un regard respectueux au moment où il enleva son T-shirt. Le coup du cassage de gueule avait produit son effet.

– Quoi de neuf? demanda-t-il. Vous avez regardé Internet?

Scarlett sortit son ordinateur de sous sa table de nuit.

– Non... non... attends... dit-elle en pianotant. Si, là, je tombe sur un article, « L'Hôtel Elseneure »...

Elle sauta toute la partie qui expliquait les circonstances exceptionnelles du choix de l'hôtel et patati et patata...

– Voilà. « Éric Hall et Spencer Martin déploient une souplesse physique comme je n'en avais jamais vu depuis des années. Martin, en particulier, possède un don spectaculaire qui lui permet de jouer sur une palette très large, de la scène de combat à la scène de clown, le tout avec un rythme d'une extrême précision. Un nouvel acteur à surveiller de près. » Génial!

– « Un don spectaculaire », reprit Spencer. « Un rythme d'une extrême précision ». « À surveiller de près ». C'est qui? Le *New York Times*? Le *Village Voice*?

– Un type qui signe Ed.

– Ed?

– Sur un blog qui s'appelle « Monter sur les planches avec Ed Mordes ».

Spencer s'approcha et prit l'ordinateur pour relire l'article. Lola recommença à fureter dans son tiroir. Elle scruta son objet mystérieux, puis referma le tiroir.

– Je ne connais pas cet Ed, mais l'article est formidable, dit-elle en se détournant. Je vais prendre un bain, j'ai fait du ménage toute la matinée. Prévenez-moi si vous trouvez d'autres articles.

Elle prit son peignoir, sortit et on l'entendit tourner les robinets dans la pièce voisine. Scarlett put enfin se lever pour aller ouvrir le tiroir.

– Qu'est-ce que tu fiches ? demanda Spencer.

Scarlett lui fit signe de se taire en indiquant le mur, et il comprit. Néanmoins, il était intrigué. Elle repoussa un paquet des fabuleuses lingettes et plusieurs tubes de ses crèmes mystérieuses. Elle la vit tout de suite : une petite boîte rouge foncé, avec la marque Cartier. Elle la prit délicatement et l'apporta à Spencer.

À l'intérieur de l'écrin brillait une montre en or blanc avec un unique petit diamant.

– Pu... ! s'exclama-t-il. Ça doit coûter bonbon. Je parie qu'elle vaut des millions.

– Elle ne l'a jamais portée.

– Mais elle l'a acceptée. J'ai comme la mauvaise impression que notre Numéro 98 revient à la charge...

Scarlett lui flanqua un coup de coude.

– Quoi ?

– Tu n'as plus le droit de l'appeler comme ça, lui rappela-t-elle en prenant la montre pour la ranger soigneusement à sa place.

– Pas devant Lola.

– Elle vient de te sauver la vie. Tu lui dois au moins ça. Il faut qu'on fasse tous les deux des efforts.

– Mais...

– Elle a pleuré à cause de toi, murmura-t-elle, un ton plus bas. Tu te souviens ?

Spencer eut visiblement le sentiment d'avoir été trahi par sa sœur, mais il leva les mains et admit sa faute.

– D'accord. Pas un mot sur cette montre qui a dû coûter les yeux de la tête à ce pauvre Chip, tout ça pour impressionner ma sœur qui ne sort même plus avec lui ! S'ils décident de remettre le couvert, c'est promis, je ne l'appelle plus Numéro 98, et je ne lui demande plus si son fort est plutôt les chiffres ou les lettres.

– Merci, entendit-on à la porte.

Lola entra, passa devant sa sœur, prit un produit qu'elle avait oublié, et referma le tiroir aux mystères. Rien sur le fait qu'ils avaient fouillé dans ses affaires.

– En effet, dit-elle, je n'ai pas encore décidé, ni pour Chip ni pour sa montre. Elle vaut huit mille dollars, autant que vous le sachiez, je sais que vous allez regarder sur Internet dès que j'aurai le dos tourné. À part ça, je viens de croiser papa dans le couloir, les parents voudraient vous voir tous les deux pour parler de la représentation de demain. Je vous rappelle que vous leur avez donné des billets.

– C'est là que j'ai besoin d'une longue, d'une très longue sieste, répondit Spencer. Et dans mes rêves les plus fous, tous mes problèmes sont résolus comme par enchantement. Tout à coup, deux belles jumelles hollandaises qui adorent les acteurs new-yorkais grands et maigrichons apparaissent et me proposent de travailler mon rôle avec moi. On endosse tous les trois un costume d'écureuil en peluche et on nous donne d'énormes paquets de noisettes… Pardon, je suis en train de révéler ma vie intime. Il y a un malaise, non ?

– Je vais appeler Mrs Amberson, répondit Scarlett.
C'est elle qui est censée suivre la presse.

– D'où l'avantage d'être explosé de fatigue, poursuivit Spencer. Tu n'as plus d'angoisse pour ton avenir. Je
vous l'annonce dès à présent, mes deux sœurs adorées :
tout se joue aujourd'hui. Soit les choses se font, soit
elles tombent à l'eau. Alors, rendez-moi un service…

Il se leva et quitta la pièce en traînant les pieds.

–… ne venez pas me réveiller. Mes deux Hollandaises
sont mes deux seuls soutiens, j'en ai bien peur.

La fille dans la lune

Mrs Amberson avait déposé un message sur la boîte vocale de Scarlett pendant qu'elle dormait : « Merci de dire à tes parents que je me joindrai au dîner familial. Ils ont eu la grande gentillesse de m'y inviter. J'ai des nouvelles formidables à vous annoncer. »

Scarlett fit plusieurs tentatives pour la rappeler, intriguée par la perspective de ces nouvelles. Mrs Amberson ne répondait pas.

À cinq heures, elle alla réveiller Spencer, qui s'était endormi tout habillé. Il ouvrit un œil en hurlant le mot « cacahuète » au moment où Scarlett le secoua pour le ramener sur terre.

– Qu'est-ce qu'il se passe ? demanda-t-il en se frottant les yeux.

– Mrs Amberson dîne avec nous ce soir. Elle a un truc à nous annoncer, elle a refusé de me préciser quoi.

Il agita la tête pour se remettre les idées en place et cligna des yeux. Il avait encore quelques imperceptibles traces de blanc autour des oreilles, dernières traces d'un spectacle qui était sans doute mort.

– Quoi qu'il arrive ce soir, répondit-il, même si je dois quitter la table résigné à devenir apprenti cuistot... je te dois tout. Je tenais à te remercier dès maintenant, parce que je ne suis pas sûr d'être d'humeur très amène dans les semaines à venir. Je n'oublierai jamais ce que tu as fait. En plus on s'est bien amusés, non ?

Il eut un beau sourire mais, au fond, il semblait avoir accepté la défaite.

Au rez-de-chaussée, deux grands plats de lasagnes de la mort venaient d'être sortis du four. Les petits pains et la salade avaient été achetés tout prêts, ils étaient donc mangeables. Un taxi s'arrêta devant l'hôtel. Mrs Amberson en descendit, vêtue de son ensemble de karaté brun. Scarlett sortit l'accueillir sur le trottoir.

– J'adore les dîners de famille qui commencent tôt, s'exclama-t-elle. C'est tellement plus reposant et c'est excellent pour la digestion. On devrait toujours dîner à cette heure.

– Qu'est-ce qu'il se passe ? demanda Scarlett. Vous avez été contactée par des agents ? Vous avez trouvé un endroit où on peut continuer à jouer ?

– Attends la révélation finale, répliqua Mrs Amberson, avec un petit air rusé passablement irritant.

Elle prit son étui à cigarettes et l'ouvrit. Il contenait une série de bâtonnets qui ressemblaient à des cure-dents.

– Tiges de bambou trempées dans de l'huile d'arbre à thé, expliqua-t-elle en en fourrant une dans sa bouche et en la mâchant consciensieusement. J'ai arrêté de fumer. Mon acuponcteur m'a promis que c'était très apaisant.

Scarlett crut que Mrs Amberson allait mordre la tige et l'avaler, ce qui semblait peu recommandé, mais pas du tout, elle entra d'un pas majestueux dans l'hôtel et Scarlett la suivit. Elle salua chaleureusement toute la famille Martin, y compris Marlène, comme si elle ne les avait pas vus depuis une éternité.

– C'est drôle, fit-elle remarquer en humant l'air, depuis que j'ai arrêté de fumer j'ai un appétit d'ogre.

De fait, Scarlett vit avec stupeur qu'elle se servit une énorme portion de lasagnes, prit un petit pain entier, deux grosses cuillerées de salade, et accepta sans se faire prier un grand verre de thé glacé instantané. Elle se mit aussitôt à manger et à parler de tout et de rien, sauf du spectacle.

– J'ai fait quelques recherches, dit-elle en posant sa fourchette d'un air triomphal. (Elle sortit de son sac un livre intitulé *J. Allen Raumenberg, designer d'une époque*.) L'architecte qui a dessiné cet hôtel… savez-vous dans quel domaine il a travaillé après?

– C'est lui qui a inventé le Jenga? suggéra Spencer.

Mrs Amberson n'avait évidemment aucune idée de ce à quoi il faisait référence, mais elle sourit.

– Non. Regardez…

Elle ouvrit le livre, comme si elle allait leur lire une histoire, et indiqua une série d'illustrations en noir et blanc qui représentaient des décors de théâtre et de cinéma.

– J. Allen Raumenberg fut un des plus extraordinaires décorateurs de l'âge d'or de Broadway et d'Hollywood.

Votre hôtel était en fait une maquette pour une douzaine de décors à venir. Là... vous voyez?

Elle feuilleta quelques pages et montra le cliché d'un film intitulé *Voyage de minuit*. On aurait dit une photo de la suite Empire, à ceci près que l'on voyait très bien le Chrysler Building à travers la fenêtre.

– Vous avez vu? J'ai choisi cet hôtel pour deux raisons. Primo, je voulais une atmosphère familiale chaleureuse, telle qu'elle était annoncée; en ça je n'ai pas été déçue. Deuxièmement, je voulais retrouver le côté glamour de New York, mais le vrai glamour, pas ce vernis artificiel que l'on fabrique n'importe où aujourd'hui.

« J'étais tellement désolée de vous quitter... mais j'ai des allergies épouvantables. C'est pour ça que j'ai arrêté de fumer. Je suis sûre que Scarlett vous en a parlé. Je suis allée me réfugier dans un hôtel dont la climatisation filtre l'air.

Scarlett était sûre que son départ était lié à une histoire d'étui à cigarettes plus qu'à ces allergies imaginaires.

– Nous avons hâte de voir votre spectacle demain soir, intervint son père, mettant enfin le sujet redouté sur le tapis. Nous attendons depuis des semaines. Je suis sûr que ce sera formidable.

Spencer rassembla ostensiblement ses forces et regarda ses parents et Mrs Amberson droit dans les yeux, prêt à recevoir une première flèche.

– Bien sûr, répondit-elle. À ce propos, récemment j'ai fait une drôle de rencontre. Je suis tombée sur une vieille amie, une très bonne copine, une certaine Donna. À vrai dire, c'est grâce à Scarlett que je l'ai retrouvée.

Spencer lança un regard intrigué à sa sœur. La conversation prenait un tour étrange.

– Elle travaille pour un bureau de tourisme, en fait pour Broadway, dont le rôle est de signaler les manifestations culturelles aux touristes. Je lui ai expliqué que l'hôtel était très souvent vide et que c'est vraiment regrettable, et là, elle a eu une idée de génie. Elle est très souvent en contact avec des troupes de théâtre amateur de province qui cherchent à connaître le vrai New York et à rencontrer les artistes – personnellement. Voilà ce qu'elle m'a suggéré : « Pourquoi ne pas proposer des spectacles dans un hôtel ? Ce serait un moyen pour le public de voir les comédiens à l'œuvre de façon exceptionnellement proche, de passer du temps avec les artistes, d'assister aux préparatifs. » C'est une idée fabuleuse, non ?

Un silence désespéré à faire peur suivit, que Mrs Amberson combla sur-le-champ :

– Moi aussi, j'ai eu du mal à adhérer au début, mais mon amie a été très précise. Par exemple, elle propose d'établir une synergie entre moi, qui suis directrice de troupe, et vous. Autrement dit, que nous montions *Hamlet* ici.

– Ici ? reprit la mère de Scarlett. Mais je croyais que c'était une troupe de premier ordre, que la pièce avait lieu dans un théâtre… enfin, un grand théâtre du centre-ville.

– Tout à fait, renchérit Mrs Amberson. C'est ce que je lui ai répondu : « Écoute, Donna, ton idée est sympa, mais nous sommes à la veille d'un succès assuré, dans un lieu prévu de longue date. » Malheureusement elle n'a rien voulu entendre, mais elle a fini par me convaincre que sa solution est sûrement la bonne. Imaginez un peu, il suffirait d'aménager la pièce, nous pourrions jouer ici sans problème!

– Mais...

– J'ai longuement réfléchi. Avec le service personnalisé que vous proposez ici, vous êtes en mesure d'offrir à ces troupes l'expérience dont elles rêvent. Tous ces immenses hôtels sont dix fois trop impersonnels! Ici, ce *nouveau type de client* pourrait bénéficier de conseils avisés sur les spectacles à voir – je mets à part *Hamlet,* bien sûr –, grâce à la présence de professionnels.

– Et sur les boutiques, ajouta Lola. Les gens viennent à New York pour faire du shopping. Je pourrais les conseiller là-dessus. Je pourrais même les accompagner.

– Un guide personnel de shopping! s'écria Mrs Amberson en applaudissant. L'idée est carrément lumineuse!

– Votre amie a eu une idée très intéressante, répondit le père de Scarlett en tâchant d'être poli. Mais je ne suis pas certain que cela attirerait grand monde.

– Vous lisez dans mes pensées, rétorqua Mrs Amberson. Moi aussi, j'étais sceptique, j'ai même répondu à mon amie : « Donna, ton idée a l'air pas mal, mais es-tu vraiment sûre d'arriver à convaincre des touristes de venir s'installer ici avec cette unique attraction? » Vous savez quoi? Elle a immédiatement tapoté sur son ordinateur, passé deux ou trois coups de fil...

Mrs Amberson sortit de son sac une épaisse liasse de feuilles.

– Une troupe de Floride, par exemple, dit-elle en la feuilletant. Ils voudraient venir une semaine. Un tour-opérateur japonais, intéressé pour trois jours. Une petite compagnie d'Angleterre, quatre jours. Une autre, de

France. Des gens d'une communauté de l'Ohio. Tous sont prêts à réserver dès maintenant, avant l'augmentation des prix en automne. Il y a déjà de quoi remplir l'hôtel pour un bon mois, à condition que vous soyez intéressés, bien entendu.

Mrs Amberson consultait son dossier en parfaite innocence. Le père de Scarlett tendit la main vers sa liasse de feuilles, éberlué.

– J'ai pensé à autre chose, ajouta-t-elle avec un sourire carnassier. Je suis sûre que si vous installiez un de ces appareils portables qui filtrent l'air, je surmonterais mon problème d'allergie. Pour résumer donc, si vous êtes intéressés, je reviens et je reprends ma chambre.

Elle conclut son numéro en mordant un bon coup dans un petit pain. Scarlett ayant appris à interpréter le moindre de ses mouvements et de ses expressions, elle comprit que ce dernier geste signifiait : « Je suis tellement bonne que je vais m'offrir ce petit pain à base de mauvaise farine blanche. »

Suivit une longue pause. Une bonne partie de leur avenir immédiat et de leur futur à plus long terme était en train de se jouer.

– Mrs Amberson, dit la mère de Scarlett, auriez-vous la gentillesse de nous accorder une minute, s'il vous plaît ?

– Mais bien sûr ! J'ai gardé l'habitude de faire des pauses, même si j'ai arrêté de fumer. J'allais vous demander de m'excuser.

À peine s'éclipsa-t-elle que la mère de Scarlett claqua des doigts pour mobiliser l'attention de toute la famille.

– Lola, monte inspecter toutes les chambres et les armoires, s'il te plaît. Vérifie qu'il ne manque rien.

Marlène, tu feras la vaisselle pendant que ton père et moi, nous appellerons les nouveaux clients.

Marlène répondit par un regard interloqué. Honnêtement, elle ne fut pas la seule. Car jamais, au grand jamais, personne n'osait lui demander le moindre service. Elle ouvrit la bouche, sûrement pour protester, puis la referma avec détermination.

– Allez, ma petite Mar, insista leur père en se levant. Je vais te montrer comment laver les deux ou trois premières assiettes. Après, ça va tout seul.

Lola se redressa et sortit commencer sa tournée.

– Vous brûlez d'envie de nous révéler quelque chose, je parie, dit leur mère alors qu'il ne restait plus que Scarlett et Spencer.

– Révéler ? répondit Spencer en regardant sa sœur et en haussant les épaules. Non…

– En tout cas pas moi, ajouta Scarlett, affichant son expression la plus innocente.

Nouveau silence, angoissant.

– Bon, allez aider Mrs Amberson à transporter ses affaires et à se réinstaller dans sa chambre. Ah ! j'allais oublier, Spencer…

Elle sortit une carte de sa poche.

– Un monsieur est passé et a déposé ça pour toi. Il m'a dit qu'il t'avait vu hier soir. Tu penses bien que je n'ai pas la moindre idée de ce qu'il entendait par là.

Spencer prit la carte, la lut, et la passa à sa sœur. Elle annonçait : TOM HICKMAN, CASTINGS PUB. Une ligne écrite à la main précisait : « Appelez-moi demain. Sujet : publicité pour machine à laver. »

Quelques heures plus tard, Mrs Amberson était assise sur son perchoir de la suite Empire, agitée comme un pinson. Elle venait de mâcher une bonne douzaine de ses bâtonnets enduits d'huile d'arbre à thé en attendant que Spencer monte tous ses bagages. De toute évidence, elle avait fait quelques emplettes au cours de son séjour au Saint Regis.

Spencer apporta la dernière valise et se précipita sur le lit à côté de Scarlett.

– J'ai réfléchi, Spencer, dit Mrs Amberson en mâchouillant un nouveau bâtonnet, tu vas avoir besoin d'un agent. Tu n'en as pas, que je sache? Plutôt pub ou classique?

– Plutôt rien. Je ne peux pas avoir d'agent tant que... Personne ne risque de me contacter. J'ai connu des périodes de chômage beaucoup trop longues. D'ailleurs, je suis toujours sans emploi. La représentation d'hier était l'équivalent d'une audition.

– Pas du tout, c'était un vrai spectacle. Les gens t'ont vu. C'est une première étape.

Il avait beau être épuisé, Spencer était stimulé par toutes ces nouvelles.

– Si tu choisis une grande agence, tu risques d'être perdu, ajouta Mrs Amberson. Ils consacrent tout leur temps aux stars et aux clients qui rapportent. Tu as besoin d'un petit agent qui cherche à construire ta carrière, décide de t'accompagner jusqu'au sommet et te transforme en valeur sûre.

– Vous en connaissez?

– Oui, répondit-elle avec une lueur dans le regard que Scarlett saisit. Je connais quelqu'un qui a plusieurs années d'expérience dans le monde du théâtre, qui maîtrise les histoires de contrat, qui a des nerfs en acier et qui est entièrement dévoué à son métier. Une personne qui commence à constituer un catalogue de nouveaux clients.

– Qui est-ce? Vous pourriez me mettre en contact avec lui, ou elle, et me recommander?

– Tu trouveras un peu d'argent dans mon bureau, répondit Mrs Amberson avec son plus beau sourire. Rends-moi un service, s'il te plaît, descends chez le traiteur du coin et rapporte-moi un paquet de réglisse. J'en meurs d'envie. J'en profiterai pour passer deux ou trois coups de fil. Achète aussi un de leurs *smoothies* bio faits maison. C'est pour toi. Mais promets-moi que tu le boiras, ils sont délicieux.

Spencer fila hors de la chambre et Mrs Amberson se tourna vers Scarlett.

– Objectif numéro un, qu'il prenne cinq kilos, de masse musculaire, bien sûr. Par ailleurs, je me demande quand cette Stéphanie va enfin arrêter d'être professionnelle et lui demander de sortir avec elle. Voilà ce qu'il nous faut surveiller dans les semaines à venir, O'Hara. J'ai besoin de savoir que mes clients sont heureux et comblés. Ça leur évite de se retrouver en première page des tabloïds.

– Vous n'êtes pas agent. Vous n'avez pas de clients.

– Pas encore mais, dès que j'aurai appelé cette amie avocate qui doit me rédiger un contrat pour ton frère, je le serai. Je suis faite pour ça, Scarlett. Former les gens. Mettre en contact les uns et les autres. Organiser des déjeuners. J'ai déjà pensé à un nom, AA, Agence Amberson, mais il est déjà pris. Sauf que… les clients qui appartiennent à l'agence AA originale seront peut-être ravis de rejoindre la nouvelle. Je pourrais avoir un superbe logo. Des cartes et du papier à en-tête sublimes. Un double A, avec les deux lettres enlacées et se chevauchant. Remarque, ça ressemblerait à un M, non ? Il vaut peut-être mieux dessiner les deux A dos à dos.

« J'aurai besoin d'un ou d'une assistante assez vite, poursuivit-elle, toujours très organisée. Quelqu'un à qui je puisse faire confiance. Qui s'investisse à fond.

– Je reprends le lycée dans quelques semaines. Je vais être très prise…

– Justement ! Difficile d'imaginer un petit boulot qui tombe plus à point. Qu'as-tu à perdre ?

« Beaucoup, songea Scarlett. Ma santé mentale. »

– Il faudra assister à tous les spectacles, aux couturières, aux soirées de gala ! Qui d'autre est prêt à te payer pour te sortir ? Starbucks ? Ça m'étonnerait. Tu auras peut-être deux ou trois coups de fil à passer pendant la journée pour organiser des rendez-vous, mais on se débrouillera. Rien qui puisse troubler ta scolarité.

Scarlett sentit un martèlement familier dans sa tête. Travailler pour Mrs Amberson l'été, c'était une chose, mais pendant l'année scolaire, c'en était une autre. Jamais elle n'aurait assez de temps, en plus ce job était le chemin le plus sûr vers la ruine, la destruction, le malheur, les cours ratés, l'emprisonnement…

– Je te donnerai un pourcentage, reprit Mrs Amberson avec un regard malin. Si mon affaire fonctionne, tu gagneras peut-être assez pour payer tes frais d'université, qui sait ? Et tout ça pour quoi ? Pour le succès de ton frère ! Le bonheur de toute ta famille ! Penses-y, O'Hara. En attendant, je connais des gens formidables au département scénographie du Manhattan Theater Club. On peut leur demander de concevoir un décor entièrement nouveau pour notre *Hamlet*. Et on s'y met dès maintenant.

– Comment ça, dès maintenant ? Maintenant ?

– Seul un maintenant est possible, O'Hara. Ah, j'aime bien cette phrase, note-la. Où as-tu mis ton carnet ? Nous avons déjà pris un retard énorme par rapport à ce que j'avais noté. Tu as remarqué ?

« Je descends, on se retrouve à la réception.

Elle se leva de son perchoir, attrapa son sac et fila.

Scarlett s'arrêta devant le miroir en forme de lune et jeta un long regard sur son reflet. Boucles ébouriffées. Un. Vernis à ongles écaillé. Deux. Nouveau job improbable. Trois. Et quelque part, un garçon qui avait sans doute été, ou n'avait pas été, son petit ami.

– L'ascenseur est là, O'Hara ! hurla Mrs Amberson du fond de la réception. Tu penses que William Morris* perdait son temps à traîner dans des chambres d'hôtel ? Tu viens, oui ou non ?

– Tu as entendu ? demanda Scarlett à son reflet. Typique de ton futur boulot. Tu as vraiment envie de ça ?

Le reflet eut un large sourire d'approbation.

– J'arrive !

Maintenant c'était maintenant, et un spectacle l'attendait.

---

*Célèbre agent artistique et littéraire de New York.